VALSE LADING

Andrew Gross
VALSE LADING

De Fontein

Van Andrew Gross verscheen eveneens bij Uitgeverij De Fontein:

Code blauw

© 2008 Andrew Gross
© 2009 Nederlandstalige uitgave: Uitgeverij De Fontein Baarn

Deze uitgave is tot stand gekomen na overeenkomst met HarperCollins Publishers.

Oorspronkelijke uitgever: William Morrow, an imprint of HarperCollins Publishers
Oorspronkelijke titel: *The Dark Tide*
Vertaald uit het Engels door: Karin Pijl
Omslagontwerp: Wil Immink Design
Omslagfoto: Solus-Veer/Corbis en Onne van der Wal/Corbis
Zetwerk: Text & Image, Almere
ISBN 978 90 261 2594 2
NUR 332

www.defonteinboeken.nl
www.andrewgrossbooks.com

De inhoud van dit boek is pure fictie. Alle personages, gebeurtenissen en dialogen zijn voortgekomen uit de fantasie van de auteur. Iedere gelijkenis met levende of dode personen of gebeurtenissen is onbedoeld en berust op toeval.

Deel 1

I

TOEN DE OCHTENDZON FEL DOOR het slaapkamerraam naar binnen scheen, liet Charles Friedman het estafettestokje vallen.

Hij had de droom jaren niet meer gehad, maar daar was hij dan: slungelig en twaalf jaar oud. Hij liep het derde onderdeel van de estafette op het zomerkamp, de strijd tussen het Blauwe team en het Grijze team. De lucht was prachtig blauw, de menigte sprong enthousiast op en neer. Gemillimeterd haar, gezichten met rode wangen die hij nooit weer zou zien, behalve hier. Zijn teamgenoot Kyle Bregman, die het voorafgaande onderdeel liep, stormde met een nipte voorsprong op hem af. Zijn wangen zwollen op met alles wat hij in zich had.

Aannemen...

Charles kalmeerde zichzelf en stond klaar om weg te stuiven zodra hij het estafettestokje in zijn hand voelde. Zijn vingers trilden in afwachting van de klap van het stokje in zijn handpalm.

Hebbes! Nu! Hij stoof weg.

Ineens een verpletterende kreun.

Charles bleef staan en keek vol afschuw naar beneden. Het estafettestokje lag op de grond. Het Grijze Team voltooide de aanname en sprintte langs hem naar een onwaarschijnlijke overwinning, hun supporters sprongen op en neer van blijdschap. Vreugdekreten vermengd met teleurgesteld boegeroep weerklonken in Charles' oren.

En toen werd hij wakker. Zoals altijd. Hij ademde zwaar, de lakens waren nat van het zweet. Charles keek naar zijn lege handen. Hij klopte op het dekbed, alsof het estafettestokje er na dertig jaar misschien nog steeds lag.

Maar hij voelde alleen Tobey, hun witte West Highland terriër, die hem met grote ogen verwachtingsvol aankeek en met gekruiste achterpoten op zijn borst lag.

Met een zucht liet Charles zijn hoofd weer op het kussen vallen.

Hij keek naar de wekker: tien over zes. Tien minuten voordat hij af zou gaan. Zijn vrouw Karen lag opgekruld naast hem. Hij had niet veel geslapen. Van drie tot vier was hij klaarwakker geweest en had hij naar de World's Strongest Female Championship op ESPN2 gekeken met het geluid uit, omdat hij haar niet wakker wilde maken. Er zat hem iets dwars. Misschien was het de enorme positie die hij afgelopen donderdag in Canadese teerzanden had genomen en tijdens het weekend had aangehouden – uiterst riskant nu de olieprijs de andere kant op ging. Of het feit dat hij een longpositie in het halfjaar in aardgas had genomen tegen een shortpositie in het jaarscontract. Vrijdag was de energie-index verder gedaald. Hij durfde niet eens uit bed te komen, bang om naar het beeldscherm te kijken en te zien wat hij daar zou aantreffen.

Of was het Sasha?

De afgelopen tien jaar had Charles zijn eigen energiehedgefonds in Manhattan gerund en met groot risico gehandeld. Hij had zich daarbij acht keer overleend. Aan de buitenkant – zijn rossige bruine haar, de bril met hoornen montuur, zijn ijzige kalmte – leek hij meer het type van een planoloog of belastingconsulent.

Charles duwde zichzelf overeind en bleef even zitten in zijn boxershort en met zijn ellebogen op zijn knieën. Tobey sprong van het bed en begon driftig aan de deur te krabben.

'Laat hem eruit.' Karen werd wakker, rolde op haar andere zij en trok het dekbed over haar hoofd.

'Weet je het zeker?' Charles keek naar de hond die met zijn oren naar achteren en met een trillende staart verwachtingsvol op zijn achterpoten hupte, alsof hij de deurknop met zijn tanden kon omdraaien. 'Je weet wat er dan gebeurt.'

'Toe nou, Charlie. Het is jouw beurt vanochtend. Laat het kreng naar buiten.'

'Beroemde laatste woorden...'

Charles stond op en trok de deur open die naar hun omheinde tuin van tweeduizend vierkante meter leidde, een straat verwijderd van de baai in Old Greenwich. In een flits stormde Tobey de veranda op, zijn neus gefixeerd op de geur van een nietsvermoedend konijn of een eekhoorn.

Meteen weerklonk het schelle geluid van zijn blaf.

Karen trok het kussen over haar hoofd en gromde. 'Grrr...'

Zo begon elke dag, met Charlie die naar de keuken slofte, CNN aanzette en koffie maakte terwijl de hond buiten stond te blaffen. Vervolgens ging hij naar zijn werkkamer om op internet de Europese spots te bekijken, waarna hij onder de douche sprong.

Die ochtend boden de spots weinig reden voor vreugde – 72,10 dollar. Ze waren verder gedaald. Snel maakte Charles de rekensom in zijn hoofd. Hij zou nog eens drie contracten moeten verkopen. Weer een paar miljoen weg. Het was even na zessen en hij ging nu al kopje-onder.

Onder de douche nam Charles zijn dag door. Hij moest zijn posities intrekken, teerzandcontracten wegdoen en daarna had hij een bespreking met een kredietverstrekker. Bovendien moest hij geld storten op de studierekening van zijn dochter Sam; in de herfst zou ze aan het laatste jaar highschool beginnen.

Op dat moment drong het ineens tot hem door. Shit!

Hij moest vanochtend die rottige auto naar de garage brengen.

De dertigduizendkilometerbeurt voor de Mercedes. Karen had er vorige week uiteindelijk op aangedrongen dat hij een afspraak zou maken. Het betekende dat hij met de trein naar zijn werk moest. Daar zou hij wat tijd mee verliezen. Hij had om halfacht op zijn werk willen zijn om die posities af te handelen. Bovendien zou Karen hem later die middag van het station moeten oppikken.

Normaal gesproken bevond Charles zich, eenmaal aangekleed, in de haastmodus. Om halfzeven riep hij naar Karen dat het tijd was om op te staan en klopte op de slaapkamerdeuren van Alex en Samantha. Bij de voordeur nam hij het voorpaginanieuws in de *Wall Street Journal* door.

Maar dankzij de auto die naar de garage moest, had hij vanochtend nog even tijd om zijn koffie op te drinken.

Ze woonden in een statig, gerenoveerd koloniaal huis in een straat met bomen in het stadje Old Greenwich, vlak bij de baai. Het huis was volledig afbetaald en was waarschijnlijk meer waard dan Charles' vader, een stropdassenverkoper uit Scranton, in zijn hele leven had verdiend. Misschien kon hij er niet mee pronken zoals een aantal van hun vrienden in hun megahuizen aan North Street, maar hij had goed geboerd. Hij had hard gewerkt om uit een middelbareschoolklas van zevenhonderd leerlingen toegelaten te worden tot Penn. Hij had zich onderscheiden op de afdeling Energie bij Morgan Stanley en een paar klanten weggekaapt toen hij zijn eigen bedrijf Harbor Capital oprichtte. Ze hadden een wintersporthuisje in Vermont, de kinderen konden studeren en ze boekten luxe vakanties.

Wat had hij dan in vredesnaam verkeerd gedaan?

Buiten krabde Tobey aan de openslaande deuren van de keuken omdat hij weer naar binnen wilde. Oké, oké. Charles zuchtte.

De week ervoor was hun andere Westie, Sasha, overreden. In hun eigen, rustige straat, recht voor hun huis. Charles had haar gevonden, onder het bloed en verslapt. Iedereen was er nog steeds kapot van. En toen was het briefje gekomen, de volgende dag op zijn kantoor, in een mandje met bloemen. Hij had het er erg benauwd van gekregen en dat was de reden van zijn dromen van de laatste tijd.

SORRY VAN FIKKIE, CHARLES. ZIJN JE KINDEREN HIERNA AAN DE BEURT?

Hoe was het in vredesnaam zover gekomen?

Hij stond op en keek naar de klok op het fornuis: kwart voor zeven. Met enig geluk, zo bedacht hij, was hij om halfacht weer bij de garage weg, haalde hij nog net de trein van negen voor acht en zou hij vijftig minuten later achter zijn bureau op Forty-ninth Street en Third Avenue zitten om een oplossing te bedenken. Hij liet de hond binnen. Het beest liep meteen blaffend langs hem heen via de woonkamer de voordeur uit, die Charles in zijn verstrooidheid had vergeten dicht te doen. Nu zou het beest de hele buurt wakker blaffen.

Van dat kreng had hij verdorie meer werk dan van de kinderen!

'Karen, ik ga!' riep hij, terwijl hij zijn aktetas pakte en de *Journal* onder zijn arm klemde.

'Kus, kus,' riep ze terug en ze spurtte in haar badjas de badkamer uit.

Ze was in zijn ogen nog steeds sexy, met haar natte karamelkleurige haar dat een beetje in de war zat na het douchen. Karen was een mooie vrouw. Haar lichaam was nog steeds in vorm en uitnodigend dankzij jaren van yogaoefeningen, haar huid was nog steeds glad en ze had van die dromerige, groenbruine ogen die leken te zeggen: ik pak je en ik laat je nooit meer los. Heel even had Charles er spijt van dat hij niet weer bij haar in bed was gekropen toen Tobey 'm was gesmeerd en hun de onverwachte mogelijkheid had geboden.

Maar in plaats daarvan riep hij iets over de auto, en dat hij de Metro North zou nemen. Dat hij haar misschien later zou bellen om halverwege af te spreken om de auto weer op te halen.

'Ik hou van je!' riep Karen over het zoemende geluid van de haardroger uit.

'Ik ook van jou!'

'Na Alex' wedstrijd gaan we...'

Verdomme, dat was ook zo. Alex' lacrossewedstrijd, zijn eerste van het seizoen. Charles liep terug en schreef een briefje dat hij op het keuken-aanrecht neerlegde.

Aan onze eersteklas aanvaller! Maak ze in, topper! Veel succes!!!

Hij zette zijn initialen eronder, streepte ze toen door en schreef: PAPA. Even staarde hij naar het briefje. Hij moest het een halt toeroepen. Hij kon niet toestaan dat hun iets zou overkomen.

Daarna liep hij naar de garage en ondanks het lawaai van de elektrische deur die openging en het geblaf van de hond in de tuin, hoorde hij zijn vrouw boven de haardroger uit schreeuwen: 'Charlie, laat in vredesnaam die hond binnen!'

2

OM HALFACHT WAS KAREN IN de yogastudio.

Ze had Alex en Samantha uit bed getrommeld, cornflakes en toast op tafel gezet, het topje gevonden waarvan Sam beweerde dat het 'echt onvindbaar was, mam' (in de la van haar dochters dressoir) en twee ruzies beslecht over wie die ochtend wie naar school zou brengen en wiens luizen er in de wasbak lagen van de badkamer die de kinderen deelden.

Ze had ook de hond te eten gegeven en ervoor gezorgd dat Alex' lacrossetenue was gestreken. Toen het getrek en geduw over wie wie het laatst had aangeraakt was overgegaan in een scheldpartij, had ze hen de deur uit gezet en met een kus en een zwaai in Samantha's Acura geduwd. Verder had ze een protestbrief van Sav-a-Tree ontvangen over een van hun iepen die ze wilden vellen en twee e-mails gestuurd aan bestuursleden van de geldinzamelingsactie van school.

Een begin... Karen zuchtte en knikte naar een paar bekende gezichten terwijl ze gehaast deelnam aan de zonnegroet in de Sportsplex Studio in Stamford.

De middag zou helemaal hectisch worden.

Karen was tweeënveertig en zag er nog goed uit; ze wist dat ze minstens vijf jaar jonger leek. Met haar doordringende bruine ogen en de paar resterende sproetjes op haar jukbeenderen vergeleken mensen haar vaak met een blondere versie van Sela Ward. Haar dikke lichtbruine haar had ze met een klip vastgezet en toen ze zichzelf toevallig in de spiegel zag, schaamde ze zich totaal niet voor hoe ze er als moeder nog uitzag in haar yogabroek. In een vroeger leven was ze de grootste fondsenwerver voor het Stadsballet geweest.

Charlie en zij hadden elkaar daar voor het eerst ontmoet, tijdens een diner voor belangrijke donoren. Natuurlijk was hij alleen maar aanwezig om een tafel voor de firma te vullen; hij wist echt niet wat het verschil was tussen een plié en een twist. Nog steeds niet, plaagde ze altijd. Maar hij was verlegen en had de neiging om zichzelf omlaag te halen – en met zijn hoornen bril, zijn bretels en zijn rossige haarbos had hij meer weg van een professor in de politicologie dan de nieuwe uitblinker op de afdeling Energie van Morgan Stanley. Charlie scheen het wel leuk te vinden dat ze hier oorspronkelijk niet vandaan kwam. Ze had een ietwat lijzige manier van praten. De fluwelen handschoen rond haar ijzeren vuist, noemde hij die altijd bewonderend, omdat hij nog nooit iemand had ontmoet die zo daadkrachtig was als zij.

Het lijzige accent was allang verdwenen, net als haar superslanke heupen. Om nog maar te zwijgen van het gevoel dat ze enige controle over haar leven had.

Dat gevoel was ze een aantal zwangerschappen geleden al verloren.

Karen concentreerde zich op haar ademhaling terwijl ze zich vooroverboog naar de stafhouding, die ze erg moeilijk vond en waarbij ze zich moest concentreren op het strekken van haar armen en het rechten van haar rug.

'Rug recht,' instrueerde Cheryl, de yogalerares. 'Donna, armen langs je oren. Karen, let op je houding. Gebruik je bovenbeen.'

'Nog even en mijn bovenbeen valt eraf.' Karen kreunde en wankelde. Een aantal mensen om haar heen lachte. Maar ze vond haar evenwicht terug en herwon haar vorm.

'Prachtig.' Cheryl applaudisseerde. 'Goed gedaan.'

Karen was opgegroeid in Atlanta. Haar vader bezat een kleine keten van verf- en doe-het-zelfzaken. Ze had kunstgeschiedenis gestudeerd aan Emory University. Op haar drieëntwintigste vertrok ze met een vriendin naar New York, kreeg haar eerste baan op de pr-afdeling van Sotheby's en alles leek op rolletjes te lopen. Nadat ze met Charlie was getrouwd, had ze het even moeilijk gehad. Ze had haar carrière opgegeven, was naar het platteland verhuisd en had een gezin gesticht. Charlie was indertijd altijd aan het werk – of weg – en zelfs als hij thuis was, leek hij voortdurend met een telefoon rond te lopen.

In het begin maakten ze een onzekere tijd door. Charlie had een paar verkeerde zetten gedaan toen hij zijn bedrijf opstartte en was bijna ten onder gegaan. Maar een van zijn mentoren bij Morgan Stanley was te hulp geschoten en sindsdien ging het hen voor de wind. Ze leidden geen overdreven luxe leven, zoals een aantal kennissen van hen die in reusachtige kastelen in de bergen woonden, buitenhuizen in Palm Beach hadden en kinderen die nog nooit anders dan business class hadden gevlogen. Maar wie wilde dat nou? Ze hadden een vakantiehuisje in Vermont en een zeilboot bij de zeilvereniging in Greenwich. Karen deed nog steeds zelf boodschappen en verwijderde de hondendrollen van hun oprit. Ze werkte als vrijwilliger in een jongerencentrum en beheerde het huishoudgeld. Aan de blos op haar wangen te zien was ze gelukkig. Ze was stapelgek op haar gezin.

Toch zuchtte ze terwijl ze de stoelhouding aannam. Het voelde als een geschenk uit de hemel dat de kinderen, de hond en de rekeningen die zich op haar bureau opstapelden voor een uurtje even heel ver weg waren.

'Denk aan een prachtige omgeving...' instrueerde Cheryl hen. 'Haal diep adem. Gebruik je ademhaling om je ernaartoe te brengen...'

Karen zweefde weg naar de plek waarop ze zich altijd concentreerde. Een afgelegen baai even buiten Tortola, in de Caribische Zee. Zij en Charlie en de kinderen waren er bij toeval op gestuit toen ze in de buurt aan het zeilen waren. Ze hadden de hele dag met z'n vieren in de schitterende turkooizen baai doorgebracht. Een wereld zonder mobiele telefoons en televisie. Ze had haar man nog nooit zo ontspannen gezien. Als de kinderen het huis uit waren, zei hij altijd, als hij zijn schaapjes op het droge had, zouden ze daar weer naartoe gaan. Tuurlijk. Karen glimlachte altijd van binnen. Charlie was iemand die zich een leven lang aan iets kon wijden. Hij genoot van de arbitrage, het risico. De baai mocht wegblijven, desnoods voorgoed. Ze was gelukkig. Toen ze in de spiegel een blik van zichzelf opving glimlachte ze.

Plotseling werd Karen zich bewust van de menigte die zich bij de balie van de sportschool had gevormd. Een paar sporters waren van hun fitnessinstrumenten gestapt en keken geconcentreerd naar de televisieschermen boven hen. Zelfs de instructeurs stonden te kijken.

Er was iets gebeurd!

Cheryl klapte in haar handen en probeerde zo hun aandacht weer te trekken. 'Mensen, concentratie!' Maar tevergeefs.

Een voor een kwamen ze uit de stoelhouding omhoog en staarden naar de balie.

Een medewerkster van de club rende naar hen toe en trok de deur open. 'Er is iets gebeurd!' riep ze. Haar gezicht was bleek van ontsteltenis. 'Brand in het Grand Central Station! Er schijnt een bom te zijn ontploft.'

3

KAREN HAASTTE ZICH DOOR DE glazen deur en wurmde zich voor het televisiescherm om te kijken.

Dat deden ze allemaal.

Een verslaggever voor het treinstation in Manhattan bevestigde met haperende stem dat er zich binnen een explosie had voltrokken. 'Mogelijk verschillende explosies...'

Daarna volgden beelden vanuit een helikopter. Een aanzwellende pluim van zwarte rook steeg van binnenuit naar boven.

'O, godallemachtig,' mompelde Karen, terwijl ze vol afschuw naar de beelden keek. 'Wat is er gebeurd?'

'Het begon op het spoor,' antwoordde een vrouw in een gympakje naast haar. 'Ze denken dat er een bom is ontploft, vermoedelijk in een van de treinen.'

'Mijn zoon is vanochtend met de trein gegaan,' bracht een vrouw haperend uit, terwijl ze een hand naar haar mond bracht.

Een andere vrouw die met een handdoek om haar nek tegen de tranen vocht zei: 'Mijn man ook.'

Voordat Karen na kon denken kwamen er nieuwe berichten binnen. Een explosie, verscheidene explosies, op het spoor, precies op het moment dat een trein van Metro North het station binnenreed. Er woedde een brand, meldde de verslaggever. Rook steeg op naar de straat. Tientallen mensen zaten nog steeds gevangen. Misschien wel honderden. Het was goed mis!

'Wie?' werd er gemompeld.

'Terroristen, zeggen ze.' Een van de instructeurs schudde zijn hoofd. 'Ze weten het niet...'

Allemaal hadden ze zo'n gruwelijk moment als dit eerder meegemaakt. Karen en Charlie hadden allebei mensen gekend die 11 september niet hadden overleefd. Aanvankelijk keek Karen toe met de empathische bezorgdheid van iemand wiens leven niet direct door de tragedie werd geraakt. Naamloze, gezichtloze mensen die ze misschien honderden keren had gezien. Mensen die tegenover haar in de trein de sportbijlage in de krant lazen of gehaast op straat een taxi aanhielden. Ze hielden hun ogen nu onafgebroken op het televisiescherm gericht en velen hielden elkaars hand vast.

En toen drong het tot haar door.

Niet in een flits – eerst een verlammend gevoel in haar borstkas, daarna werd het sterker en ging vergezeld van een gevoel van dreigende angst.

Charlie had iets naar haar geroepen, iets van dat hij die ochtend met de trein zou gaan. Boven het geluid van de haardroger uit.

Dat hij de auto naar de garage moest brengen en dat zij hem later die middag zou moeten oppikken.

O, mijn god...

Benauwdheid drukte op haar borst. Haar blik schoot naar de klok. Uit alle macht probeerde ze een tijdlijn te reconstrueren. Charlie, hoe laat hij vertrok, hoe laat het nu was... Het begon haar angst aan te jagen. Haar hart begon sneller te kloppen, als een metronoom die op de hoogste stand stond.

Er kwam meer nieuws. Karen zette zich schrap. 'Het schijnt inderdaad om een bom te gaan,' kondigde de verslaggever aan. 'Aan boord van een Metro North-trein die net het Grand Central was binnengereden. Dat is zojuist bevestigd,' zei hij. 'Het gaat om de trein uit Stamford.'

Iedereen in de studio hapte tegelijkertijd naar adem.

De meesten van hen kwamen daar vandaan. Iedereen kende mensen – familie, vrienden – die regelmatig met de trein reisden. Gezichten werden bleek van schrik. Mensen draaiden zich naar elkaar om zonder te weten wie er naast hen stond en zochten troost in elkaars ogen.

'Vreselijk, hè?' Een vrouw naast Karen schudde haar hoofd.

Karen kon nauwelijks antwoorden. Een rilling hield haar plotseling in zijn greep en sneed door haar botten.

De trein uit Stamford reed door Greenwich.

Doodsbang keek ze naar de klok – zes voor negen. Ze had het zo benauwd dat ze nauwelijks kon ademhalen.

De vrouw staarde haar aan. 'Lieverd, gaat het?'

'Ik weet niet...' In Karens ogen stond pure paniek te lezen. 'Volgens mij zat mijn man in die trein.'

4

TY HAUCK WAS OP WEG naar zijn werk.

Met acht kilometer per uur manoeuvreerde hij zijn zeven meter lange visboot, de *Merrily*, in de mond van de haven van Greenwich.

Hauck ging zo nu en dan met de boot zodra het beter weer werd. Vanaf het dek in de frisse lentebries verklaarde hij dat de zomertijd op deze ochtend in april officieel was ingegaan. De tocht over de Long Island Sound vanaf zijn huis vlak bij Cove Island in Stamford duurde vijfentwintig minuten, nauwelijks langer dan de langzame autorit op de I-95 op dit tijdstip. En van de verkwikkende wind in zijn haren werd hij een stuk sneller wakker dan van een grote beker koffie van Starbucks. Hij zette zijn draagbare cd-speler aan. Fleetwood Mac. Een oude favoriet:

Rhiannon rings like a bell throught the night / And wouldn't you love to love her.

Het was de reden waarom hij hier vier jaar geleden naar terug was verhuisd. Na het ongeluk, nadat zijn huwelijk op de klippen was gelopen. Sommigen noemden het vluchten. Verstoppertje spelen. En misschien was dat ook wel een beetje zo. Maar wat dan nog?

Hij was hoofd van de afdeling Gewelddadige Delicten bij de politie van Greenwich. Mensen rekenden op hem. Was dat vluchten? Soms viste hij een uurtje op blauwe en gestreepte baarzen voordat hij naar zijn werk ging, in de rozige kalmte van de vroege ochtend. Was dát vluchten?

Hij was hier opgegroeid. In het kleinburgerlijke Byram, vlak bij Port Chester aan de grens met New York, enkele kilometers maar toch een heel leven verwijderd van de kolossale landhuizen die nu langs de weg naar het achterliggende platteland stonden, hekken waar hij nu doorheen reed om verklaringen af te nemen van rijkeluiskindjes die met hun dure Hummers over de kop waren geslagen.

Het was nu allemaal anders. De plattelandsmensen die hier in zijn jeugd waren opgegroeid, hadden de weg geruimd voor jonge hedgefondsmiljonairs die de oude huizen hadden afgebroken en reusachtige kastelen hadden opgetrokken achter ijzeren hekken, met grote zwembaden en inpandige bioscopen. Iedereen die geld had trok hiernaartoe. Russische magnaten – wie wist waar hún rijkdom vandaan kwam? – kochten nu paardenranches in Conyers Farm op en legden helikopterplatformen aan.

Miljardairs die de boel verstierden voor miljonairs. Hauck schudde zijn hoofd.

Twintig jaar geleden was hij running back geweest in het American footballteam van Greenwich High. Daarna had hij in de derde divisie van Colby College gespeeld. Geen toppositie, maar daardoor was hij wel versneld binnen het trainingsprogramma voor rechercheurs bij de politie van New York terechtgekomen. Zijn vader, die zijn hele leven bij het waterbedrijf van Greenwich had gewerkt, was heel trots op hem geweest. Hij had een aantal zaken opgelost die veel publiciteit hadden gekregen en maakte snel promotie. Later werkte hij voor het Bureau Informatievoorziening van de afdeling toen de Twin Towers werden getroffen.

En nu was hij weer terug.

Terwijl hij de haven in pufte en de keurig onderhouden gazons van Bell Haven links van hem zag, voer een aantal kleine boten langs hem heen de haven uit – ze deden hetzelfde als hij en waren op weg naar hun werk op Long Island, aan de overkant van de baai, een halfuurtje varen.

Hauck zwaaide.

En hij vond het nu fijn om hier te zijn, hoewel er nog veel pijn zat.

Hij leidde een eenzaam bestaan sinds hij en Beth uit elkaar waren gegaan. Af en toe had hij een afspraakje: een mooie secretaresse van de directeur van General Reinsurance, een marketingmeisje dat een tijdje bij Altria werkte. Zelfs een of twee meiden bij de politie. Maar hij had geen nieuwe partner gevonden om zijn leven mee te delen. Beth wel.

Zo nu en dan ging hij stappen met een paar oude maten uit de stad: een aantal had groot geld verdiend met de bouw van huizen, anderen waren loodgieter of hypotheekadviseur geworden of hadden een bedrijf in tuinarchitectuur. 'The Leg', zo werd hij nog steeds door iedereen genoemd. De oude rotten waren nog steeds niet vergeten dat hij in de eindzone twee tackles had gemaakt, waardoor ze Stamford West hadden verslagen in de strijd om de Lower Fairfield County Crown. Nog steeds beschouwden ze het als de beste wedstrijd die ze iemand sinds Steve Young ooit hadden zien spelen en hij werd nog altijd getrakteerd op bier.

Maar bovenal voelde hij zich gewoon vrij. Vrij omdat het verleden hem hier niet naartoe was gevolgd. Hij probeerde overdag goed werk te doen en niet al te streng op te treden. Eerlijk te zijn. En hij had Jessica in de weekenden te logeren, die nu tien was. Dan visten ze en voetbalden op Tod's Point en hielden er barbecues. Op zondagmiddag bracht hij haar in zijn acht jaar oude Bronco terug naar waar ze tegenwoordig woonde, in Brooklyn. En 's winters speelde hij op vrijdagavond hockey in het plaatselijke team van mannen boven de veertig.

Eigenlijk probeerde hij de tijd elke dag een stukje terug te duwen, terug naar de periode vóórdat zijn leven in elkaar stortte. Het moment voor het ongeluk. Voordat zijn huwelijk op de klippen liep. Voordat hij opgaf.

Waarom zou je daarnaar teruggaan, Ty?

Maar hoe hard je ook je best deed, je kon de tijd nooit helemaal terugduwen. Het leven stond dat niet toe.

Hauck zag de jachthaven van de Indian Harbor Yacht Club waar hij van de dokmeester, Hank Gordon, een oude maat, zijn boot mocht aanmeren. Hij pakte zijn radio. 'Ik kom naar binnen, Gordon...'

Maar de jachthavenmanager stond hem op de pier al op te wachten. 'Wat doe jij hier nou, Ty?'

'Zomertijd, vriend!' riep Hauck naar hem. Hij keerde de boot en dreef de *Merrily* achterwaarts naar binnen. Gordon gooide een boeilijn naar hem toe en trok hem naar binnen. Hauck zette de motor uit. Terwijl de boot tegen de boei stootte, liep hij naar de achtersteven en sprong op de pier. 'Het leek wel een droom op het water vandaag.'

'Een nare droom,' zei Gordon. 'Ik neem het verder wel van je over, Ty. Maak jij nu maar dat je als de bliksem die heuvel op komt.'

Er stond iets op het gezicht van de dokmeester geschreven wat Hauck niet helemaal kon plaatsen. Hij keek op zijn horloge: acht voor negen. Normaal gesproken maakten hij en Gordon altijd nog even een praatje, over de Rangers of de politieberichten die de avond tevoren het nieuws hadden gehaald.

En toen piepte Haucks mobiele telefoon. Het bureau. Twee-drie-zeven. Twee-drie-zeven was de alarmcode.

'Had je de radio niet aan?' vroeg Gordon, terwijl hij het touw vastknoopte.

Hauck schudde wezenloos zijn hoofd.

'Dan heb je het gruwelijke nieuws dus ook nog niet gehoord?'

5

KAREN WAS NIET METEEN IN paniek. Zo zat ze niet in elkaar. Steeds weer zei ze tegen zichzelf dat ze rustig moest blijven. Charlie kon overal zijn. Overal. Ze wist niet eens zeker of hij wel in die trein zat.

Zoals een paar jaar geleden, toen Samantha vier of vijf was, en ze dachten dat ze haar in Bloomingdale's waren kwijtgeraakt. En na een hectische zoektocht, waarbij ze al hun stappen waren nagegaan, de manager erbij hadden geroepen en de realiteit dat er iets gruwelijks was gebeurd al begonnen te accepteren – dat het geen vals alarm was! – vonden ze hun kleine Sammy. Ze zwaaide naar haar papa en mama, terwijl ze boven op een stapel oosterse tapijten door een van haar favoriete boeken bladerde, zo onschuldig alsof ze op school zat.

Dit kon net zoiets zijn, prentte Karen zichzelf nu in. Blijf rustig, Karen. Blijf verdomme rustig!

Ze rende terug naar de yogastudio, pakte haar tas en graaide naar haar mobiele telefoon. Met bonkend hart toetste ze Charlies nummer in. Kom op, kom op... Haar vingers wilden nauwelijks gehoorzamen.

Terwijl ze wachtte totdat de verbinding tot stand werd gebracht, deed ze haar uiterste best om het schema van haar man van die ochtend door te nemen. Hij was rond zevenen van huis vertrokken. Ze was nog met haar kapsel bezig geweest. Tien minuten om naar de stad te rijden, tien minuten bij de garage om de auto af te leveren en te vertellen wat er gedaan moest worden. Dan zou het intussen... twintig over zeven zijn? Nog zo'n tien minuten om naar het station te lopen. Op het nieuws zeiden ze dat de explosie om negentien minuten voor negen had plaatsgevonden. Hij had een eerdere trein kunnen halen. Of misschien had hij wel een leenauto geregeld en was hij met de auto gegaan. Heel even stond Karen zichzelf toe om optimistisch te zijn. Alles was mogelijk... Charlie was de vindingrijkste man die ze kende.

Zijn telefoon ging over. Karen zag dat haar handen trilden. Kom op, Charlie. Neem op...

Tot haar ontzetting kreeg ze de voicemail. 'Dit is de voicemail van Charlie Friedman...'

'Charlie, met mij,' flapte Karen eruit. 'Ik maak me ernstige zorgen om je. Ik weet dat je met de trein bent gegaan. Bel me zodra je dit bericht hoort. Waar je ook mee bezig bent, Charlie. Bel me, schat...'

Ze verbrak de verbinding en voelde zich volledig hulpeloos.

Toen zag ze het ineens: ze had een voicemailbericht ontvangen! Terwijl het bloed door haar aderen raasde, drukte ze op de knop voor ontvangen berichten.

Het was Charlies nummer! Godzijdank! Haar hart bonkte in haar keel van vreugde.

Gespannen drukte Karen haar toegangscode in en drukte de telefoon tegen haar oor. Ze hoorde zijn bekende stem en hij klonk heel rustig. 'Luister, schat, ik dacht: nu ik toch in het Grand Central ben, neem ik op de terugweg meteen even van die gemarineerde steaks van Ottomanelli's mee die jij zo lekker vindt. Dan gaan we thuis barbecuen in plaats van uit eten... Lijkt dat je wat? Laat het even weten. Ik ben rond negen uur op kantoor. Ik ben wat vertraagd. Het was een gekkenhuis bij de garage. Dag!'

Karen staarde naar het schermpje: vier over halfnegen. Hij reed dus net het Grand Central binnen toen hij haar belde. Nog steeds in de trein. Ze begon weer te zweten. Weer keek ze naar het beeldscherm, naar de sluier van rook die boven het Grand Central uitsteeg, de chaos en verwarring.

Ineens wist ze het zeker. Ze kon het niet meer ontkennen.

Haar man had in die trein gezeten.

Karen kon zich niet langer beheersen en drukte op de sneltoets van het kantoor van haar man. Kom op, kom op, herhaalde ze steeds weer tijdens de kwellende seconden voordat de verbinding tot stand werd gebracht. Uiteindelijk nam Heather, Charlies secretaresse, op.

'Met het kantoor van Charles Friedman.'

'Heather, met Karen.' Ze probeerde zichzelf onder controle te houden. 'Is mijn man toevallig al binnen?'

'Nog niet, mevrouw Friedman. Hij heeft me een e-mail vanaf zijn Black-Berry gestuurd en zei dat hij zijn auto naar de garage moest brengen of zoiets. Ik verwacht hem elk moment.'

'Ik weet dat hij de auto naar de garage moest brengen, Heather! Daar maak ik me nu juist zo'n zorgen om. Heb je het nieuws gezien? Hij zei dat hij met de trein zou gaan.'

'O, mijn god!' Zijn secretaresse hapte naar adem terwijl de realiteit tot haar doordrong. Natuurlijk had ze het nieuws gezien. Zij allemaal. Het hele kantoor keek er nu naar.

'Mevrouw Friedman, ik zal proberen om hem aan de lijn te krijgen. Het is vast een gekkenhuis rond Grand Central. Misschien is hij op weg hiernaartoe en werken de telefoons niet. Misschien heeft hij een latere trein genomen –'

'Ik heb een telefoontje van hem gehad, Heather! Om vier over halfnegen. Hij zei dat ze bijna het Grand Central binnenreden...' Haar stem trilde. 'Dat was om vier over halfnegen, Heather! Hij zat erin. Anders zou hij hebben gebeld. Ik denk dat hij in die trein zat...'

Heather smeekte haar om rustig te blijven en zei dat ze hem zou mailen, dat ze er zeker van was dat ze snel iets van hem zou horen. Karen knikte, maar toen ze de verbinding verbrak ging haar hart wild tekeer en raasde het bloed door haar aderen. Ze had geen idee wat ze nu moest doen. Ze drukte de telefoon tegen haar borst en toetste zijn nummer nog een keer in.

Kom op, Charlie... Charlie, alsjeblieft...

Voor het Grand Central bevestigde de verslaggever dat er sprake was geweest van minstens één bom. Een paar overlevenden strompelden het station uit en verzamelden zich op straat, verdwaasd, hun gezichten onder het bloed en zwart van het roet. Sommigen mompelden iets over spoor 109, dat er minstens twee krachtige explosies waren geweest, dat er brand woedde en dat er nog veel mensen vastzaten. Dat er iets was ontploft in de eerste twee wagons.

Karen verstijfde. En toen rolden er voor het eerst tranen over haar wangen.

Daar zat Charlie altijd. Dat was een van zijn vaste gewoonten. Hij zat altijd in de eerste wagon!

Kom op, Charlie... Karen smeekte in stilte terwijl ze naar het televisiescherm keek. Er komen mensen naar buiten. Kijk, ze worden geïnterviewd.

Weer toetste ze zijn nummer in. Haar lichaam gaf zich over aan totale paniek.

'Neem verdomme die telefoon op, Charlie!'

6

INEENS MOEST ZE AAN SAMANTHA en Alex denken. Karen besefte dat ze naar huis moest gaan.

Wat moest ze hun in vredesnaam vertellen? Charlie ging altijd met de auto. Hij had een parkeerplaats in de garage van het gebouw waar hij werkte. Zo deed hij dat al jaren.

Dat hij nu uitgerekend op deze godvergeten dag met de trein moest gaan!

Karen frommelde haar sportshirt in haar tas en rende naar buiten, langs de balie en door de glazen deuren. Ze haastte zich naar haar Lexus, de hybride die Charlie nog geen maand geleden voor haar had gekocht. Hij rook van binnen nog nieuw. Ze drukte op het knopje van haar sleutel om het portier te openen en sprong in de auto.

Het was ongeveer tien minuten rijden naar huis. Terwijl ze het parkeerterrein af reed, liet Karen haar mobiel automatisch het nummer van Charlie herhalen. Alsjeblieft, Charlie. Alsjeblieft, neem verdomme op!

De moed zakte haar steeds dieper in de schoenen. 'Dit is de voicemail van Charlie Friedman...'

Er rolden tranen over haar wangen terwijl ze haar ergste angsten wegdrukte. Dit kan niet waar zijn!

Vanaf het parkeerterrein van de sportschool sloeg Karen rechts af naar Prospect, negeerde het rode licht en racete naar de I-95. Het was druk op de weg, vooral in de richting van het centrum van Greenwich.

Er kwamen allerlei nieuwe, tegenstrijdige berichten binnen. Op de radio werd gezegd dat er meerdere explosies waren geweest. Dat er brand woedde op het spoor en dat die zich snel verspreidde. Dat de intense hitte en de mogelijkheid van giftige dampen het voor de brandweer onmogelijk maakten om dichtbij te komen. Dat er veel slachtoffers waren.

Het begon Karen doodsangsten aan te jagen.

Hij kon daar vastzitten. Waar dan ook. Hij kon verbrand of gewond zijn, niet in staat om weg te komen. Op weg naar het ziekenhuis. Er waren verdorie honderden scenario's mogelijk.

'Waar ben je verdomme, Charlie? Kom op, alsjeblieft...'

Weer moest ze aan Alex en Samantha denken. Ze hadden nog geen idee. Ook al was hun iets ter ore gekomen, dan nog zou het niet bij ze zijn opgekomen. Charlie ging altijd met de auto.

Karen reed via afrit 5 de snelweg af in de richting van Old Greenwich en draaide Post Road op. Ineens piepte haar autotelefoon. Godzijdank! Haar hart maakte een sprongetje.

Maar het was Paula, haar beste vriendin, die vlakbij in Riverside woonde, op slechts enkele minuten rijden.

'Heb je het gehoord?' Op de achtergrond klonk het geluid van de televisie.

'Natuurlijk heb ik het gehoord, Paula. Ik –'

'Ze zeggen dat het de trein uit Greenwich was. Er kunnen mensen in zitten die we –'

'Paula...' Karen onderbrak haar. Ze kon de woorden nauwelijks uit haar mond krijgen. 'Ik denk dat Charlie in die trein zat.'

'Wat?'

Karen vertelde haar over de garage en dat ze hem niet had kunnen bereiken. Ze zei dat ze nu naar huis reed en de lijn vrij wilde houden, voor het geval hij of zijn kantoor zou bellen.

'Natuurlijk, lieverd. Ik begrijp het. Kar, het komt goed met hem. Het komt altijd goed met Charlie. Dat weet je toch, Kar?'

'Ik weet het,' zei Karen, hoewel ze wist dat ze zichzelf voorloog. 'Ik weet het.'

Karen reed met bonkend hart door de stad en sloeg toen Shore Road in, vlak bij de baai. Daarna Sea Wall. Halverwege de straat draaide ze haar Lexus de oprit van hun huis op. Charlies oude Mustang stond op de derde parkeerplaats in de garage, precies zoals ze hem een uur geleden had achtergelaten. Ze rende door de garage naar de keuken. Even kreeg ze weer hoop. Ze zag het lampje op het antwoordapparaat knipperen; er was een bericht. Alsjeblieft... bad ze in stilte, en ze drukte de afspeelknop in, terwijl haar bloed verontrust door haar aderen kolkte.

'Hallo, mevrouw Friedman...' Er klonk een doffe stem uit de speaker. Het was Mal, hun loodgieter, die een heel verhaal afstak over de boiler die ze gerepareerd wilde hebben, over een of andere klep die hij maar niet op de kop kon tikken. Tranen stroomden over Karens wangen terwijl haar benen het begaven. Ze leunde tegen de muur en liet zich hulpeloos op de grond zakken. Tobey waggelde naar haar toe en drukte met zijn snoet tegen haar aan. Ze veegde de tranen met haar handpalmen weg. 'Niet nu, lieverd. Alsjeblieft, niet nu...'

Op het aanrecht graaide ze naar de afstandsbediening. Ze zette de televisie aan. De situatie was verergerd. Matt Lauer was in beeld – nu met Brian Williams – en volgens de berichten lagen er talloze slachtoffers op het spoor en breidde het vuur zich onbeheersbaar uit. Een deel van het lage gedeelte van het gebouw was ingestort. Het beeld splitste zich in een deel met een deskundige op het gebied van Al Qaida en terrorisme en een deel met beelden van de donkere wolk boven Manhattan.

Hij zou hebben gebeld, wist Karen, – in elk geval naar Heather op kantoor – als hij was ontkomen. Misschien zelfs wel voordat hij haar zou hebben gebeld. Dat joeg haar nog de meeste angst aan. Ze sloot haar ogen.

Wees alsjeblieft in veiligheid, Charlie, waar je ook bent. Wees alsjeblieft in veiligheid.

Buiten werd een autoportier dichtgeslagen. Karen hoorde de deurbel. Iemand riep haar naam en rende naar het huis.

Het was Paula. Karen zat ineengedoken op de grond op een manier waarop ze dat nog nooit had gedaan. Paula ging naast haar zitten en ze omhelsden elkaar terwijl de tranen over hun wangen biggelden.

'Het komt allemaal goed, lieverd.' Paula streek over Karens haar. 'Ik weet het zeker. Er zijn daar honderden mensen. Misschien werken de telefoons niet. Misschien had hij medische hulp nodig. Charlie is niet kapot te krijgen. Als iemand het er daar levend vanaf brengt, is hij het. Je zult het zien, lieverd. Het komt allemaal goed.'

En Karen bleef maar knikken en herhalen: 'Ik weet het, ik weet het,' terwijl ze de tranen met haar mouw wegveegde.

Ze waren voortdurend aan het bellen. Wat moesten ze anders doen? Charlies mobiele telefoon. Zijn kantoor. Misschien dertig, veertig keer.

Op een gegeven moment kon Karen zelfs een glimlach niet meer onderdrukken. 'Weet je hoe kwaad Charlie wordt als ik hem op kantoor lastigval?'

Om kwart voor tien zaten ze op de bank in de woonkamer. Toen hoorden ze een auto komen aanrijden en meer portieren dichtklappen. Alex en Samantha stormden schreeuwend via de keuken naar binnen. 'De school is gesloten!'

Ze staken hun hoofd om de deur van de woonkamer. 'Heb je gehoord wat er is gebeurd?' vroeg Alex.

Karen kon nauwelijks antwoorden. Toen ze hen zag sloeg de schrik haar om het hart. Ze zei dat ze moesten gaan zitten. Haar gezicht was grauw en bezorgd en er stond op geschreven dat er iets gruwelijk mis was.

Samantha ging tegenover haar zitten. 'Mam, wat is er?'

'Papa heeft vanochtend de auto naar de garage gebracht,' zei Karen. 'Voor een beurt.'

'Ja, en?'

Karen slikte een brok in haar keel weg om te voorkomen dat ze zou gaan huilen. 'Daarna...' Ze liet even een stilte vallen. '...is hij volgens mij met de trein naar zijn werk gegaan.'

Beide kinderen zetten grote ogen op en volgden die van haar naar het grote televisiescherm, alsof ze ernaartoe werden getrokken.

'Is hij dáár?' vroeg haar zoon. 'Op Grand Central?'

'Dat weet ik niet, schat. We hebben nog niets van hem gehoord. Dat is nu juist zo zorgelijk. Hij belde en zei dat hij in de trein zat. Dat was om vier over halfnegen. Dit is om negentien minuten voor negen gebeurd. Ik weet niet...'

Karen deed erg haar best om positief en sterk over te komen. Ze probeerde uit alle macht te voorkomen dat ze in paniek zouden raken, omdat ze met diezelfde resolute zekerheid wist dat Charlie hen elk moment kon bellen om te zeggen dat hij het had overleefd, dat hij in veiligheid was. Ze voelde de stroom van tranen niet eens die via haar wangen in haar schoot rolden. Samantha staarde haar met open mond aan en stond op het punt om zelf in huilen uit te barsten. En Alex – haar arme, macho Alex, bleek als een vaatdoek – keek gefixeerd naar de zwarte rookwolk die boven Manhattan opsteeg.

Een poosje zeiden ze geen van allen iets. Ze staarden alleen maar, ieder in zijn eigen wereld tussen ontkenning en hoop. Sam had haar arm losjes om de hals van haar broer geslagen en liet haar kin nerveus op zijn schouder rusten. Alex had voor het eerst in jaren Karens hand vastgepakt en keek naar de beelden alsof hij elk moment het gezicht van zijn vader zou zien. Paula zat met haar ellebogen op haar knieën klaar om 'Kijk, daar is hij!' te kunnen uitroepen en op te springen van vreugde. Nog steeds verwachtte Karen dat de telefoon elk moment kon rinkelen.

Alex wendde zich tot Karen. 'Papa gaat het wel redden, hè mam?'

'Natuurlijk, lieverd.' Karen kneep in zijn hand. 'Je kent je vader. Als iemand het redt is hij het wel. Hij overleeft het.'

En toen hoorden ze een dreun. Weer een gedempte explosie. De camera die de beelden uitzond schudde. Toeschouwers hapten naar adem en schreeuwden terwijl een nieuwe wolk van dikke zwarte rook boven het station opsteeg.

Samantha kreunde: 'O, nee...'

Karen voelde haar maag samentrekken. Ze legde haar hand stevig om Alex' vuist en kneep erin. 'O, Charlie, Charlie, Charlie...'

'Een tweede explosiegolf...' mompelde een brandweercommandant die het station uitliep en zijn hoofd schudde. 'Er liggen heel veel lichamen beneden. We kunnen er niet eens bij in de buurt komen.'

7

Rond het middaguur

TOEN HET TELEFOONTJE BINNENKWAM WAS Hauck net aan het bellen met de Nooddienst van de NYPD in het centrum.

Mogelijke 634. Hit-and-run. West Street en Post Road.

De hele ochtend had hij de puinhoop in de stad nauwlettend gevolgd. De hele dag hadden er paniekerige mensen gebeld, mensen die hun geliefden niet konden bereiken en niet wisten wat ze anders moesten doen. Toen de Twin Towers werden getroffen, werkte hij voor het Bureau Informatievoorziening, en nog weken na de aanslag was het zijn taak geweest om het lot van vermiste mensen na te trekken in ziekenhuizen, tussen de ravage en het netwerk van mensen die als eersten hadden gemeld dat ze in veiligheid waren. Hauck had er nog steeds vrienden. Hij staarde naar de lijst met namen van mensen uit Greenwich die hij had genoteerd: Pomeroy. Bashtar. Grace. O'Connor.

Van de eerste honderden vermisten die waren opgegeven, hadden ze er slechts twee gevonden.

'Mogelijke 634, Ty!' liet de dienstdoende brigadier voor de tweede keer via de semafoon weten. Hit-and-run. Doorrijden na een ongeval. Op de Post Road, vlak bij West Street, in de buurt van de fastfoodketens en garagebedrijven.

'Ik ben niet beschikbaar,' zei Hauck tegen haar. 'Stuur Muñoz maar. Ik ben ergens mee bezig.'

'Muñoz is al ter plaatse, inspecteur. Het gaat om moord. Het ziet ernaar uit dat je een lijk hebt.'

Binnen enkele minuten had Hauck zijn Grand Corona het parkeerterrein af gereden. Hij racete via Mason met zijn zwaailicht aan naar het begin van de weg bij Greenwich Kantorenpark en reed vervolgens via Post Road naar West Street, tegenover de Acura-garage.

Omdat hij het hoofd van de afdeling Zware Delicten in de stad was, was hij de aangewezen persoon voor deze zaak. Zijn afdeling behandelde normaal gesproken alleen maar vechtpartijtjes op middelbare scholen, inbraken en echtelijke ruzies. Lijken kwamen in Greenwich zelden voor. Aandelenfraude was veel gangbaarder.

Aan het einde van de weg hadden vier lokale politieauto's met de zwaai-lichten aan de drukke verkeersader afgezet. Het verkeer werd over één weg-helft geleid. Hauck ging langzamer rijden en knikte naar een paar agen-ten die hij herkende. Freddy Muñoz, een van de rechercheurs uit zijn team, liep op hem af toen Hauck uitstapte.

'Een geintje zeker, Freddy.' Hauck schudde ongelovig zijn hoofd. 'Uit-gerekend vandaag...'

De rechercheur maakte een moedeloos gebaar naar een afgedekt lichaam dat midden op West Street lag, de straat die de Post Road kruiste en naar Railroad Avenue en de I-95 leidde.

'Heeft dit enige schijn van een geintje, inspecteur?'

De politiewagens stonden zo geparkeerd dat ze een beschermende kring om het lichaam vormden. Er was een ambulance gearriveerd, maar de am-bulancebroeder stond te wachten op het regionale medisch team uit Far-mington. Hauck knielde en trok het plastic dekzeil weg.

Allemachtig! Hij zuchtte diep.

Het slachtoffer was nog maar een kind – tweeëntwintig, hooguit drieën-twintig – blank, gekleed in een bruin werkuniform, lange rode lokken in staartjes gevlochten zoals een Jamaicaanse rastafari. Zijn heupen waren op-zij gedraaid en het slachtoffer lag met zijn gezicht naar boven, op zijn rug. Zijn ogen waren wijd open; het moment van de botsing stond nog steeds in zijn pupillen geschreven. Uit zijn mondhoek sijpelde een stroompje bloed.

'Heb je een naam?'

'Raymond. Voornaam Abel. Tweede naam John. Hij werd door ieder-een AJ genoemd, zei zijn baas bij het garagebedrijf daar. Het bedrijf is ge-specialiseerd in auto's pimpen. Hij werkte daar.'

Een jonge agent in uniform stond vlakbij met een notitieblokje in de hand. Op zijn naambordje stond STASIO. Hauck nam aan dat hij als eer-ste ter plekke was geweest.

'Zijn werktijd zat er net op,' zei Muñoz. 'Hij zei dat hij nog even siga-retten ging kopen en een telefoontje plegen.' Hij wees naar de overkant van de straat. 'Kennelijk in dat wegrestaurant daar.'

Hauck keek naar de Fairfield Diner, een restaurant waar geregeld door agenten werd gegeten. Hij had er zelf ook een aantal keren gezeten.

'Wat is er bekend over de auto?'

Muñoz riep agent Stasio erbij, die eruitzag alsof hij nog geen maand geleden van de politieschool was gekomen. De agent las enigszins nerveus voor wat hij op zijn notitieblokje had geschreven. 'Het schijnt om een witte suv te gaan, inspecteur. Hij reed in noordelijke richting op de Post Road en draaide scherp en in volle vaart West Street in... Hij schepte het slachtoffer toen hij de straat overstak. We hebben twee getuigen die het hele gebeuren hebben gezien.'

Stasio wees naar twee mannen. De ene was gedrongen, droeg een sportjas, had een snor en zat op de passagiersstoel van een openstaande politiewagen terwijl hij door zijn haren streek. De andere, gekleed in een blauwe fleecetrui, stond met een andere agent te praten en schudde somber zijn hoofd. 'De ene vonden we op het parkeerterrein van de Arby's daarginds. Het blijkt om een oud-agent te gaan. De andere liep net een bank aan de overkant uit.'

Het jochie had zijn huiswerk goed gedaan. 'Goed werk, Stasio.'

'Dank u wel, meneer.'

Hauck kwam langzaam overeind en zijn knieën kraakten. Een overblijfsel van de tijd dat hij nog American football speelde.

Hij keek achterom naar het gehavende grijze asfalt op West Street – de twee langgerekte rubbersporen op ongeveer zes meter afstand van de mobiele telefoon en bril van het slachtoffer. Slipsporen. Een heel eind voorbij het punt van de botsing. Hauck zuchtte geïrriteerd en zijn maag speelde op.

De klootzak had niet eens geprobeerd te stoppen.

Hij keek naar Stasio. 'Gaat het een beetje, jongen?' Dat dit het eerste dodelijke ongeval voor de jonge agent was, stond op zijn gezicht geschreven. Stasio knikte. 'Ja, meneer.'

'Nooit gemakkelijk.' Hauck sloeg de jonge agent op de schouder. 'Geldt voor ons allemaal.'

'Dank u, inspecteur.'

Hauck nam Muñoz even apart. Hij liet zijn rechercheursoog in zuidelijke richting over de Post Road glijden, in de richting waarin de auto was verdwenen, en daarna in de richting van de bandensporen op het asfalt.

'Zie jij wat ik zie, Freddy?'

De rechercheur knikte moedeloos. 'De klootzak heeft geen aanstalten gemaakt om te stoppen.'

'Precies.' Hauck haalde een plastic handschoen uit zijn jaszak en stak zijn hand erin.

'Oké.' Hij knielde weer bij het slappe lichaam neer. 'Eens kijken wat hij ons vertelt...'

Hauck tilde Abel Raymonds torso een beetje op om een zwarte portefeuille uit zijn broekzak te kunnen vissen. Een rijbewijs uit de staat Florida: Abel John Raymond. Er zat ook een twee jaar oud pasje met een foto in van het Seminole Junior College. Dezelfde grijns en lichte ogen als op het rijbewijs, het haar een stukje korter. Misschien was de jongen wel voortijdig van school gegaan.

Verder trof hij een bankpasje aan, een pasje van Sears, Costco en Exxon-Mobil en een verzekeringspasje. Tweeënveertig dollar in contanten en een controlestrookje van de Orange Bowl in 1996. Florida tegen Notre Dame. Hauck herinnerde zich de wedstrijd. In het doorzichtige hoesje van de portefeuille vond hij een opgevouwen foto van een aantrekkelijke brunette die ongeveer twintig jaar oud leek, met een klein jongetje in haar armen. Hauck gaf de foto aan Muñoz.

'Lijkt me geen zus.' De rechercheur haalde zijn schouders op. Het slachtoffer droeg geen trouwring. 'Zijn vriendin, misschien.'

Ze zouden moeten natrekken wie ze was.

'Iemand krijgt vanavond slecht nieuws te horen.' Freddy Muñoz zuchtte.

Hauck stak de foto weer in de portefeuille en ademde uit. 'Een lange lijst met namen vrees ik, Freddy.'

'Frappant toch hè, inspecteur?' Muñoz schudde zijn hoofd. Hij had het niet meer over het ongeluk. 'De broer van mijn vrouw nam vanochtend de trein van drie voor acht. Hij was uitgestapt vlak voordat de explosie plaatsvond. Mijn schoonzus was in alle staten. Ze kon hem niet bereiken totdat hij op kantoor was. Je blijft een paar minuten langer in bed liggen, staat iets te lang voor het verkeerslicht te wachten en je mist je trein... Wat een geluk heeft hij gehad, hè?'

Hauck dacht aan de lijst met namen op zijn bureau, de zenuwachtige, hoopvolle stemmen van de mensen die over hen hadden gebeld. Hij blikte even naar Stasio's getuigen.

'Kom, Freddy. We moeten die auto identificeren.'

8

Hauck nam de ooggetuige in het sportjack voor zijn rekening, Freddy de man in het fleecejasje.

Haucks man bleek een gepensioneerde agent uit Zuid-Jersey te zijn. Zijn naam was Phil Dietz. Hij beweerde dat hij hier was voor de telefonische verkoop van beveiligingssystemen – 'U weet wel, smart homes, duimafdruk, ID-sensoren, dat soort dingen'. Dat werk deed hij sinds hij drie jaar geleden zijn penning had ingeleverd. Hij was net bij Arby's, even verderop in de straat, gestopt om een broodje te halen toen hij het zag gebeuren.

'Hij reed met behoorlijk hoge snelheid de straat in,' zei Dietz. Hij was klein en gedrongen, met grijs haar dat bovenop al wat dun begon te worden en een dikke snor. Opgewonden bewoog hij zijn korte, mollige vingers. 'Ik hoorde dat hij snelheid maakte en dáár de bocht nam.' Hij wees naar de kruising van West Street en Post Road. 'De klootzak raakte de jongen zonder zelfs maar op de rem te trappen. Voor ik het goed en wel in de gaten had, was het al gebeurd.'

'Hebt u gezien wat voor auto het was?' vroeg Hauck.

Dietz knikte. 'Hij was wit. Een oud model SUV. Een Honda of een Acura of zoiets. Ik ben bereid om foto's te bekijken. De kentekenplaten waren wit, met blauwe letters, of misschien groene.' Hij schudde zijn hoofd. 'Te ver weg. Mijn ogen zijn niet meer wat ze waren toen ik nog agent was.' Hij trok een leesbril uit zijn borstzakje. 'Tegenwoordig hoef ik alleen nog maar koopcontracten te kunnen lezen.'

Hauck glimlachte en maakte een aantekening op zijn notitieblok. 'Dus hij was niet van hier?'

Dietz schudde zijn hoofd. 'Nee. Misschien uit New Hampshire of Massachusetts. Sorry, ik kon het niet goed zien. Die klootzak stopte heel even – nádat het was gebeurd. Ik schreeuwde nog: "Hé, jij daar!" en rende de heuvel af. Maar hij reed weg. Ik heb geprobeerd een foto te maken met mijn mobiele telefoon, maar het ging allemaal te snel. Hij was al weg.'

Dietz wees naar Railroad Avenue, boven op de heuvel. West Street boog af langs een open terrein en een kantoorgebouw. Vanaf daar was de I-95 nog maar een paar minuten rijden. Hauck wist dat ze heel veel mazzel moesten hebben om iemand te vinden die hem had zien rijden.

Hij wendde zich weer tot zijn getuige. 'U hoorde dus dat hij snelheid maakte?'

'Dat klopt. Ik stapte net uit de auto. Ik wilde nog even wat rondlopen voor mijn volgende afspraak.' Dietz legde zijn gevouwen handen in zijn nek. 'Telefonische verkoop... Als je slim bent blijf je lekker bij de politie.'

'Dat ben ik zeker van plan.' Hauck grijnsde en wees daarna in zuidelijke richting. 'Hij kwam daar vandaan, toch? Hebt u hem gevolgd tot hij afsloeg?'

'Ja. Hij viel op omdat hij snelheid maakte.' Dietz knikte.

'Was de bestuurder een man?'

'Zeker weten.'

'Kunt u misschien een signalement geven?'

Hij schudde zijn hoofd. 'Nadat de auto was gestopt, keek de bestuurder heel even via de binnenspiegel achter zich. Misschien had hij spijt van wat hij had gedaan. Ik kon zijn gezicht niet zien. Getinte ramen. Echt, ik zou willen dat ik het wel had kunnen zien.'

Hauck keek weer in de richting van de heuvel en volgde de route die het slachtoffer vermoedelijk had afgelegd. Als hij bij J&D Tint and Rims werkte, was hij West Street overgestoken en had hij op de Post Road bij het verkeerslicht moeten oversteken om bij het restaurantje te komen.

'U zei dat u bij de politie had gewerkt?'

'Gemeente Freehold.' De ogen van de getuige lichtten op. 'Zuid-Jersey. Vlak bij Atlantic City. Drieëntwintig jaar.'

'Een mooie staat van dienst. Dus u begrijpt vast wat ik u nu ga vragen, Mr. Dietz. Hebt u toevallig gezien of het voertuig al met hoge snelheid reed vóórdat hij afsloeg? Of accelereerde hij toen het slachtoffer de straat overstak?'

'U probeert vast te stellen of het een ongeluk was of opzet?' De oud-agent keek hem met een schuine blik aan.

'Ik probeer alleen maar een beeld te krijgen van wat er is gebeurd,' antwoordde Hauck.

'Ik hoorde hem vanaf daar.' Dietz wees naar verderop in de straat, in de richting van Arby's. 'Hij kwam de heuvel af gescheurd en reed toen op een volledig ongecontroleerde manier de hoek om. Het kwam op mij over alsof hij dronken was. Ik weet niet, ik keek gewoon op toen ik de klap hoorde. Hij sleepte het lichaam van de arme jongen mee alsof het een zak meel was. Je kunt de sporen nog zien. Toen stopte hij. Ik denk dat het slacht-offer op dat moment onder hem lag. Daarna scheurde hij weg.'

Dietz zei dat hij graag bereid was om foto's van witte suv's te bekijken om het merk en het model te specificeren. 'Zorg dat u die klootzak vindt, inspecteur. Laat het me weten als ik iets kan doen. Ik wil de hamer zijn die de nagel in zijn doodskist slaat.'

Hauck bedankte hem. Het gesprek had minder opgeleverd dan hij had gehoopt. Muñoz liep naar hem toe. De man met wie hij had gesproken, had het ongeval zien gebeuren vanaf de overkant van de straat. Hij was at-letiektrainer in Wilton, ongeveer dertig kilometer verderop. Hodges. Hij identificeerde hetzelfde witte voertuig, ook met kentekenplaten uit een an-dere staat. 'A-D of zo. Gevolgd door een 8, dacht ik...' Hij kwam net een bank uit gelopen waar hij had gepind. Het gebeurde allemaal zo snel dat ook hij het kenteken niet goed had kunnen lezen. Hij gaf ongeveer dezelf-de oppervlakkige beschrijving van wat er was gebeurd als Dietz.

Muñoz haalde teleurgesteld zijn schouders op. 'Niet echt gedetailleerde informatie, hè inspecteur?'

Hauck perste gefrustreerd zijn lippen op elkaar. 'Nee.'

Hij liep terug naar zijn auto en gaf een opsporingsbericht door. Een wit-te suv, oud model, een blanke chauffeur, 'mogelijk Honda of Acura, mo-gelijk kentekenplaten uit Massachusetts of New Hampshire die misschien begonnen met AD8. Waarschijnlijk blikschade aan de voorzijde.' Ze zou-den het bericht doorsturen naar de staatspolitie en autogarages in het he-le noordoosten. Ze zouden mensen verderop in de straat vragen of ze de auto voorbij hadden zien scheuren. Misschien stonden er wel camera's langs de snelweg. Daar hadden ze hun hoop eigenlijk op gevestigd.

Tenzij natuurlijk zou blijken dat iemand het doelbewust op Abel Ray-mond had gemunt.

Vlakbij stond een man met een petje van de Yankees duidelijk te rillen van de kou. Stasio haalde hem erbij. Zijn naam was Dave Corso, eigenaar van de garage waar AJ Raymond werkte.

'Het was een goede jongen.' Corso schudde zichtbaar aangedaan zijn hoofd. 'Hij werkt ongeveer een jaar bij me en had veel talent. Hij knapte zelf ook oude auto's op. Hij kwam uit Florida.'

Hauck had dat ook gelezen op Raymonds rijbewijs. 'Weet u ook waar precies?'

De garagehouder haalde zijn schouders op. 'Geen idee. Tallahassee, Pensacola... Hij droeg altijd t-shirts van de Florida State Seminoles. Volgens mij trakteerde hij iedereen nog op een biertje toen ze vorig jaar de collegecup wonnen. Zijn vader was daar zeeman of zoiets.'

'Bij de marine?'

'Nee. Op een sleepboot of zoiets. Hij had een foto van hem op het prikbord gehangen. Die hangt er nog steeds, binnen.'

Hauck knikte. 'Waar woonde meneer Raymond?'

'In Bridgeport, dacht ik. Ik weet dat we het ergens in een dossier hebben staan, maar u weet hoe dat gaat – dingen veranderen. Zijn bankzaken regelde hij bij First City...' Hij vertelde dat AJ was gebeld, ongeveer twintig minuten voordat hij vertrok. Hij was toen bezig autoruiten te tinten. Hij vertelde zijn baas dat hij vroeg met pauze zou gaan. 'Marty of zo, zei hij volgens mij. Hij zei dat hij aan de overkant sigaretten ging halen. Hij bedoelde vast in het restaurantje, want daar staat een sigarettenautomaat.' Corso keek naar het afgedekte lichaam op straat. 'En dan dit... Ik kan het nog steeds niet geloven.'

Hauck haalde de portefeuille van het slachtoffer uit een tas en toonde Corso de foto van de vrouw met de jongen. 'Enig idee wie dit is?'

De garagehouder haalde zijn schouders op. 'Ik geloof dat hij daar een meisje had... Of misschien in Stamford. Ze heeft hem hier wel eens opgepikt. Even kijken... Ja, volgens mij is zij dat. AJ sleutelde aan klassiekers. Hij restaureerde ze. Corvettes, LeSabres, Mustangs. Ik geloof dat hij afgelopen weekend nog naar een show is geweest. Man...'

'Meneer Corso.' Hauck nam de man apart. 'Kunt u iemand bedenken die misschien iets tegen meneer Raymond had? Had hij schulden? Gokte hij? Gebruikte hij drugs? Alles wat u weet kan helpen.'

'U denkt dat het geen ongeluk was?' De ogen van de werkgever werden groot.

'We doen gewoon ons werk,' zei Muñoz.

'Jeetje, geen idee. Ik vond het gewoon een prima kerel. Hij kwam op tijd, deed zijn werk. Iedereen hier kan goed met hem opschieten. Maar nu u erover begint, dat meisje... Volgens mij was ze getrouwd of kortgeleden van haar man gescheiden. Ik weet dat AJ een poosje geleden zei dat hij problemen met haar ex had. Misschien weet Jackie het wel. Hij trok het meest met hem op.'

Hauck knikte. Hij gebaarde naar Muñoz om het na te trekken.

'Nu we hier toch zijn, meneer Corso. Mogen we misschien natrekken van wie dat telefoontje was dat hij kreeg?'

Iets aan het hele verhaal zat Hauck niet lekker.

Hij liep naar de kant van de weg en keek terug van de heuvel naar de plaats van het ongeluk. Het was zichtbaar – duidelijk. De zijweg. Niets wat het zicht belemmerde. De auto van de dader had geen vaart geminderd. Hij had geen aanstalten gemaakt om te stoppen of om hem te ontwijken. Zelfs een chauffeur onder invloed had strontlazarus moeten zijn om de jongen frontaal te raken.

Het provinciale medisch team was eindelijk gearriveerd. Hauck liep de heuvel af en pakte de mobiele telefoon van het slachtoffer van de grond. Hij zou de nummers die het laatst waren gebeld natrekken. Het zou hem niet verbazen als degene die hem had gebeld dezelfde was als degene die hem had aangereden.

Bij dit soort zaken was dat vaak het geval.

Hauck knielde nog een laatste keer neer bij het lichaam van Abel Raymond en keek eens goed naar zijn gezicht. Ik ga het voor je uitzoeken, jongen, beloofde hij plechtig. Zijn gedachten flitsten terug naar de bomaanslag. Er waren veel mensen in de stad die vanavond niet thuis zouden komen. Deze zou maar een van vele zijn, maar aan deze kon hij iets doen.

Deze – Hauck staarde naar de lange rode lokken, en de pijn van een wond die lang niet verzorgd was kwam weer bij hem boven – deze had een gezicht.

Hauck controleerde nog een laatste keer de zakken van het slachtoffer. In de broek van de jongen vond hij wat contant geld en een bonnetje van een tankstation. Daarna reikte hij in het borstzakje waarop de initialen AJ waren geborduurd.

Hij graaide er met zijn vingers in en haalde een geel briefje tevoorschijn, een Post-itpapiertje. Er stonden een naam en een lokaal telefoonnummer op.

Het zou de persoon kunnen zijn met wie AJ Raymond een afspraak had. Maar hij kon het papiertje ook al weken bij zich hebben gedragen. Hauck stopte het in de zak met andere dingen die hij had gevonden. Nog een aanwijzing om na te trekken.

Charles Friedman.

9

IK HEB NOOIT MEER IETS van mijn man gehoord. Ik heb nooit geweten wat er is gebeurd.

Vrijwel de hele dag heeft de brand onder in het Grand Central nog gewoed. Er is een krachtige vuurversneller bij de explosie gebruikt. Het waren vier explosies. Een in elk van de twee voorste wagons van de trein die om negen voor acht uit Greenwich arriveerde en die plaatsvonden toen de trein tot stilstand kwam. De andere in vuilnisbakken langs het perron, waarin vijfenveertig kilo hexagen was verpakt, genoeg om een groot gebouw neer te halen. Een splintergroepering, zeiden ze. Vanwege Irak. Ongelooflijk toch? Charlie had een hekel aan de oorlog in Irak. Ze vonden namen, foto's van het station, sporen van chemicaliën waar de bommen waren gemaakt. De brand die daar bijna twee dagen woedde had een hitte van bijna 1250 graden Celsius bereikt.

We wachtten. We wachtten die eerste dag de hele dag op nieuws. Welk nieuws dan ook. Charlies stem. Een telefoontje van een van de ziekenhuizen dat hij daar was. Het leek wel alsof we de hele wereld belden: de politie van New York, het speciale telefoonnummer dat beschikbaar was gesteld. Ons plaatselijke congreslid, die Charlie kende.

Niets.

Honderdelf mensen kwamen om het leven. Onder hen ook drie van de bommenleggers die, zo vermoedden ze, in de eerste twee wagons zaten. Waar Charlie altijd zat. Velen konden niet eens worden geïdentificeerd. Geen onderscheidbare menselijke resten. Ze waren 's ochtends naar hun werk vertrokken en van de aardbodem verdwenen. Dat was Charlie. Al achttien jaar mijn echtgenoot. Je riep gedag boven het gesuis van de haardroger uit en bracht de auto naar de garage.

En verdween.

Wat ze wel hadden gevonden, was het handvat van het leren koffertje dat de kinderen hem vorig jaar hadden gegeven – de verkoolde bovenkant zat er nog aan, met het met goud versierde monogram CMF erop dat het voor ons definitief maakte en ons tranen in de ogen bezorgde.

Charles Michael Friedman.

Die eerste dagen was ik ervan overtuigd dat hij uit de puinhopen zou kruipen. Charlie kon zich overal uit bevrijden. Hij kon verdomme bij het repareren van de schotelantenne van het dak vallen en toch op zijn voeten landen. Je kon echt op hem rekenen.

Maar het gebeurde niet. Nooit kwam er een telefoontje, of een stukje van zijn kleding, zelfs geen handjevol as.

En ik zal het nooit weten.

Ik zal nooit weten of hij meteen bij de eerste explosie is omgekomen of in de vlammen. Of hij bij bewustzijn was en of hij heeft geleden. Of hij nog aan ons heeft gedacht. Of hij onze namen heeft geroepen.

Een deel van me wil hem nog een keer bij de schouders pakken en schreeuwen: 'Hoe kon je daar nu doodgaan, Charlie? Hoe?'

Maar ik zal moeten accepteren dat hij er niet meer is. Dat hij niet terugkomt. Ook al is dat verdomd moeilijk...

Dat hij Samantha nooit naar haar eerste dag op de universiteit zal brengen. Of naar Alex zal kijken als hij een punt scoort. Of zal zien wat er van hen wordt. Dingen die hem zo trots zouden hebben gemaakt.

We zouden samen oud worden. Naar die baai in de Cariben zeilen. Nu is hij er ineens niet meer.

Achttien jaar van ons leven.

Achttien jaar...

En ik heb hem niet eens een afscheidszoen kunnen geven.

IO

EEN PAAR DAGEN LATER – VRIJDAG, zaterdag, Karen hield het niet meer bij – stond er een rechercheur op de stoep.

Niet uit de stad. De NYPD en de FBI waren een aantal keren langs geweest om Charlies gangen van die dag na te trekken. Maar dit was een lokale agent. Hij belde van tevoren en vroeg of hij even met haar kon praten over een zaak die niets met de bomaanslag te maken had. Natuurlijk, had ze gezegd. Alles wat haar gedachten even kon afleiden was op dit moment welkom.

Ze was in de keuken bloemen aan het schikken die ze van een van Charlies cliënten had gekregen.

Karen wist dat ze er niet uitzag. Ze hield de schone schijn niet meer op. Haar vader Sid, die uit Atlanta was overgekomen en zich erg beschermend tegenover haar opstelde, liet hem binnen.

'Ik ben inspecteur Hauck,' zei hij. Hij was keurig gekleed, voor een agent, in een tweed sportjack, een broek en een smaakvolle das. 'Ik zag u maandagavond tijdens een bijeenkomst in de stad. Ik zal het kort houden. Mijn oprechte deelneming.'

'Dank u.' Karen knikte en duwde haar stoel naar achteren, terwijl ze in de serre plaatsnamen. Ze probeerde de stemming te verlichten door erkentelijk te glimlachen.

'Mijn dochter voelt zich niet zo lekker,' kwam haar vader tussenbeide, 'dus misschien kunt u, wat u ook wilt bespreken...'

'Pap, het gaat wel.' Ze glimlachte. Ze rolde toegenegen met haar ogen en ving toen de blik van de inspecteur op. 'Het is goed. Laat me met de politieagent praten.'

'Oké, oké,' zei hij. 'Ik ben in de televisiekamer. Mocht je me nodig hebben...' Hij verliet de serre en trok de deur achter zich dicht.

'Hij weet niet wat hij moet doen,' zei Karen met een diepe zucht. 'Niemand weet dat. Het is momenteel voor iedereen moeilijk.'

'Bedankt dat ik langs mocht komen,' zei de inspecteur. 'Ik zal het kort houden.' Hij ging tegenover haar zitten en haalde iets uit zijn jaszak. 'Ik weet niet of u het hebt gehoord, maar er was die maandag nog een ongeluk in de stad. Een hit-and-run op Post Road. Daarbij is een jongeman om het leven gekomen.'

'Nee, daar wist ik niets van,' zei Karen verbaasd.

'Zijn naam was Raymond. Abel John Raymond.' De inspecteur overhandigde haar een foto van een lachende, goedgebouwde jongen met rode dreadlocks die met een surfplank op het strand stond. 'Hij werd AJ genoemd en werkte in een garage hier in de stad. Toen hij West Street overstak, werd hij door een suv geschept die met hoge snelheid rechts af was geslagen. De bestuurder heeft niet eens de moeite genomen om te stoppen. Het slachtoffer is nog vijftien meter meegesleurd, waarna de auto weg scheurde.'

'Wat vreselijk,' zei Karen, terwijl ze weer naar het gezicht van de jongen staarde en door verdriet werd bevangen. Wat haar ook was overkomen, het was nog altijd een klein stadje. Het had iedereen kunnen gebeuren. Ieders zoon. Op dezelfde dag dat zij Charlie was verloren.

Ze keek de inspecteur weer aan. 'Wat heeft dit met mij te maken?'

'Hebt u hem ooit eerder gezien?'

Karen keek nog een keer. Een knap gezicht, vol leven. De lange rode lokken zou ze niet gemakkelijk zijn vergeten. 'Ik geloof het niet, nee.'

'U hebt de naam Abel Raymond of AJ Raymond nooit gehoord?'

Karen staarde opnieuw naar de foto en schudde haar hoofd. 'Ik geloof het niet, inspecteur. Hoezo?'

Ze zag dat de rechercheur teleurgesteld was. Hij reikte weer in zijn jaszak en haalde er dit keer een geel papiertje uit, een verkreukeld Post-itbriefje in een plastic zakje. 'We vonden dit in het werkuniform van het slachtoffer op de plaats delict.'

Toen Karen naar de tekst op het briefje keek, voelde ze dat haar maag ineenkromp. Haar ogen werden groot.

'Dat is toch de naam van uw man? Charles Friedman? En zijn mobiele nummer?'

Karen keek totaal verbijsterd op en knikte. 'Ja. Dat klopt.'

'En u weet zeker dat uw man deze naam nooit heeft laten vallen? Raymond werkte in een garage waar auto's worden gepimpt.'

'Gepimpt?' Karen schudde haar hoofd en glimlachte. 'Tenzij hij, zonder dat ik het wist, in een midlifecrisis was beland.'

Hauck glimlachte terug. Maar Karen zag dat hij teleurgesteld was.

'Ik zou willen dat ik u kon helpen, inspecteur. Denkt u dat er opzet in het spel was, dat hij moedwillig is aangereden?'

'We houden met alles rekening.' Hij stak de foto en het papiertje met Charlies naam weer in zijn jaszak. Hij was aantrekkelijk, dacht Karen. Op een ruige manier. Ernstige blauwe ogen. Maar met iets zorgzaams erin. Het moest moeilijk voor hem geweest zijn om hier vandaag te komen. Het was duidelijk dat hij gerechtigheid voor deze jongen wilde.

Ze haalde haar schouders op. 'Wat een toeval, hè? Charlies naam op dat briefje. In de zak van die jongen. Dezelfde dag... En dat u daarvoor hier moest langskomen.'

'Een ongelukkig toeval' – hij knikte en forceerde een strakke glimlach – 'inderdaad. Ik ga er weer vandoor.' Ze stonden allebei op. 'Mocht u nog iets te binnen schieten, laat u het me dan weten. Dit is mijn visitekaartje.'

'Natuurlijk.' Karen nam het aan en staarde ernaar: HOOFD VAN DE RECHERCHE. AFDELING ZWARE DELICTEN. POLITIE VAN GREENWICH.

'Nogmaals gecondoleerd met uw man,' herhaalde de inspecteur.

Zijn ogen dwaalden af naar een foto. Zij en Charlie, formeel gekleed. Op de bruiloft van haar nichtje Meredith. Karen vond dat ze er op die foto mooi uitzagen.

Ze glimlachte bedroefd. 'Achttien jaar samen en ik heb hem niet eens een afscheidszoen kunnen geven.'

Even bleven ze zo staan. Zij wenste dat ze het niet had gezegd, hij wiebelde op de ballen van zijn voet en stond duidelijk iets te overpeinzen, een beetje gespannen. Toen zei hij: 'Op 11 september werkte ik in de stad op de afdeling Informatievoorziening van de NYPD. Het was mijn taak om mensen op te sporen die werden vermist. Mensen van wie werd aangenomen dat ze in de gebouwen zaten. Het was zwaar. Ik zag veel families' – hij bevochtigde zijn lippen met zijn tong – 'die in dezelfde situatie verkeerden. Wat ik eigenlijk probeer te zeggen is dat ik een vaag idee heb van wat u doormaakt...'

Karen voelde tranen achter haar ogen prikken. Ze keek op en probeerde te glimlachen. Ze wist niet wat ze moest zeggen.

'Laat het me weten als ik iets kan doen.' Hij deed een stap naar de deur. 'Ik heb daar nog steeds vrienden.'

'Dank u wel, inspecteur.' Ze ging hem voor door de keuken naar de achterdeur om de menigte aan de voorzijde te vermijden. 'Het is vreselijk. Ik wens u succes bij het vinden van de dader. Ik zou willen dat u meer aan mijn hulp had gehad.'

'U hebt uw eigen dingen om over na te denken,' zei hij, terwijl hij de deur opentrok.

Karen keek hem aan. Haar stem klonk ineens verwachtingsvol. 'Hebt u ooit iemand kunnen traceren? Toen u die mensen probeerde op te sporen?'

'Een vrouw en een man.' Hij haalde zijn schouders op. 'De vrouw lag in het St.-Vincent-ziekenhuis. Ze was onder het puin gevonden. De man was die ochtend helemaal niet meer naar zijn werk gegaan. Hij was getuige geweest van wat er was gebeurd en kon gewoon een paar dagen niet naar huis.'

'Het was dus niet echt lonend werk.' Karen glimlachte en keek hem aan alsof ze wist wat hij dacht. 'Het zou mooi zijn, weet u wel, om iets te hebben...'

'Ik wens u en uw gezin sterkte, mevrouw Friedman.' De inspecteur trok de deur open. 'Nogmaals mijn oprechte deelneming.'

Buiten bleef Hauck even op het trottoir staan.

Hij had gehoopt dat de naam en het telefoonnummer in AJ Raymonds borstzakje meer zou opleveren. Het was zo'n beetje alles wat hij had.

Het natrekken van de telefoongesprekken van en naar het bedrijf waar het slachtoffer werkte had niets opgeleverd. Het telefoontje dat hij had ontvangen – Marty of zoiets, had de manager gezegd – was van een anonieme beller. Een mobiele telefoon. Absoluut niet meer te traceren.

De ex van de vriendin had ook niets opgeleverd. De jongen bleek een crimineeltje te zijn en misschien was hij ook wel een vrouwenmishandelaar, maar zijn alibi klopte. Hij was ten tijde van het ongeluk op een bijeenkomst op de school van zijn kind geweest, en bovendien reed hij in een marineblauwe Toyota Corolla, niet in een suv. Hauck had de informatie twee keer gecheckt.

Het enige wat hij nu nog had waren de tegenstrijdige verslagen van de twee ooggetuigen en zijn opsporingsbericht voor witte suv's.

Vrijwel niets dus.

En het vrat aan hem.

Ergens liep iemand rond die met moord wegkwam. Hij kon het alleen niet bewijzen.

Karen Friedman was aantrekkelijk, aardig. Kon hij haar maar op een of andere manier helpen. De uitputting en onzekerheid in haar ogen stemden hem verdrietig. Hij wist precies wat ze doormaakte. En wat haar nog te wachten stond.

Zijn zware gemoed, wist hij, had niet zo zeer te maken met de slachtoffers van 11 september zoals hij had gezegd. Het werd veroorzaakt door iets wat veel dieper zat, iets wat nooit ver weg was.

Norah. Ze zou nu acht zijn geweest...

Altijd als hij aan haar dacht voelde hij een stekende pijn. Een kind in een kobaltblauw sweatshirt en een beugel in de mond dat met haar zusje op de stoep speelde.

Hij hoorde nog steeds de vibratie in haar lieve stem. *Merrily, merrily, merrily, merrily...*

Hij zag nog steeds haar rode vlechten voor zich.

Het geluid van een portier dat werd dichtgeslagen, haalde hem uit zijn mijmeringen. Hauck keek op en zag dat een keurig gekleed paar met een bos bloemen naar Karen Friedmans voordeur liep.

Iets trok zijn aandacht.

Een van de garagedeuren stond nu open. Een huishoudster zette een vuilniszak buiten.

Er stond een koperkleurige Mustang in een van de parkeervakken. Een cabriolet. Een rood plakplaatje van een hart op de achterbumper en een witte streep over de zijkanten.

Op de kentekenplaat stond CHRLYS BABY.

Hauck liep ernaartoe en knielde terwijl hij zijn hand langs de gladde chromen rand liet glijden.

Verdomme...

Dat was het werk van AJ Raymond! Hij restaureerde oude auto's. Heel even had Hauck de neiging om hardop te lachen. Hij wist eigenlijk niet hoe hij zich voelde, teleurgesteld of opgelucht, nu zijn laatste aanwijzing in rook op ging.

Terwijl hij terugliep naar zijn auto, bedacht hij dat hij nu in elk geval wist waarom die jongen het telefoonnummer van Charles Friedman had.

II

Pensacola, Florida

DE GROTE GRIJZE TANKER DOEMDE op in de mist en de kapitein zette in de mond van de haven de motoren af.

De schaduwen van zware industrie – staalgrijze schragen, de tanks van de raffinaderij, de reusachtige hydraulische pompen in afwachting van gas en olie – omgaven het naderende schip.

Er voer een motorsloep naartoe.

Aan het roer tuurde de loods, die Pappy heette, naar het wachtende schip. Als assistent-havenmeester van Pensacola Port Authority was het zijn taak om het vaartuig, dat wel zo groot was als een footballveld, door de zandbanken van kalksteen rond Singleton Point te leiden en vervolgens door de drukke vaarwegen van de binnenhaven, waar het later op de dag zou bruisen van het commerciële verkeer. Al vanaf zijn tweeëntwintigste loodste hij grote schepen zoals deze tanker binnen, een baan – eerder een rite – die hij van zijn vader had overgenomen, die het ook vanaf zijn tweeëntwintigste had gedaan. Pappy deed dit werk nu al bijna dertig jaar en zou een schip zelfs met zijn ogen dicht kunnen binnenloodsen, iets wat hij in de donkere kalmte voor de dageraad deze ochtend – als het een normale ochtend met een willekeurige tanker was geweest – ook zou doen.

Hij ligt hoog, merkte Pappy op terwijl hij zich op de romp van het schip concentreerde.

Te hoog. De waterlijn was duidelijk zichtbaar. Hij staarde naar het logo op de boeg van het schip. Hij had deze schepen eerder gezien.

Normaal gesproken was de echte vaardigheid gelegen in schatten wat de diepgang van zo'n grote tanker was en hem over de drempels langs de buitenrand van de haven navigeren. Vervolgens was het een kwestie van de vaarwegen volgen, die rond 10 uur 's ochtends drukker konden zijn dan de autowegen die naar het centrum van de stad leidden. Daarna moest het schip de wijde, grote bocht naar Pier 12 maken, de eindbestemming van de Persephone, die volgens de papieren een volle lading aardolie uit Venezuela vervoerde.

Maar niet deze ochtend.

Pappy's motorsloep naderde de grote tanker vanaf de haven. Toen hij dichterbij kwam tuurde hij naar het logo van een springende dolfijn op de boeg van het schip.

Dolphin Oil.

De eerste keer was hij alleen nieuwsgierig geweest. Het schip was afkomstig uit Jakarta. Hij had zich afgevraagd hoe een schip zo hoog in het water kon liggen terwijl het was afgeladen met slib. De tweede keer, nog maar enkele weken geleden, was hij het schip na het afmeren zelfs binnengegaan, in de romp. Hij was langs de afgeleide bemanning geslopen en had de voorste tanks bekeken.

Leeg. Het kwam niet als een verrassing. In elk geval niet voor hem.

Zo schoon als de billetjes van een pasgeboren baby.

Hij had het nieuws aan de havenmeester doorgebrieft. Niet één keer, maar twee. Maar hij had Pappy alleen maar op de rug geslagen, alsof hij een ouwe dwaas was, en gevraagd wat zijn plannen waren als hij eenmaal met pensioen was. Maar deze keer zou hij ervoor zorgen dat dit niet door een veredelde pennenlikker onder een stapel papieren werd geschoven. Pappy kende mensen. Mensen op de juiste posities. Mensen die in dit soort dingen geïnteresseerd waren. Deze keer zou hij bewijzen verzamelen als hij het schip binnenloodste.

Twee komma drie miljoen vaten...

Twee komma drie miljoen vaten, ja hoor, tuurlijk.

Pappy claxonneerde en manoeuvreerde de sloep langs de boeg van het schip. Zijn maat Al nam het roer over. Een loopplank werd vanaf het hoofddek uitgeschoven. Hij bereidde zich voor om aan boord te gaan.

Maar toen trilde zijn mobiele telefoon. Hij pakte hem van zijn riem. Het was tien over vijf 's ochtends. Verstandige mensen lagen nu nog op een oor. Op het scherm verscheen een tekst: NIEUW BERICHT. Een sms'je. Nummer onbekend. Er kwam een foto in beeld.

Pappy riep naar Al dat hij de sloep stil moest leggen en sprong weer van de loopplank in de boot. In de schemer tuurde hij met samengeknepen ogen naar de foto op het scherm.

Hij verstijfde.

Het was een lichaam. Verdraaid en ontwricht. Een donkere poel onder zijn hoofd. Pappy besefte meteen dat het bloed was.

Hij hield het mobieltje dichter bij zijn gezicht om het beter te kunnen zien.

'O, hemel. Nee...'

Zijn ogen concentreerden zich op de lange rode dreadlocks van het slachtoffer. Zijn borst vulde zich met pijn, alsof hij was neergestoken. Hij deinsde achteruit terwijl een innerlijke bankschroef zijn ribben kraakte.

'Pappy!' riep Al vanaf de brug. 'Is alles in orde?'

Nee, het was niet in orde.

'Dat is Abel,' riep hij uit, terwijl hij naar adem snakte en zijn luchtpijp werd dichtgeknepen. 'Dat is mijn zoon!'

Plotseling voelde hij het toestel trillen, ten teken dat er een nieuw bericht binnenkwam.

Weer nummer onbekend.

Deze keer stonden er twee woorden op het scherm.

Pappy trok zijn boord los en hapte naar adem. Het verstikkende gevoel werd niet veroorzaakt door een hartaanval, maar door intens verdriet. En woede – om zijn eigen trots.

Hij liet zich op het dek zakken terwijl de twee woorden door zijn hoofd flitsten.

GENOEG GEZIEN?

12

EEN MAAND LATER – EEN PAAR dagen nadat ze eindelijk een herdenkingsdienst voor Charlie hadden gehouden, waarbij Karen had geprobeerd opgewekt te zijn, maar o, wat was dat moeilijk geweest – leverde een koerier
een pakje bij haar af.

Het was midden op de dag. De kinderen waren op school. Karen stond
net op het punt om van huis te gaan. Ze had een stuurgroepbijeenkomst
op de school van de kinderen. Ze deed haar uiterste best om weer een normale routine te ontwikkelen.

Rita, hun huishoudster, nam het pakje aan en klopte op de deur van de
slaapkamer.

Het was een grote bubbeltjesenvelop. Karen zocht naar een afzender.
Op het etiket stond dat hij afkomstig was van een Shipping Plus-
vestiging in Brooklyn. Geen afzender, geen adres. Karen kende niemand
in Brooklyn.

Ze liep naar de keuken, pakte een mes en sneed de envelop open. De
inhoud was in bubbeltjesplastic gewikkeld. Nieuwsgierig trok ze de inhoud
eruit.

Het was een fotolijstje. Ongeveer vijfentwintig bij dertig centimeter.
Chroom. Iemand had veel moeite gedaan.

In het fotolijstje zat een stuk papier dat van een notitieblok afkomstig
leek, verschroeid, met vieze vlekken erop, en de rechterbovenhoek was er
afgescheurd. Er stonden willekeurige reeksen getallen op en een naam.

Karen voelde dat haar adem stokte.

Op het papier stond: VAN HET BUREAU VAN CHARLES FRIEDMAN.

Het handschrift was dat van Charlie.

'Een cadeautje?' vroeg Rita, die de verpakking opruimde.

Karen knikte en was nauwelijks in staat om iets te zeggen. 'Ja.'

Ze nam het mee naar de serre en ging ermee op de vensterbank zitten.
Buiten regende het.

Het was briefpapier van haar man. Het briefpapier dat Karen hem enkele jaren geleden zelf had gegeven. Het papier was verscheurd. De getallen zeiden haar niets en de naam die erop was gekrabbeld, kwam haar niet

bekend voor. Megan Walsh. Eén hoekje was verschroeid. Het papier zag eruit alsof het lange tijd op de grond had gelegen.

Maar het was Charlie – zijn handschrift. Karen kreeg een tintelend gevoel in haar hele lichaam.

Met plakband was een briefje op het fotolijstje geplakt. Karen trok het er af. Er stond op: IK VOND DIT DRIE DAGEN NA DE BOMAANSLAG IN DE GROTE HAL VAN HET GRAND CENTRAL. HET WAS ER KENNELIJK NAARTOE GEDWARRELD. IK HEB HET EEN TIJDJE BEWAARD, OMDAT IK NIET WIST OF HET ZOU HELPEN OF JUIST VERDRIET ZOU DOEN. IK BID DAT HET HELPT.

Het briefje was niet ondertekend.

Karen kon het niet geloven. Via het nieuws had ze vernomen dat er na de explosie duizenden papieren verspreid over het station lagen. Ze waren overal neergedwarreld. Als confetti na een optocht.

Karen tuurde geconcentreerd naar Charlies handschrift. Her en der op het papier stonden nietszeggende getallenreeksen en er stond een naam die ze niet herkende. De datum die erop stond was 22 maart, enkele weken voor zijn dood. Ongetwijfeld een reeks willekeurige boodschappen. Maar het was van Charlie. Zijn handschrift. Het was een deel van hem op de dag dat hij stierf.

Ze hadden haar het bovenstuk van zijn koffer nooit teruggegeven. Dit was alles wat ze had. Ze drukte het even tegen zich aan en het was bijna alsof ze hem voelde.

Haar ogen vulden zich met tranen. 'O, Charlie...'

Ergens leek het alsof hij haar gedag zei.

Ik wist niet of het zou helpen of juist verdriet zou doen, had de afzender geschreven.

O, ja. Het helpt. En nog veel meer dan dat... Karen hield het dicht tegen zich aan. Véél meer dan dat.

Het waren alleen maar domme getallen en een naam die in zijn handschrift waren geschreven. Maar het was alles wat ze had.

Ze had op de herdenkingsdienst niet kunnen huilen. Te veel mensen. Charlies uitvergrote foto die boven hen opdoemde. En ze hadden allemaal gewild dat er een uitgelaten sfeer hing, geen verdrietige. Ze had zo hard haar best gedaan om sterk te zijn.

Maar terwijl ze daar zo bij het raam zat, met het handschrift van haar man tegen haar hart gedrukt, voelde ze dat het goed was. Ik ben hier bij je, Charlie, dacht Karen. En eindelijk liet ze de tranen toe.

13

EVEN VERDEROP IN DE STRAAT zat een man onderuitgezakt in een donkere auto. De regen kletterde op de voorruit. Hij rookte een sigaret terwijl hij naar het huis keek en draaide het raampje een stukje open om de as op straat te tikken.

Het busje van de koeriersdienst was net vertrokken. Hij wist dat het pakje de boel in beweging zou zetten. Een poosje later rende Karen Friedman met een regenjas over haar hoofd het huis uit en stapte in haar Lexus.

Het zag er interessant uit.

Ze draaide achteruit de oprit af en reed in zijn richting weg. De man zakte nog verder onderuit in zijn stoel; de koplampen van de Lexus verlichtten zijn voorruit en glinsterden fel in de regen tijdens het passeren.

Een hybride, merkte hij geïmponeerd op terwijl hij in de achteruitkijkspiegel zag dat de auto de straat uit reed.

Hij pakte de telefoon die op de passagiersstoel naast hem lag, naast zijn pistool – een Walther P38 – en toetste het geheime nummer in. Zijn blik viel op zijn handen. Ze waren dik en ruw, arbeidershanden.

Tijd om ze weer vuil te maken, verzuchtte hij.

'Plan A lijkt niet te werken,' zei hij in de telefoon toen de stem die hij verwachtte eindelijk opnam.

'We hebben niet eeuwig de tijd,' antwoordde de persoon aan de andere kant van de lijn.

'*Exactamente.*' Hij ademde uit. Daarna startte hij de motor, gooide zijn sigaret uit het raam en reed langzaam achter de Lexus aan. 'Ik ben al bezig met Plan B.'

14

EEN VAN DE DINGEN DIE Karen in de daaropvolgende weken moest regelen was de liquidatie van Charlies bedrijf.

Ze was nooit nauw betrokken geweest bij het bedrijf van haar man. Harbor was een zogenaamde 'algemene commanditaire vennootschap'. In de aandelenovereenkomst stond dat de assets van het bedrijf onder de andere partners zouden worden verdeeld als de hoofdpartner zou overlijden of zijn taken niet meer kon vervullen. Charlie beheerde een middelgroot fonds met assets van rond de tweehonderdvijftig miljoen dollar. De hoofdinvesteerders waren Goldman Sachs, waar hij jaren eerder was begonnen, en een paar rijke families die hij door de jaren heen had aangetrokken.

Saul Lennick, Charlies eerste baas bij Goldman, had hem geholpen bij het opzetten van een eigen bedrijf en fungeerde als de gevolmachtigde.

Het was voor Karen moeilijk om het bedrijf te sluiten. Bitterzoet. Charlie had maar zeven mensen in dienst: een juniorhandelaar en een boekhouder, Sally, die de backoffice runde en al vanaf het allereerste begin bij hem werkte. Zijn assistente Heather handelde veel van hun persoonlijke dingen af. Karen kende hen vrijwel allemaal.

Het zou een paar maanden duren, had Lennick gezegd, voordat alles zou zijn afgerond. En daar kon ze prima mee leven. Charlie zou hebben gewild dat ze goed achterbleven. 'Je weet als geen ander dat hij eigenlijk meer tijd met hen doorbracht dan met mij,' zei ze met een veelbetekenende glimlach tegen Saul. Afijn, geld was momenteel geen probleem.

Zij en de kinderen hadden het in financieel opzicht goed. Ze had het huis, dat helemaal was afbetaald, en het vakantiehuis in Vermont. En Charlie had door de jaren heen wat geld weten te sparen.

Maar het was zwaar om zijn kindje ontmanteld te zien worden. De posities waren verkocht. Het kantoor aan Park Avenue stond te huur. De ene na de andere werknemer vond een nieuwe baan en vertrok.

Rond die tijd belde Jonathan Lauer, de juniorhandelaar die Charlie nog maar enkele maanden geleden in dienst had genomen, haar thuis op. Karen was er niet. Hij sprak een bericht in op haar antwoordapparaat: 'Ik zou graag even met u praten, mevrouw Friedman. Wanneer het u uitkomt. Er zijn een paar dingen die u moet weten.'

Een paar dingen... Waar het ook over ging, haar hoofd stond er nu niet naar. Jonathan was nieuw; hij was pas vorig jaar bij het bedrijf begonnen. Charlie had hem bij Morgan weggekaapt. Ze gaf de boodschap door aan Saul.

'Maak je geen zorgen, ik handel dat wel af,' zei hij tegen haar. 'Allemaal lastige zaken die bij een bedrijfssluiting komen kijken. Mensen willen hun eigen regelingen veiligstellen. Bij sommigen kan er sprake zijn van bonus-overeenkomsten. Charlie verzuimde vaak om dat soort dingen officieel op papier te zetten. Jij hoeft je nu met dit soort dingen niet bezig te houden.'

Hij had gelijk. Ze kón zich met dat soort dingen nu niet bezighouden. In juli bracht ze een week vakantie door in de recreatiewoning van Paula en Rick in Sag Harbor. Een vakantie waar ze echt aan toe was. Ze sloot zich weer aan bij haar leesgroepje en ging weer naar yoga. Tjonge, wat had ze dat nodig gehad. Haar lichaam kreeg langzaam zijn oude vorm terug en ze voelde weer dat ze leefde. Geleidelijk ging het geestelijk ook beter.

Het werd augustus en Samantha had een vakantiebaantje bij een lokale strandtent. Alex was op een lacrossekamp. Karen overwoog om een makelaarsopleiding te gaan volgen.

Jonathan Lauer nam opnieuw contact met haar op.

Deze keer was Karen alleen thuis. Toch nam ze niet op. Ze hoorde dezelfde cryptische boodschap op het antwoordapparaat: 'Mevrouw Friedman, ik denk dat het belangrijk is dat we praten...'

Maar Karen liet het antwoordapparaat de boodschap verder opnemen. Ze vond het niet prettig om hem te negeren. Charlie had altijd vol lof over de jongeman gesproken. Mensen willen hun eigen regelingen veiligstellen...

Ze kón gewoon niet opnemen. Toen ze zijn stem hoorde wegebben, voelde ze zich schuldig.

15

HET WAS SEPTEMBER EN DE kinderen waren al weer naar school toen Karen inspecteur Hauck, de rechercheur uit Greenwich, weer tegenkwam.

Het was tijdens de rust van een footballwedstrijd van de middelbare school op het Greenwich Field. Ze speelden tegen Stamford West. Karen had zich als vrijwilliger aangemeld om loten te verkopen voor het Teen Center van de afdeling atletiek. De tribunes zaten vol. Het was een frisse zaterdagochtend in de vroege herfst. De Huskiesband stond op het veld. Ze liep naar het koffiestandje om een kop koffie te kopen tegen de kou.

Aanvankelijk herkende ze hem bijna niet. Hij droeg een marineblauwe fleece pullover en een spijkerbroek en had een jong, schattig meisje van een jaar of negen, tien op zijn schouders. Ze liepen elkaar in de menigte tegen het lijf.

'Inspecteur...?'

'Hauck.' Hij draaide zich om en bleef met een vergenoegde schittering in zijn ogen staan.

'Karen Friedman.' Ze knikte terwijl ze haar ogen met haar hand afschermde tegen de zon.

'Natuurlijk weet ik dat nog.' Hij zette het meisje neer. 'Jess, zeg mevrouw Friedman eens gedag.'

'Hallo.' Het schattige meisje zwaaide een beetje verlegen. 'Leuk u te ontmoeten.'

'Ook leuk om jou te ontmoeten, lieverd.' Karen glimlachte. 'Uw dochter?'

De inspecteur knikte. 'Fijn dat ik haar even kan neerzetten,' kreunde hij, terwijl hij naar zijn rug greep. 'Ze wordt hier veel te groot voor. Ja toch, schat? Loop maar vast door naar je vriendinnetjes. Ik kom er zo aan.'

'Oké.' Het meisje rende weg in de richting van de buitenste zijlijnen en ging op in de massa.

'Negen?' gokte Karen en ze trok vragend haar wenkbrauwen op.

'Tien. Maar ze wil nog steeds op mijn nek zitten. Over een jaar of twee krimpt ze ineen als ik het ooit nog voorstel.'

'Dochters en vaders...' Karen schudde haar hoofd en grijnsde. 'Afijn, op een gegeven moment komen ze allemaal weer terug, zeggen ze. Ik wacht nog steeds.'

Ze bleven even staan midden in de stroom van mensen. Een brede man in een Greenwich-sweatshirt sloeg Hauck in het voorbijgaan op de schouder. 'Hé, Leg...'

'Rollie.' De inspecteur zwaaide terug.

'Ik wilde net koffie halen,' zei Karen.

'Laat mij maar,' bood Hauck aan. 'Ik krijg korting.'

Ze gingen in de rij bij het koffiestandje staan. Een vrouw achter de stand leek hem te herkennen. 'Hé, Ty! Hoe gaat het, inspecteur? Volgens mij hadden we je vandaag goed kunnen gebruiken.'

'Ja, geef me twintig bakken koffie en een cortisoninjectie in beide knieën en ik ben van de partij.' Hij haalde een stapel biljetten tevoorschijn.

'Rondje van de zaak, inspecteur. Booster Program.' Ze wuifde hem weg.

'Bedankt, Mary.' Hauck knipoogde terug. Hij gaf een koffiebeker aan Karen. Er was een tafel vrij en Hauck ging haar voor. Ze pakten allebei een metalen stoel.

'Zie je wat ik bedoel?' Hij nam een slok. 'Een van de weinige privileges die ik nog heb.'

'Dat krijg je als je een hoge positie bekleedt.' Karen knipoogde en deed alsof ze onder de indruk was.

'Nah.' Hauck haalde zijn schouders op. 'Tailback. Greenwich High School, 1975. We haalden dat jaar de statenfinale. Dat vergeten ze nooit.'

Karen grijnsde. Ze duwde haar haren terug onder de capuchon van haar Greenwich High-sweatshirt en legde haar handen om de hete koffiebeker.

'Hoe gaat het nu met u?' vroeg de rechercheur. 'Ik had u nog willen bellen. De laatste keer dat ik u zag was alles nog erg vers.'

'Ik weet het.' Karen haalde opnieuw haar schouders op. 'Dat was ook zo. Het gaat beter. Tijd...' Ze zuchtte en bracht de beker naar haar mond.

'Dat zeggen ze...' De inspecteur nam ook een slok en glimlachte. 'Hebt u ook kinderen op de middelbare school?'

'Twee. Samantha doet dit jaar eindexamen. Alex zit in het tweede jaar en speelt lacrosse. Hij heeft het er nog steeds erg moeilijk mee.'

'Begrijpelijk,' zei de inspecteur. Iemand streek met zijn rug langs hem in het voorbijgaan. Hij knikte en perste zijn lippen op elkaar. Wat kon hij zeggen?

'U onderzocht toen die hit-and-run,' zei Karen, die snel van onderwerp veranderde. 'Een jongen uit Florida. Hebt u de dader ooit gevonden?'

'Nee. Maar ik weet intussen wel hoe de naam van uw man in zijn borstzakje terecht is gekomen.'

Hij vertelde Karen over de Mustang.

'Charlies kindje.' Ze knikte en glimlachte. 'Typisch. Ik heb hem nog steeds. Charlie vroeg in zijn testament om hem niet te verkopen. Hoe zit dat toch, inspecteur? Je wilt je eigen Amerikaanse icoon, het enige jaar waarin ze hem in de kleur Emberglow uitbrengen. Kosten: ongeveer achtduizend dollar per jaar, alleen om hem een paar keer uit de garage te halen.'

'Sorry. Ik heb mijn eigen Amerikaanse icoon. Een bankrekening voor het collegegeld van mijn dochter.' Hij grijnsde.

De omroeper kondigde aan dat de teams weer het veld opkwamen. De Huskiesband marcheerde weg met een schelle versie van Bon Jovi's 'Who Says You Can't Go Home?'. De dochter van de inspecteur rende uit de menigte op hen af en gilde: 'Papa, kom nou! Ik wil naast Elyse zitten!'

'De tweede helft begint,' zei de inspecteur.

'Een leuke meid,' zei Karen. 'Uw oudste?'

'Mijn enige,' antwoordde de rechercheur na een korte stilte. 'Bedankt.'

Heel even ontmoetten hun blikken elkaar. Karen voelde dat er iets schuilging achter zijn diepliggende ogen.

'Wilt u ook een lot van me kopen?' vroeg ze. 'Het is voor een goed doel. Booster Program.' Ze giechelde. 'Kom op, ik loop achter.'

'Ik vrees dat ik mijn leergeld al heb betaald.' Hauck zuchtte berustend en klopte op zijn knieën.

Ze scheurde een lot af en schreef zijn naam achterop. 'Rondje van de zaak. Weet u, het was aardig wat u die dag tegen me zei. Dat u wist wat ik doormaakte. Ik had het toen echt even nodig. Nog bedankt daarvoor.'

'Tjonge...' Hauck schudde zijn hoofd en pakte het lot uit haar hand, waarbij hun vingers elkaar even raakten. 'De cadeautjes komen vandaag uit de lucht vallen.'

'De prijs die u betaalt voor het verrichten van een goede daad, inspecteur.'

Ze stonden op. De dochter van de inspecteur riep ongeduldig: 'Papa, kom nou!'

'Succes met de loten,' zei hij. 'Weet u, misschien is het goed als u er vandaag ook een paar verkóópt.'

Karen lachte. 'Leuk u weer te hebben gezien, inspecteur.' Ze schudde met haar vuisten, alsof ze een cheerleader met pompons was. 'Huskies, zet hem op!'

Hauck zwaaide en verdween in de menigte. 'Tot ziens.'

16

HET KWAM DIE AVOND ALS een verrassing, besloot Hauck, terwijl hij verf op het canvas aanbracht in zijn kleine onderkomen met twee slaapkamers dat hij aan Euclid Avenue in Stamford huurde, met uitzicht op Holly Cove.

Weer een jachthavenzicht. Een sloep met de zeilen gestreken in de haven. Ongeveer hetzelfde uitzicht als van zijn veranda. Het was het enige wat hij schilderde: boten...

Jessie keek televisie op haar kamer en verstuurde sms'jes. Ze waren naar de pizzeria Mona Lisa in de stad geweest en naar de nieuwste tekenfilm die in de bioscoop draaide. Jess had gedaan alsof ze het maar saai vond, hij had ervan genoten.

'Dit is een film voor kleuters, papa.' Ze rolde met haar ogen.

'O.' Hij ging er niet verder op in. 'De pinguïns waren wel cool.'

Hauck had het hier prima naar zijn zin. De kleine baai was maar een straat verderop. Zijn kleine vissersboot met twee verdiepingen uit de jaren zestig. De eigenaar had hem opgeknapt. Vanaf het dek op de eerste verdieping, waar de zitkamer was, kon je de Long Island Sound zien. Naast hem woonde een Frans paar, Richard en Jacqueline, meubelrestaurateurs – hun atelier was in hun garage – en ze nodigden hem steevast uit als ze een feestje gaven. Er kwamen altijd veel gasten met een vreemd accent en er werd heel redelijke wijn geschonken.

Ja, het kwam als een verrassing. Wat hij voelde. Dat hij haar ogen had opgemerkt – bruin en mooi groot. Dat er van nature een lach in te zien was. De zweem van zangerigheid in haar stem, alsof ze hier niet vandaan kwam. Haar kastanjebruine haar dat ze in een jeugdige paardenstaart droeg.

Dat ze het lootje in zijn jaszak had gestoken en had geprobeerd een glimlach aan hem te ontlokken.

In tegenstelling tot Beth. Toen háár wereld instortte.

Hauck trok een smalle streep vanaf de mast van de zeilboot en liet die overgaan in het blauw van de zee. Hij staarde naar het canvas. Het was waardeloos.

Niemand zou hem ooit met Picasso verwarren.

Ze had hem gevraagd of Jess zijn oudste was en nadat hij naar zijn idee een eeuwigheid had gezwegen, had hij geantwoord: 'Mijn enige.' Hij had het haar kunnen vertellen. Ze zou het hebben begrepen. Ze maakte hetzelfde door.

Kom op, Ty. Waarom komt het altijd hier weer op uit?

Hij had met Beth een geweldig leven gehad, maar nu kon hij zich nauwelijks meer voorstellen dat ze ooit verliefd waren geweest. Dat ze hem ooit de meest sexy man op aarde had gevonden.

Mijn enige...

Wat had hij in de winkel laten liggen dat hij zo gehaast terug was gegaan? Puddinkjes...

Hij had het busje gehaast in de parkeerstand gezet. Hoe vaak had hij dat niet gedaan? Duizendmaal? Honderdduizend?

'Kijk uit, jongens. Papa rijdt de garage uit...'

Toen hij terugliep naar de garagedeur, met zijn bonnetje en portefeuille in de hand, hoorden ze de gil. Van Jessie.

Beths angstige ogen – 'O, nee! Ty, nee!' – terwijl ze door het keukenraam het busje achteruit zagen rollen.

Norah had geen enkel geluid meer gemaakt.

Hauck legde zijn penseel neer. Hij liet zijn voorhoofd op de muis van zijn hand rusten. Het had hem zijn huwelijk gekost. Hij kon nooit meer in de spiegel kijken zonder in huilen uit te barsten. Lange tijd had hij het ook niet aangekund om zijn armen om Jess heen te slaan en haar te knuffelen.

Zijn gedachten gingen terug naar die ochtend. De sproeten die op haar wang dansten. Hij glimlachte.

Wees realistisch, Ty... Ze rijdt in een auto die vast meer waard is dan je hele pensioenpotje. Ze heeft net haar echtgenoot verloren.

In een ander leven, misschien.

In een andere tijd.

Maar het verbaasde hem terwijl hij het penseel weer oppakte. Wat hij dacht... Hoe hij zich voelde.

Ontwaakt.

En dat was vreemd, besloot hij. Want niets kon hem nog verbazen.

17

December

ZE HADDEN HUN LEVEN NET weer een beetje opgepakt. Sam schreef zich in bij de universiteiten van haar keuze: Tufts en Buchness. Karen had samen met haar de verplichte bezoeken afgelegd.

En toen klopten er twee mannen van Archer aan de deur.

'Mevrouw Friedman?' vroeg de kleinste van de twee. Hij had scherpe gelaatstrekken, gemillimeterd lichtblond haar en onder zijn regenjas droeg hij een grijs pak. De andere man was mager en langer, met een hoornen bril en een leren aktetas.

'We zijn van een privéaccountantskantoor, mevrouw Friedman. Mogen we even binnenkomen?'

Aanvankelijk dacht Karen nog dat ze misschien van een overheidsfonds waren dat was opgezet voor de nabestaanden van de slachtoffers van de bomaanslag. Ze had via haar supportgroep gehoord dat deze mensen behoorlijk opdringerig en kil konden zijn. Ze opende de deur.

'Dank u.' De blonde man had een licht Europees accent en overhandigde haar een visitekaartje: ARCHER & BEY ASSOCIATES. JOHANNESBURG, ZUID-AFRIKA. 'Mijn naam is Paul Roos, mevrouw Friedman. Dit is mijn partner Alan Gillespie. Het duurt niet lang. Mogen we even plaatsnemen?'

'Natuurlijk...' zei Karen een beetje aarzelend. Inderdaad hadden de mannen iets kils en onpersoonlijks. Ze keek nog eens goed naar het visitekaartje. 'Gaat het over mijn man? Saul Lennick van de Whiteacre Capital Group ziet toe op de beschikking van de fondsen.'

'We hebben al contact gehad met meneer Lennick,' antwoordde Roos zakelijk. Hij deed een stap naar voren in de woonkamer. 'Als u het niet erg vindt...'

Ze ging hen voor naar de zithoek.

'U hebt een mooi huis, mevrouw Friedman,' zei Roos, terwijl hij aandachtig om zich heen keek.

'Dank u. U zei dat u van een accountantskantoor was? Volgens mij werden de zaken van mijn man geregeld door een kantoor buiten de stad. Ross & Weiner. Ik kan me úw firmanaam niet herinneren.'

'We zijn hier ook niet ten behoeve van uw echtgenoot, mevrouw Friedman.' De Zuid-Afrikaan sloeg zijn benen over elkaar. 'We vertegenwoordigen een aantal investeerders.'

'Investeerders?'

Karen wist dat Morgan Stanley Charlies grootste investeerder was, gevolgd door de families O'Flynn en Hazen, die er al vanaf het begin bij waren geweest.

'Welke?' Karen staarde hem onzeker aan.

Roos nam haar met een aarzelende glimlach op. 'Gewoon... investeerders.' De glimlach gaf Karen een ongemakkelijk gevoel.

Zijn partner, Gillespie, maakte zijn aktetas open. 'U hebt de opbrengst van de liquidatie van de bedrijfsgoederen van uw man ontvangen, toch, mevrouw Friedman?'

'Dit klinkt eerder als een accountantscontrole.' Karen spande haar spieren aan. 'Ja. Is daar iets mis mee?' De fondsen waren net afgerond. Charlies deel kwam uiteindelijk neer op iets minder dan vier miljoen dollar. 'Als u nu eens vertelt waar het over gaat?'

'We hebben naar bepaalde transacties gekeken,' zei Gillespie, terwijl hij een dik, ingebonden rapport voor zich op de salontafel legde.

'Luister, ik ben nooit erg betrokken geweest bij de zaak van mijn man,' antwoordde Karen. Ze begon zich zorgen te maken. 'Ik weet zeker dat als u met meneer Lennick zou praten –'

'Tekorten, om precies te zijn,' verbeterde de accountant zichzelf scherpzinnig.

Karen mocht deze mensen niet. Ze had geen idee waarom ze hier waren en tuurde weer naar het visitekaartje. 'U bent accountants, zei u?'

'Accountants en gerechtelijke onderzoekers, mevrouw Friedman,' antwoordde Paul Roos.

'Onderzoekers?'

'We doen onderzoek naar bepaalde aspecten van het bedrijf van uw man,' legde Gillespie uit. 'De dossiers blijken een beetje... vaag te zijn. We zijn ons ervan bewust dat hij als onafhankelijk hedgefonds niet aan bepaalde formaliteiten was gebonden.'

'Luister, ik denk dat u beter kunt gaan. Ik raad u aan om hiermee naar –'

'Maar wat duidelijk is gebleken,' ging de accountant verder, 'is dat er een aanzienlijke hoeveelheid geld lijkt te zijn verdwenen.'

'Verdwenen...' Karen keek hem recht aan en bedwong haar woede. Saul had het nooit over verdwenen geld gehad. 'En daarom bent u hier? Is dat even een tegenvaller, meneer Gillespie. Mijn man is dood, zoals u schijnt te weten. Hij ging acht maanden geleden naar zijn werk en kwam nooit meer thuis. Dus vertelt u eens' – haar ogen brandden als laserstralen door hem heen en ze stond op – 'over hoeveel geld we het hebben, meneer Gillespie? Ik pak mijn portemonnee even.'

'Het gaat om tweehonderdvijftig miljoen dollar, mevrouw Friedman,' zei de accountant. 'Hebt u toevallig zoveel contant geld in huis?'

Karens hart bleef bijna stilstaan. Ze ging weer zitten. De woorden raakten haar als kogels. De gezichtsuitdrukking van de accountant veranderde niet.

'Waar hebt u het in vredesnaam over?'

Roos nam het woord weer en schoof iets verder naar voren op de bank. 'Waar het om gaat is dat er in het bedrijf van uw man een enorme som geld is verdwenen, mevrouw Friedman. En onze cliënten willen dat wij uitzoeken waar het is gebleven.'

Tweehonderdvijftig miljoen dollar. Karen was te verbijsterd om zelfs maar te lachen. De opbrengst was zonder noemenswaardige problemen verdeeld. De hele zaak van Charlie was nauwelijks meer waard.

Ze keek weer in hun doffe, onveranderde ogen. Ze wist dat ze iets over haar man suggereerden. Charlie was dood. Hij kon zich niet verdedigen.

'Volgens mij hebben wij verder niets te bespreken, meneer Gillespie, meneer Roos.' Karen stond op. Ze wilde dat de mannen vertrokken. Ze wilde hen haar huis uit hebben. Nu meteen. 'Zoals ik u al zei ben ik nooit bij de zaak van mijn man betrokken geweest. U zult uw zorgen aan meneer Lennick kenbaar moeten maken. Ik wil nu graag dat u vertrekt.'

De accountants keken elkaar aan. Gillespie stak het dossier weer in zijn aktetas en klapte hem dicht. Ze stonden op.

'Het was niet onze bedoeling u te beledigen, mevrouw Friedman,' zei Roos op een meer verzoenende toon. 'Maar ik wil u er nog wel op wijzen dat er waarschijnlijk een onderzoek zal worden gestart. Ik zou nog maar niets uitgeven van de opbrengst die u hebt ontvangen.' Hij glimlachte en keek om zich heen.

'Zoals ik al eerder zei: u hebt een mooi huis... Maar ik vind het wel zo eerlijk om u te waarschuwen.' Bij de deur draaide hij zich om. 'Uw persoonlijke rekeningen zullen misschien ook worden gecontroleerd.'

De haren op Karens armen stonden recht overeind.

18

ENKELE GEKMAKENDE MINUTEN LATER HAD Karen Saul Lennick aan de lijn. Op kantoor hadden ze hem met moeite weten te vinden. Hij was voor zaken in het buitenland. Maar zijn secretaresse had de opwinding in Karens stem gehoord. Uiteindelijk hadden ze hem weten op te sporen.

'Karen?'

'Saul, sorry dat ik je lastigval.' Ze stond op het punt in huilen uit te barsten. Ze vertelde hem over het verontrustende bezoekje van de twee mannen.

'Wie?'

'Ze zijn van Archer & Bey Associates. Het zijn accountants en forensische onderzoekers. Hun bedrijf schijnt in Zuid-Afrika te zitten. Ze zeiden dat ze met jou hadden gesproken.'

Saul wilde alle details horen en stelde een paar scherpe vragen over hun namen en in het bijzonder over wat ze hadden gezegd.

'Karen, luister. Allereerst kan ik je verzekeren dat dit niets is om je zorgen over te maken. De ontbinding van de vennootschap verloopt soepel en ik garandeer je dat het volledig volgens de voorschriften gaat. Voor de goede orde, Charlie heeft inderdaad op het eind een aantal verliezen geleden. Hij had een enorme positie genomen in Canadese teerzanden die is gekelderd.'

'Wie zíjn die mensen, Saul?'

'Geen idee. Een buitenlands accountantskantoor, vermoed ik, maar daar kom ik wel achter. Het kan zijn dat een van Charlies investeerders daar hen heeft ingehuurd in de hoop het proces te vertragen.'

'Ze hadden het over honderden miljoenen dollars, Saul! Je weet dat Charlie niet met zulke bedragen werkte. Ze maakten allerlei toespelingen, waarschuwden me dat ik de opbrengst nog niet moest uitgeven. Charlies geld, Saul! Het was eng. Ze zeiden dat mijn persoonlijke rekeningen mogelijk ook zouden worden gecontroleerd.'

'Dat zal niet gebeuren, Karen. Kijk, er zijn nog wat details die afgehandeld moeten worden waar iemand moeilijk over zou kunnen doen –'

'Wat voor details, Saul?' Iets dergelijks had ze nog niet eerder gehoord.

'Misschien een paar zetten waar je vraagtekens bij zou kunnen zetten. Foutjes in een van Charles' leenovereenkomsten. Maar laten we niet op de zaken vooruitlopen. Dit is niet het moment.'

'Charlie is dood, Saul! Hij kan zich niet verdedigen. Ik bedoel, hoe vaak heb ik hem horen piekeren over minieme bedragen voor zijn cliënten? Het ging verdorie om fracties van punten. En díé mensen maken zulke toespelingen... Ze hadden het recht niet om hier te komen, Saul.'

'Karen, ik verzeker je dat ze geen poot hebben om op te staan. Die lieden willen alleen maar onrust zaaien. En ze hebben het helemaal verkeerd aangepakt.'

'Inderdaad, Saul.' Haar woede begon weg te trekken. 'En óf ze het verkeerd hebben aangepakt. Ik wil ze niet weer in mijn huis hebben. Godzijdank waren Samantha en Alex niet thuis.'

'Luister, fax me dat visitekaartje, Karen. Ik zal er vanaf hier onderzoek naar doen. Ik zal ervoor zorgen dat het niet weer gebeurt.'

'Charlie was een fatsoenlijke man, Saul. Dat weet jij net zo goed als ik.'

'Inderdaad, Karen. Charlie was als een tweede zoon voor me. Ik zal altijd jouw belangen voor ogen hebben.'

Ze veegde de haren uit haar gezicht om zichzelf te kalmeren. 'Dat weet ik...'

'Fax dat kaartje, Karen. En laat het me meteen weten als ze weer contact met je opnemen.'

'Bedankt, Saul.'

Ineens stroomden de tranen over Karens gezicht. Soms gebeurde dat zomaar. De gedachte dat ze haar man moest verdedigen... Ze liet een stilte van een paar seconden vallen om weer vat op haar emoties te krijgen.

'Ik meen het, Saul... Echt bedankt.'

De mentor van haar man zei zachtjes: 'Dat hoef je niet eens te zeggen, Karen.'

Hij kon het niet over zijn hart verkrijgen om het haar nu te vertellen. Hij wilde het ook niet.

Lennick legde de hoorn op het telefoontoestel in de Old World, de lobby van hotel Vier Jahreszeiten in München.

Een week geleden had zijn contactpersoon bij de Royal Bank of Scotland gebeld, een van de kapitaalverstrekkers die hij voor Charlie had geregeld en die zijn bedrijfsfondsen voorschoot. Hij had plichtmatig geklonken. De bankier had op lichtelijk bezorgde toon gesproken.

Een willekeurige controle van een olietanker door de douane in Jakarta had hun aandacht getrokken.

Lennicks hart was stil blijven staan. Hij schoof zijn bureaustoel terug naar zijn bureau. 'Hoezo?'

'Een discrepantie,' legde de bankier uit, 'op de vrachtbrief.' Daarin had gestaan dat het schip één komma vier miljoen vaten olie vervoerde.

De tanker bleek leeg te zijn, verklaarde de bankmedewerker.

Lennick was lijkbleek geworden.

'Ik weet zeker dat er een vergissing in het spel moet zijn geweest,' zei de Schotse bankier tegen hem. Charlies Friedman bleek hun één komma vier miljoen vaten à zesenzestig dollar per stuk in zakelijk onderpand te hebben gegeven voor de lening.

De bankier schraapte zijn keel. 'Is er reden voor bezorgdheid?'

Lennick voelde een rilling over zijn ruggengraat gaan. Hij zou het nakijken, beloofde hij, en dat was genoeg om de bankier te sussen. Maar zodra hij had opgehangen, sloot Lennick zijn ogen.

Hij dacht aan Charlies recente verliezen, de zware druk waaronder hij had gestaan. Zij allemaal. Hoe zwaar hij met zijn fondsen had gespeculeerd.

Charlie, domme klootzak. Lennick zuchtte. Hij pakte de telefoon en toetste een nummer in. Hoe had je zo wanhopig, zo dom, zo achteloos kunnen zijn? Heb je dan helemaal geen idee wie deze mensen zijn?

Mensen die het niet prettig vonden om te worden gecontroleerd. Of dat hun zaken werden onderzocht. Nu moest alles worden gereconstrueerd. Alles, Charlie.

Zelfs nu, weken later, in de lobby van de Vier Jahreszeiten, zorgde de al te delicate vraag van de bankier ervoor dat Lennick een droge mond kreeg.

Is er reden voor bezorgdheid?

19

HET WAS TEGEN HET EINDE van februari en de tweede dag van de hockey-training. Sam Friedman gooide haar stick onder in haar kluisje. Ze speelde rechtsvoor in het meidenteam. Er waren een paar aanvallers van vorig jaar uitgevallen, dus het zou een zwaar seizoen worden. Sam pakte haar parka van de kapstok en wierp een blik op een paar boeken. Morgen had ze een tentamen Engels over een verhaal van Tobias Wolfe en ze moest nog een hoofdstuk over Vietnam lezen. Sinds ze tot Tufts was toegelaten, een van haar eerste keuzes, had ze eigenlijk weinig uitgevoerd. Vanavond hadden ze met een stel in de stad afgesproken, bij Thataways. Ze zouden kippenvleugeltjes eten en een biertje drinken.

Sam genoot met volle teugen van de vrijheid die het studentenleven met zich meebracht.

Buiten rende ze naar haar blauwe Acura SUV die ze na de lunch op het westelijke parkeerterrein had geparkeerd. Ze stapte in haar auto, gooide haar tas op de stoel naast zich en startte de motor. Daarna plugde ze haar iPod in en zette haar favoriete liedje op.

'And I am telling you I'm not going...' brulde ze zo goed mogelijk mee met Jennifer Hudson in *Dreamgirls*. Ze zette de versnelling van de Acura in de DRIVE-stand.

Maar toen voelde ze een hand om haar mond, en haar hoofd werd tegen de hoofdsteun getrokken.

Samantha keek omhoog en probeerde te gillen.

'Geen geluid maken, Samantha,' zei een stem achter haar.

O, mijn god! Dat maakte haar nog banger, dat de persoon haar naam wist. Ze voelde een scheut van angst langs haar ruggengraat gaan, haar ogen schoten wild in het rond, en ze deed haar best om naar hem te kijken in de achteruitkijkspiegel.

'Uh-uh, Samantha.' De aanvaller richtte haar gezicht weer naar voren. 'Niet naar me kijken. Dat is beter voor je.'

Hoe wist hij haar naam?

Dit was foute boel. Ze dacht aan de talloze adviezen die voor dit soort situaties werden gegeven. Niet tegenstribbelen. Laat hem doen wat hij wil.

Geef hem je geld, sieraden, zelfs als het iets belangrijks is. Geef hem zijn zin. Wat hij ook wil.

'Je bent bang hè, Samantha?' vroeg de man op gedempte toon. Zijn hand lag strak over haar mond, haar ogen waren wijd open.

Ze knikte.

'Dat kan ik me goed voorstellen. Ik zou ook bang zijn.'

Ze keek naar buiten en bad dat er iemand zou langslopen. Maar het was al laat en donker. Het parkeerterrein was verlaten. Ze voelde zijn adem heet in haar nek. Ze sloot haar ogen. O, hemel. Hij gaat me verkrachten. Of nog erger...

'Maar je hebt geluk vandaag. Ik doe je geen kwaad, Samantha. Ik wil alleen maar dat je een boodschap aan iemand doorgeeft. Wil je dat voor me doen?'

Ja, knikte Samantha. Ja. Geen paniek, geen paniek, smeekte ze zichzelf. Hij laat je gaan.

'Aan je moeder.'

Haar moeder... Wat had haar moeder hiermee te maken?

'Ik wil dat je haar vertelt, Sam, dat het onderzoek heel binnenkort van start gaat. En dat het heel persoonlijk wordt. Ze zal het begrijpen. En dat we geen types zijn die geduldig blijven wachten – niet eeuwig. Dat begrijp je toch wel? Begrijp je dat, Sam?'

Ze sloot haar ogen. Trilde. En knikte.

'Goed zo. Zeg tegen haar dat de klok tikt. En ik kan haar beloven dat ze niet zou willen dat die ophoudt met tikken. Heb je me gehoord, Sam?' Hij liet zijn hand even los.

'Ja,' fluisterde Sam met trillende stem.

'Niet omkijken,' zei hij. 'Ik stap nu uit de auto.' De man had de capuchon van een sweatshirt over zijn gezicht getrokken. 'Geloof me, hoe minder je ziet, hoe beter het voor je is.'

Samantha bleef verstijfd zitten. Haar hoofd ging op en neer. 'Ik begrijp het.'

'Goed zo.' Het achterportier ging open. De man stapte uit. Ze keek niet. Ze draaide zich niet om. Ze bleef zitten en staarde voor zich uit. Precies zoals hij had gezegd.

'Je bent je vaders kleine meid hè, Sam?'

Haar ogen gingen wijd open.

'Onthoud het bedrag. Tweehonderdvijftig miljoen dollar. Zeg tegen je moeder dat we niet lang meer wachten.'

20

KAREN TROK HAAR DOCHTER DICHT tegen zich aan op de bank in de woonkamer. Samantha snikte en drukte haar hoofd tegen haar moeders schouder. Ze kon nauwelijks iets uitbrengen. Ze had Karen meteen gebeld nadat de man was vertrokken en daarna was ze volledig in paniek naar huis
gereden. Karen had direct de politie ingeschakeld. Buiten werd de rustige
straat verlicht door zwaailichten.

Karen viel uit tegen de eerste agenten die waren gearriveerd. 'Waarom
was er op de school geen beveiliging? Waarom lieten ze daar iedereen maar
toe?' En tegen Sam zei ze volledig gefrustreerd: 'Lieverd, waarom had je
de auto niet op slot gedaan?'

'Dat weet ik niet, mama.'

Maar diep vanbinnen wist ze – haar dochters vingers trilden, haar gezicht nat van de tranen – dat dit niet over Samantha ging. Of over beveiliging op school. Of over autoportieren op slot doen.

Dit ging over Charlie.

Dit ging over iets wat hij had gedaan. Iets waarvan ze vreesde dat hij
het voor haar verborgen had gehouden.

Ze zouden Samantha ook hebben gevonden in het winkelcentrum, bij
iemand thuis of op de club waar ze werkte. Maar ze wist dat ze het niet
op Samantha hadden gemunt.

Ze hadden het op háár gemunt.

En het allerengste was nog wel dat Karen geen idee had wat die mensen van haar wilden.

Toen ze inspecteur Hauck naar binnen zag lopen, bezweek ze bijna. Ze
sprong op en rende naar hem toe. Ze moest zichzelf bedwingen om hem
niet te omhelzen.

Hauck legde een hand op haar schouder. 'Is alles goed met haar?'

'Ja.' Karen knikte opgelucht. 'Volgens mij wel.'

'Ik weet dat ze het verhaal al een aantal keren heeft verteld, maar ik
moet óók met haar praten.'

Karen ging hem voor naar haar dochter. 'Oké.'

Hauck ging tegenover Samantha aan de salontafel zitten. 'Sam, ik ben inspecteur Hauck. Ik ben het hoofd van het rechercheteam van de politie van Greenwich. Ik ken je moeder een beetje van toen je vader overleed. Zou je me kunnen vertellen wat er precies is gebeurd?'

Karen knikte Sam toe, ging naast haar op de bank zitten en pakte haar hand vast.

Terwijl ze haar tranen wegslikte, deed Sam het hele verhaal nog een keer uit de doeken. Dat ze na de training de gymzaal uit was gelopen, dat ze in haar auto was gestapt, dat ze haar iPod had aangezet. De man op de achterbank, die haar volledig had verrast. Dat hij zijn hand om haar mond had gelegd zodat ze niet kon gillen. Dat zijn stem zo ijzingwekkend en dicht bij haar oor had geklonken dat het had geleken alsof zijn woorden via haar ruggengraat naar beneden waren gesuisd.

'Het was zo eng, mam.'

Karen kneep in haar hand. 'Ik weet het, schatje. Ik weet het...'

Ze vertelde Hauck dat ze hem niet goed had kunnen zien. 'Dat mocht niet van hem.' Ze was ervan overtuigd dat hij haar zou verkrachten of vermoorden.

'Je hebt juist gehandeld, lieverd,' zei Hauck.

'Hij zei dat het onderzoek binnenkort van start zou gaan. En dat het heel persoonlijk zou worden. Hij zei iets over tweehonderdvijftig miljoen dollar.' Samantha keek naar Karen. 'Wat bedoelde hij daar in vredesnaam mee, mam?'

Karen schudde nukkig haar hoofd. 'Geen idee.'

Toen het gesprek was afgelopen, maakte Karen zich voorzichtig uit haar dochters omhelzing los. Ze vroeg Hauck of hij even met haar mee naar buiten wilde gaan. De luifel op de veranda was nog niet omhoog. Het was nog steeds te koud. In het donker schitterden er lichtjes in de baai.

'Hebt u enig idee waar ze het over heeft?' vroeg hij.

Karen haalde diep adem en knikte. 'Ja.'

En nee...

Ze vertelde over het bezoekje dat ze had gehad. De twee mannen van Archer & Bey, die haar onder druk hadden gezet over al dat verdwenen geld. 'Tweehonderdvijftig miljoen dollar,' gaf ze toe.

En nu dit.

'Ik heb geen idee wat er aan de hand is.' Ze schudde haar hoofd, haar ogen glansden. 'Charlies beheerder – een vriend van ons – beloofde dat alles in de vennootschap volgens het boekje was. En daar ben ik ook van overtuigd. Die mensen...' Karen keek Hauck met een verwarde blik aan.

'Charlie was een goed mens. Hij speculeerde niet met zulke grote bedragen. Het is alsof ze de verkeerde voor zich hebben. Mijn man had een handjevol cliënten. Morgan Stanley en een paar vermogende families die hij al heel lang kende.'

'U begrijpt dat ik onderzoek moet doen,' zei Hauck.

Karen knikte.

'Maar u moet weten dat het zonder een duidelijk signalement van uw dochter heel moeilijk gaat worden. Er staan camera's bij de ingangen van de school. Misschien heeft iemand in de buurt een auto gezien. Maar het was donker en vrijwel verlaten op dat tijdstip. En wie die mensen ook zijn, het zijn duidelijk professionals.'

Karen knikte weer. 'Dat weet ik.'

Ze boog zich naar hem toe en had ineens zo veel vragen dat het haar duizelde. Haar knieën knikten.

De inspecteur legde zijn hand op haar schouder. Ze schudde hem niet af.

Ze had Charlies dood doorstaan, de lange maanden van onzekerheid en eenzaamheid, het uiteenvallen van zijn bedrijf. Maar dit was te veel. Er brandden tranen in haar ogen. Tranen van toenemende angst en verwarring. De angst voor het onbekende. Meer tranen vulden haar ogen. Ze haatte dit gevoel. De twijfel die zo plotseling rond haar man was gerezen. Ze haatte die mensen die hun leven waren binnengedrongen.

'Ik zal ervoor zorgen dat jullie bescherming krijgen,' zei de inspecteur, terwijl hij in Karens schouder kneep. 'Ik laat een surveillancewagen voor het huis zetten. En iemand zal de kinderen een tijdje naar school volgen.'

Ze keek hem aan en ademde gespannen in. 'Ik heb het gevoel dat mijn man iets heeft gedaan, inspecteur. In zijn bedrijf. Charlie nam altijd risico's en nu ondergaan wij van één van die risico's de gevolgen. Maar hij is dood. Hij kan dit niet voor ons oplossen.' Met de muis van haar hand veegde ze de tranen weg. 'Hij is er niet meer, en wij nog wel.'

'Ik heb een lijst van zijn cliënten nodig,' zei Hauck. Zijn hand lag nog steeds op haar schouder.

'Oké.'

'En ik moet Lennick spreken, de gevolmachtigde van uw man.'

'Dat begrijp ik.' Karen trok zich terug, haalde diep adem en probeerde zichzelf te kalmeren. Haar mascara was uitgelopen. Ze veegde de make-up weg.

'Ik zal iets vinden, dat beloof ik u. En ik doe mijn uiterste best om uw veiligheid te waarborgen.'

'Bedankt, inspecteur.' Ze leunde tegen hem aan. 'Voor alles.'

Hij kreeg een statische schok van haar sweater toen hij haar schouder losliet.

'Luister.' Hij glimlachte. 'Ik ben natuurlijk geen Wall Street-type, maar ik kan me toch niet voorstellen dat dit de manier is waarop Morgan Stanley zijn uitgeleende geld terughaalt.'

21

HET TELEFOONTJE KWAM OM HALFTWAALF die avond. De limousine had Saul Lennick net afgezet bij zijn appartement aan Park Avenue, nadat hij een operavoorstelling had bijgewoond. Zijn vrouw Mimi was in de badkamer haar make-up aan het verwijderen.

'Neem jij hem even, Saul?'

Lennick had net zijn schoenen uitgetrokken en zijn das losgemaakt. Hij wist waar telefoontjes zo laat op de avond meestal over gingen. Gefrustreerd nam hij op. Kon het niet tot morgen wachten? 'Hallo?'

'Saul?'

Het was Karen Friedman. Haar stem sloeg over en ze klonk overstuur. Hij wist dat er iets aan de hand was. 'Wat is er gebeurd, Karen?'

Gejaagd vertelde ze hem wat er met Samantha op school was gebeurd.

Lennick stond op. Sam was als een nichtje voor hem. Hij was op haar bar mitswa geweest. Hij had rekeningen voor haar geopend, en voor Alex, in zijn bedrijf. Elk bot in zijn vermoeide lichaam werd stijf.

'Jezus, Karen. Is alles goed met haar?'

'Ja...' Karen slikte gefrustreerd een snik weg. 'Maar...' Ze vertelde hem wat de man die haar had lastiggevallen had gezegd, over dat ze hun geld wilden. Dezelfde tweehonderdvijftig miljoen dollar als eerder. Dat hij had gezegd dat ze papa's kleine meid was.

'Wat bedoelden ze daar verdorie mee, Saul? Was dat een dreigement?'

In ondergoed en sokken ging Lennick op het bed zitten. Zijn gedachten gingen terug naar Charles. De lawine die hij had ontketend.

Domme klootzak. Hij schudde zijn hoofd en zuchtte.

'Er speelt iets, Saul. Een paar weken geleden wilde je me iets vertellen. Je zei dat het niet het juiste moment was... Nou, ik heb mijn dochter net in haar eigen bed gestopt,' zei Karen terwijl haar stem verhardde. 'Ze was doodsbang. Wat denk je, Saul, is dit misschien het juiste moment?'

22

ARCHER & BEY BLEKEN NEP te zijn.

Slechts een naam op een visitekaartje. Eén telefoontje naar een oude contactpersoon bij Interpol en een snelle zoektocht op internet naar bedrijven die in Zuid-Afrika geregistreerd stonden, bevestigden dat. Zelfs het adres en telefoonnummer in Johannesburg waren nep.

Iemand probeerde haar af te persen, wist Hauck. Iemand die bekend was met de zaken van haar man. Zelfs zijn gevolmachtigde Lennick, met wie Hauck eerder had gesproken en die eerlijk overkwam, was het daarmee eens.

'Inkomend, inspecteur!'

De telefoon rinkelde vanuit de brigadierkamer.

'Inkomend,' was de term die ze gebruikten als Haucks ex-vrouw aan de lijn was.

Hauck wachtte even met de hoorn in de hand voordat hij opnam. 'Hallo, Beth. Hoe gaat het met jou?'

'Prima, Ty. Met jou?'

'Hoe is het met Rick?'

'Goed. Hij heeft net uitbreiding van zijn werkgebied gekregen. Pennsylvania en Maryland zijn erbij gekomen.' Beths nieuwe echtgenoot was districtsmanager van een instelling die hypotheken verstrekte.

'Dat is mooi. Gefeliciteerd. Jess had al zoiets gezegd.'

'Daarom bel ik eigenlijk ook. We willen een vakantietripje plannen dat we al heel lang wilden maken. Weet je nog dat we Jessie hadden beloofd dat we met haar naar Orlando zouden gaan? Naar dat pretpark?'

Hauck ging rechtop zitten. 'Je weet dat ík daar met haar naartoe wilde gaan, Beth.'

'Ja, ik weet dat je dat altijd zei, Ty. Maar eh... dit uitstapje is echt.'

De steek trof hem scherp in zijn ribben. Maar ze had waarschijnlijk gelijk. 'Wanneer wilde je dit gaan doen, Beth?'

Stilte. 'We dachten aan Thanksgiving, Ty.'

'Thanksgiving?' Dit keer raakte de steek hem tot in zijn ingewanden. 'We hadden toch afgesproken dat ik Jess dan mee zou nemen naar mijn zus in Boston? Om haar nichtjes en neefjes te zien? Ze is er al een poos niet meer geweest.'

'Ik weet zeker dat ze dat leuk zou vinden, Ty. Maar dit is ertussen gekomen. En het gaat wel om Disney World.'

Hij snoof geïrriteerd. 'Heeft Rick daar soms een of andere verkoopbespreking?'

Beth antwoordde niet. 'Het is Disney World, Ty. Je kunt met kerst naar Boston gaan.'

'Nee.' Hij gooide zijn pen op het bureau. 'Ik kan met kerst niet weg.' Hij had plannen gemaakt om met een groep oude schoolvrienden op de Bahama's te gaan vissen. Het zou de eerste keer in lange tijd zijn dat hij wegging. 'We hadden dit al besproken, Beth.'

'O ja.' Ze zuchtte alsof het haar was ontschoten. 'Je hebt gelijk. Nu weet ik het weer.'

'Waarom vragen we het niet aan Jess?'

'Wat, Ty?'

'Waar zij naartoe zou willen.'

'Dat hoef ik haar niet te vragen. Ik ben haar moeder.'

Hij wilde bijna terug snauwen: 'Verdomme, Beth. Ik ben haar vader', maar hij wist waar dat toe zou leiden.

'We hebben de tickets al geboekt, Ty. Het spijt me, ik belde je niet om ruzie te maken.'

Hij ademde langzaam en gefrustreerd uit. 'Je weet dat ze het daar leuk vindt, Beth. Bij haar nichtjes en neefjes. Ze verwachten ons. Het is goed voor haar om hen een of twee keer per jaar te zien.'

'Dat weet ik, Ty. Je hebt gelijk. De volgende keer, dat beloof ik.' Weer een stilte. 'Luister, ik ben blij dat je het begrijpt.'

Ze verbraken de verbinding. Hij draaide rond op zijn stoel en zijn ogen bleven hangen bij de foto van Jessie en Norah op het dressoir. Vijf en drie. Een jaar voor het ongeluk. Eén en al glimlach.

Het was bijna niet te geloven dat ze eens stapelverliefd op elkaar waren geweest.

Hauck schrok op toen er aan zijn deur werd geklopt. 'Hé, man!'

Het was Steve Christofel van de afdeling Oplichting en Fraude.

'Wat, Steve?'

De rechercheur haalde verontschuldigend zijn schouders op. Hij had een notitieblokje in de hand. 'Zal ik straks terugkomen, baas? Misschien is dit geen goed moment.'

'Nee, prima. Kom binnen.' Hauck draaide zich weer om en was boos op zichzelf. 'Sorry, je weet hoe het gaat.'

'Altijd wel iets, hè? Maar, inspecteur, vind je het goed als ik het dossier pak dat je hier nog altijd hebt liggen?'

'Dossier?'

'Je weet wel, dat dossier dat je onder op de stapel op je bureau hebt weggestopt.' De rechercheur grijnsde. 'Die oude hit-and-runzaak. Raymond.'

'O, dat.' Hauck haalde zijn schouders op, alsof hij was betrapt. Hij had het onder op de stapel onopgeloste zaken gelegd. Niet vergeten, geen seconde. Alleen nog niet opgelost. Hij tilde de stapel op en pakte het gele dossier van onder op de stapel. 'Wat is er aan de hand?'

'Ik kan me vaag herinneren dat er ergens een naam stond van iemand die ermee te maken had. Marty of zoiets.'

Hauck knikte.

De persoon die AJ Raymond had gebeld in de garage, vlak voordat hij de straat was overgestoken. Marty of zoiets, had zijn baas gezegd. Het had alleen nooit iets opgeleverd.

'Hoezo?'

'Dit telegram kwam zojuist binnen.' Christofel liep om het bureau heen en legde zijn notitieblok op Haucks bureau. 'Een of andere creditcardfraudedivisie is er na al die tijd achteraan gegaan. Een AmEx-card van ene Thomas Mardy – M-A-R-D-Y dus – is gebruikt voor een limousineritje naar Greenwich. De limousine reed even voor de middag naar de Fairfield Diner, inspecteur. Op 9 april.'

Hauck keek op en zijn bloed begon sneller te stromen.

Op 9 april. Dat was de ochtend van de hit-and-run. Mardy, niet Marty – dat kon kloppen! Ene Thomas Mardy was afgezet aan de overkant van de straat waar AJ Raymond werd vermoord.

Nu sprong elke cel in Haucks lichaam tot leven.

'Er is één addertje onder het gras, inspecteur.' De rechercheur krabde aan zijn voorhoofd. 'Let op... De Thomas Mardy van wie de AmEx-card was, is op 9 april omgekomen. Tijdens de bomaanslag in het Grand Central. Op het spoor.'

Hauck staarde hem aan.

'En dat was ruim drie uur,' zei de rechercheur, 'vóór de hit-and-run in Greenwich.'

23

DIE NACHT KON HAUCK NIET slapen. Het was even over twaalven. Hij stapte uit bed. David Letterman was op de televisie, maar hij had niet gekeken. Hij liep naar het raam en staarde over de baai. Een hardnekkige kilte sneed door de lucht. Zijn gedachten maalden op volle toeren.

Hoe?

Hoe was het mogelijk dat iemand bij die bomaanslag was gestorven en dat zijn creditcard uren later was gebruikt voor een taxiritje naar de Fairfield Diner? De plek waar Raymond was vermoord. Iemand had hem gebeld vlak voordat hij de straat was overgestoken. Marty of zoiets...

Mardy.

Wat was het verband tussen Charles en AJ Raymond. Wát?

Hij zag iets over het hoofd.

Hij deed zijn sweatshirt en spijkerbroek aan en een paar oude mocassins. Buiten was de lucht scherp en kil. Hij stapte in zijn Bronco. De straat was donker.

Hij reed.

Ze kregen nu al vier dagen politiebescherming. Er stond een wagen voor het huis en een andere volgde de kinderen naar school. Er was niets gebeurd. Niet verrassend. Misschien had degene die haar lastigviel zich teruggetrokken?

Hauck verliet de snelweg via afrit 5, Old Greenwich. Alsof hij een innerlijk navigatiesysteem had.

Hij reed via Sound Beach de stad in. Main Street was helemaal donker en verlaten. Hij sloeg rechts af naar Shore, in de richting van het water. Daarna ging hij nog een keer rechts naar Sea Wall.

Hauck parkeerde zijn auto twintig meter van haar huis. Het groentje, Stasio, had vanavond dienst. Hauck zag de patrouillewagen met gedoofde lichten tegenover het huis staan.

Hij liep ernaartoe en tikte op het raampje. De jonge agent draaide het verbaasd naar beneden. 'Inspecteur.'

'Je ziet er moe uit, Stasio. Ben je getrouwd, jongen?'

'Ja, meneer,' antwoordde het groentje. 'Al twee jaar.'

'Ga naar huis. Zorg dat je wat slaap krijgt,' zei Hauck. 'Ik neem het wel over.'

'Maar het gaat prima, inspecteur,' protesteerde de jongen.

'Ga nou maar naar huis.' Hauck knipoogde naar hem. 'Je hebt goed werk verricht.'

Stasio, die zijn mindere was, sputterde nog een keer tegen en gaf het toen op.

Eenmaal alleen stopte Hauck zijn vuisten onder zijn sweatshirt tegen de kou.

Het huis aan de overkant van de straat was helemaal in donker gehuld, op een vaag licht na dat boven door een gordijn scheen. Hij keek op zijn horloge. Om negen uur die ochtend zou hij een bespreking met hoofdcommissaris Fitzpatrick hebben. Pas om zes uur werd hij afgelost. Hij ademde de frisse, vochtige lucht in die van de baai opsteeg.

Je bent gek, Ty.

Hij liep terug naar zijn Bronco en trok het portier open. Net toen hij wilde instappen, zag hij dat de gordijnen boven opzij waren getrokken.

Iemand keek naar buiten. Heel even ontmoetten hun ogen elkaar in het duister.

Hauck meende de vage contouren van een glimlach te zien.

'Ik ben het, Ty,' fluisterde hij, terwijl hij omhoogkeek. Hij had dat elke keer dat ze hem 'inspecteur' noemde willen zeggen.

'Ik heet Ty.'

En over haar echtgenoot. Wat je voelt, wat je doormaakt... Ik weet wat het is.

Ik weet het verdomme maar al te goed.

Hij zwaaide en gaf haar een knipoog van herkenning waarvan hij niet wist of ze hem kon zien. Daarna stapte hij in de Bronco en trok het portier dicht. Toen hij weer opkeek was het gordijn gesloten.

Maar dat was prima.

Hij wist dat ze zich veilig voelde in de wetenschap dat hij er was. Om een of andere reden voelde dat voor hem ook zo.

Hij zakte onderuit en zette de radio aan.

Ik heet Ty. Hij gniffelde. Dat was alles wat ik wilde zeggen.

24

April

EN TOEN WAS HET EEN jaar geleden. Een jaar waarin ze alleen haar kinderen had opgevoed. Een jaar waarin ze alleen in haar bed sliep. Een afschuwelijk jubileum.

De tijd heelt alle wonden, toch? Dat zegt iedereen altijd. Aanvankelijk wilde Karen het niet geloven. Alles herinnerde haar aan Charlie. Alles wat ze in huis oppakte. Elke keer dat ze met vriendinnen uitging. Televisie. Liedjes. De wond was nog steeds te rauw.

Maar dag na dag, maand na maand leek de pijn elke ochtend minder te worden. Je raakte eraan gewend. Bijna ongewild.

Het leven ging gewoon verder.

Sam ging met haar klasgenoten naar Acapulco en had een fantastische tijd. Alex scoorde de winnende goal met lacrosse en hief zijn stick hoog in de lucht. Het was fijn om weer leven in hun gezichten te zien. Karen moest iets doen. Ze besloot die makelaarsopleiding te gaan volgen. Ze had zelfs een paar keer een afspraakje gehad. Een paar gescheiden mannen, in goeden doen, die werkzaam waren in de financiële sector. Niet echt haar types. Eén wilde met haar naar Parijs vliegen, voor een weekendje weg. Met zijn privéjet. Nadat de kinderen hem hadden ontmoet, rolden ze met hun ogen en zeiden: 'Getver, te oud,' en hielden hun duim naar beneden.

Het was nog steeds te snel, te griezelig. Het leek gewoon niet goed.

Het beste nieuws was dat de hele situatie met Archer geleidelijk leek te bedaren. Misschien was het hun te heet onder de voeten geworden. Misschien was degene die hen wilde afpersen bang geworden en had hij het opgegeven. Langzaamaan ontspande iedereen zich weer. De politiebescherming werd stopgezet, hun angst nam af. Het was alsof het beangstigende voorval een eenmalige gebeurtenis was geweest.

Dat bad Karen tenminste altijd, elke nacht als ze de lichten uitdeed.

Op 8 april zou er een televisiedocumentaire over de bomaanslag worden uitgezonden, op de avond voor de gebeurtenis van een jaar geleden.

Opnamen van een cameraploeg die met een van de brandweerteams was meegereisd en beelden die mensen die toevallig in Grand Central waren of op straat met hun mobieltjes hadden gemaakt. Karen nam zich voor de uitzending op dvd op te nemen.

Ze had nooit naar iets over die dag gekeken. Ze kon het niet. Voor haar was het geen gebeurtenis – voor haar was het de dag waarop haar man was gestorven. En met die dag werd ze voortdurend geconfronteerd: op het nieuws, in afleveringen van *Law & Order*.

Dus bespraken ze het als gezin. Ze maakten plannen om de volgende avond samen te komen om Charlies sterfdag te herdenken. De avond ervoor zochten ze afleiding. Sam en Alex wilden het programma niet zien, dus spraken ze af met vrienden. Paula en Rick hadden Karen mee uit gevraagd. Maar ze had nee gezegd.

Ze wist eigenlijk niet eens waarom.

Misschien omdat ze wilde laten zien dat ze sterk genoeg was. Dat ze zich niet hoefde te verstoppen. Charlie had het moeten doorstaan. Hij had het écht moeten doorstaan.

Dat kon zij ook.

Misschien voelde ze wel een beetje de behoefte om er deel van uit te maken. Ze zou de confrontatie toch een keer moeten aangaan. Waarom niet nu?

Karen maakte die avond een salade voor zichzelf klaar. Ze las een paar tijdschriften die ze nog had liggen en deed op internet wat onderzoek naar concurrerende makelaarskantoren. Met een glas wijn. Al die tijd was het alsof een angstig, innerlijk oog voortdurend op de klok was gericht.

Je kunt het, Karen. Je hoeft je niet te verstoppen.

Uiteindelijk zette Karen de computer uit. Ze deed de televisie aan en startte de dvd-speler.

Toen het programma begon voelde ze zich zenuwachtig. Ze wapende zich. Charlie heeft het moeten doorstaan, zei ze tegen zichzelf. Dat kun jij ook.

Een nieuwspresentator kondigde het programma aan. De uitzending begon met beelden van de trein van negen voor acht naar Grand Central, in de stijl van een docudrama, en het vertrek vanaf het station in Stamford. Mensen lazen de krant, vulden kruiswoordpuzzels in en praatten over de prestaties van de Knicks de avond ervoor.

Karen merkte dat haar hart sneller begon te kloppen.

Ze kon Charlie bijna voor zich zien, in de eerste wagon, verdiept in de

Journal. Daarna ging de camera naar twee Arabische figuren met rugzak-ken. Een van hen duwde een koffer op het bagagerek. Karen nam Tobey in haar armen en drukte hem dicht tegen zich aan. Haar maag voelde hol. Misschien was dit toch niet zo'n goed idee.

Ineens gaf de tijdlijn op het scherm negentien minuten voor negen aan. Het tijdstip van de explosie. Karen wendde haar blik af. O, god...

Een beveiligingscamera op het spoor in het Grand Central legde het moment vast. Een trilling, daarna een flits van verblindend licht. De ver-lichting in de trein ging uit. De camera's van mobiele telefoontjes in de wagons verder naar achteren legden het moment vast. Een beving. Duis-ternis. Gillende mensen.

Beton stortte in door tientallen kilo's hexagen en vuurversneller. Het vuur bereikte een hitte van bijna tweeduizend graden, rook steeg op naar de stationshal en de straat. Er waren luchtopnamen van helikopters die er-boven cirkelden. Dezelfde beelden die Karen op die verschrikkelijke och-tend had gezien, kwamen allemaal weer terug.

Mensen strompelden in paniek en hoestend het station uit. De dodelij-ke pluim zwarte rook die in de lucht oprees.

Nee, dit was een vergissing. Karen balde haar vuisten en schudde haar hoofd. Ze trok Tobey nog dichter tegen zich aan terwijl de tranen over haar wangen stroomden. Het is verkeerd. Ze kon dit niet aanzien. Haar gedachten flitsten naar Charlie die daar was. Wat hij had moeten door-maken. Totaal verstijfd werd Karen teruggeslingerd naar de gruwel van die eerste dag. Het was bijna ondraaglijk. Mensen gingen dood. Haar echtge-noot was daar aan het sterven...

Nee, het spijt me, lieverd. Ik kan dit niet.

Ze reikte naar de afstandsbediening en wilde de televisie uitzetten.

Maar toen verschoof de camera naar straatniveau. Een van de verderop gelegen uitgangen op de kruising 48th en Madison. Handcamera's: men-sen die totaal in shock, kokhalzend en zwart van het roet en de as de straat op strompelden en op het trottoir neervielen. Sommigen huilden, anderen staarden wezenloos voor zich uit, dankbaar dat ze nog leefden.

Gruwelijk. Ze kon er niet naar kijken.

Ze wilde het beeld afzetten, maar toen viel haar blik ergens op.

Ze knipperde met haar ogen.

Het was maar een seconde – een uiterst kort moment dat voorbij flits-te. Haar ogen hielden haar voor de gek. Dit kon niet waar zijn...

Karen drukte op REWIND op de afstandsbediening en wachtte totdat het beeld was teruggespeeld. Daarna drukte ze op PLAY en ging wat verder naar voren zitten. De mensen die het station uit strompelden...

Elke cel in haar lichaam bevroor.

Volledig over haar toeren drukte ze weer op REWIND. Haar hart bleef stilstaan. Toen ze voor de derde keer bij het beeld kwam haalde ze diep adem en drukte op PAUZE.

O, mijn god...

Haar ogen werden groot, alsof haar oogleden met klemmen waren vastgezet. Een verlammende benauwdheid drukte op haar borst. Karen stond op, haar mond voelde aan als schuurpapier, en ze ging dichter bij het scherm staan. Dit kon niet waar zijn...

Het was een gezicht.

Een gezicht dat niet echt kon zijn, zo schreeuwden haar gedachten.

Búíten het station. Te midden van de chaos. Ná de explosie. Afgewend van de camera.

Charlies gezicht.

Karens maag draaide zich om.

Niemand anders zou het hebben opgemerkt, maar zij wel. Als ze met haar ogen had geknipperd of zich even van het scherm had afgewend, had ze het gemist.

Maar het was echt. Daar vastgelegd. Onmiskenbaar.

Charlies gezicht.

Karen staarde naar het gezicht van haar man.

Deel 2

25

HET WAS EEN HELDERE OCHTEND. Er reed nauwelijks verkeer in de straten van de buitenwijk van New Jersey, op ongeveer dertig wielrenners in kleurrijke shirtjes na.

Jonathan Lauer, die voorop fietste, keek vluchtig achterom, op zoek naar het felgroene shirt van zijn vriend Gary Eddings, handelaar in obligaties bij Merrill. Hij ving een glimp van hem op. Gary was ingesloten. De perfecte kans! Jonathan maakte zich zo klein mogelijk, maakte pompende bewegingen met zijn benen en slingerde zich een weg door het labyrint van de leiders van het peloton. Toen er voor hem een gat viel maakte hij zich los.

Lauer! riep de denkbeeldige verslaggever in zijn hoofd uit. Een dappere, zelfverzekerde zet!

De groep bestond hoofdzakelijk uit vaders van in de dertig die op een zondagochtend wat calorieën probeerden kwijt te raken, maar Gary en hij hielden altijd een onderlinge wedstrijd. Eigenlijk was het meer dan een wedstrijd: een uitdaging. Ze dreven elkaar tot het uiterste. Sprintten tegen elkaar op het laatste rechte stuk. Wachtten tot de ander de eerste zet deed. De winnaar mocht een week lang opscheppen en de denkbeeldige gele trui dragen. De verliezer betaalde het bier.

Jonathan spande zijn kuiten, boog zich over het stuur van zijn gloednieuwe carbonfiber LeMond en nam een voorsprong van ongeveer twintig meter. Daarna reed hij de bocht in.

De finish, in de bocht na de kruising met de 287, lag ongeveer achthonderd meter voor hem.

Jonathan keek nog één keer achterom en zag dat Gary zich uit de groep probeerde los te maken. Zijn bloed begon te pompen en hij versnelde terwijl de landweg overging in een recht stuk voor de laatste achthonderd meter. Hij had op het juiste moment gedemarreerd!

Jonathan trapte als een bezetene, zijn bovenbenen stonden in vuur en vlam. Hij dacht niet aan de nieuwe baan waarmee hij enkele weken tevoren was begonnen: op de energieafdeling van Man Securities, een van de grote jongens, een kans om veel geld te verdienen na de rotzooi bij Harbor.

Ook dacht hij niet aan de getuigenis die hij die week zou moeten afleggen. De accountant van de Bank of Scotland en de advocaat van Parker, Kegg, hadden hem gedwongen om tegen zijn vorige werkgever te getuigen, nadat hij een aantrekkelijke oprotpremie had opgestreken die hem was aangeboden toen de firma sloot.

Het enige waar Jonathan die ochtend aan dacht was de finish bereiken voordat zijn vriend dat deed. Gary was uit de groep losgebroken en had wat afstand ingehaald. Het kruispunt was nog maar honderd meter verderop. Jonathan sprintte eropaf, zijn bovenbeenspieren deden zeer, zijn longen stonden in brand. Hij keek nog één keer achterom. Gary was naar voren gekomen. *Game over*. De rest van het peloton was nauwelijks meer in zicht. Hij kon hem nu niet meer inhalen.

Jonathan reed onder de viaduct van de 287 door en nam de bocht, terwijl hij zijn armen triomfantelijk in de lucht stak.

Hij had hem verslagen!

Korte tijd later fietste Jonathan ontspannen naar huis door de straten van Upper Montclair.

Er was weinig verkeer op de weg. Zijn gedachten dwaalden af naar een ingewikkelde zet voor de energie-index die iemand op het werk had beschreven. Hij genoot van zijn overwinning en verheugde zich erop om zijn achtjarige zoontje Stevie te vertellen dat zijn oude pa iedereen vandaag achter zich had gelaten.

Toen hij zijn wijk naderde werden de wegen bochtiger en heuvelachtiger. Hij reed over het rechte stuk op Westerly en sloeg daarna af naar Mountain View, de laatste heuvel. Hij pufte en herinnerde zich dat hij Stevie had beloofd om voetbalschoenen te kopen. Het was nog ongeveer vierhonderd meter naar zijn huis.

En toen zag hij de auto. Een grote, donkere voorkant, een Navigator of Escalade of iets met een glanzende chromen grille.

Hij reed recht op hem af.

Heel even ergerde Jonathan Lauer zich. Trap op de rem, makker. Dit is een woonwijk. Genoeg ruimte voor ons allebei. Er was niemand in de buurt. Even dacht hij dat hij de bocht misschien wat te ruim had genomen.

Maar Jonathan Lauer hoorde geen remmen.

Hij hoorde iets anders.

Iets krankzinnigs, zijn ergernis ging over in iets anders. Ontzetting. De grille van de suv kwam steeds dichterbij.

Hij hoorde acceleratie.

26

DE DAAROPVOLGENDE DAGEN BEKEEK KAREN het twee seconden durende fragment wel honderden keren.

Vol afschuw vervuld. Verward. Niet in staat te begrijpen wat ze zag.

Het gezicht van de man met wie ze achttien jaar samen was geweest. De man om wie ze had gerouwd, die ze miste en om wie ze had gehuild. Wiens kussen ze 's nachts nog steeds tegen zich aantrok, wiens naam ze nog steeds fluisterde.

Het was Charlie, haar man, gevangen in een onverwacht stilstaand beeld, terwijl de camera willekeurig voorbij zwiepte.

Vóór het Grand Central. Ná de aanslag.

Hoe is dat in vredesnaam mogelijk, Charlie?

Karen wist niet wat ze moest doen. Aan wie kon ze dit in hemelsnaam vertellen? Ze ging joggen met Paula op Tod's Point en luisterde naar haar vriendin die maar door kwekte over een of ander diner dat zij en Rick hadden bijgewoond in een prachtig huis in Stanwich, terwijl ze het liefst had willen stoppen en zeggen: 'Ik heb Charlie gezien, Paula.'

De kinderen? Ze zouden totaal ontredderd zijn als ze hun vader daar zagen. Het zou hun dood worden. Haar ouders? Hoe kon ze het in vredesnaam uitleggen? Totdat ze het zeker wist.

Saul? De persoon aan wie hij alles te danken had. Nee.

Dus hield ze het voor zichzelf. Ze keek steeds weer naar het vastgelegde moment, totdat ze er helemaal gek van werd. Verwarring ging over in woede. Woede ging over in verdriet en pijn.

Waarom? Waarom, Charlie? Hoe kun jij dat zijn? Hoe kon je ons dit aandoen, Charlie?

Karen dacht na over wat ze wist. Charlies naam had op het opdracht-formulier bij de Mercedes-dealer gestaan. Ze hadden de resten van zijn aktetas gevonden, het verkoolde stukje papier van zijn notitieblok dat iemand haar had toegestuurd. Hij had haar gebeld! Om vier over halfnegen. Karen kon er geen wijs uit worden.

Hij had in die trein gezeten!

In eerste instantie probeerde ze zichzelf ervan te overtuigen dat hij het niet kon zijn. Hij zou haar dit nooit aandoen. Of de kinderen. Niet Charlie... En waarom? Waarom? Ze staarde naar hem. Het beeld was een beetje wazig. Maar telkens wanneer ze terugging naar het scherm en het fragment voor de duizendste keer bekeek, was het daar. Onmiskenbaar. Het zweet brak haar uit. Haar knieën begaven het bijna.

Waarom?

Dagen gingen voorbij. Ze probeerde gewoon zichzelf te zijn, maar de ervaring maakte haar zo ziek en verward dat ze alleen maar in bed lag. Tegen de kinderen zei ze dat ze iets onder de leden had. Charlies sterfdag. Al die gevoelens kwamen weer boven. Op een avond brachten ze haar zelfs eten op bed. Kippensoep van de supermarkt en een kop groene thee. Karen bedankte hen en keek in hun bemoedigende ogen. 'Kom op, mam. Het komt wel goed.' Zodra ze waren vertrokken, huilde ze.

Later, als ze sliepen of naar school waren, liep ze door het huis en bestudeerde het gezicht van haar man op de foto's die overal stonden. De foto's die alles voor Karen betekenden. Alles wat ze had. Het kiekje van hem in zijn witte poloshirt en zijn Ray Ban-zonnebril die ze voor de herdenkingsdienst hadden uitvergroot. De foto van hen samen, formeel gekleed op de bruiloft van een nichtje. De persoonlijke spullen die ze nooit van zijn dressoir had gehaald: visitekaartjes, bonnetjes, horloges.

Zoiets zou je me nooit kunnen aandoen, toch Charlie? Ons...

Niet jij...

Er moest wel toeval in het spel zijn. Een bizar toeval. Ik vertrouw je, Charlie... Ik vertrouwde je toen je nog leefde en ik zal je verdorie nu ook vertrouwen. Nooit zou hij haar op zo'n manier pijn doen.

Karen dacht regelmatig aan het enige wat ze nog van hem had: het gescheurde papiertje van zijn notitieblok dat iemand in het Grand Central had gevonden.

Van het bureau van Charles Friedman.

Ze voelde hem. Vertrouwen moest zegevieren. Het vertrouwen van achttien jaar. Wat ze daar op het scherm ook zag, diep vanbinnen wist ze verdomd goed wie haar echtgenoot was.

Voor de eerste keer bestudeerde Karen het briefje van het notitieblok aandachtig. Niet gewoon als een aandenken. Megan Walsh. De naam was in Charlies nauwelijks te ontcijferen handschrift geschreven. Er stond een telefoonnummer bij: 964-1650. En nog een nummer, dik onderstreept: B1254.

Karen sloot haar ogen.

Doe het nou niet, sprak ze zichzelf vermanend toe, terwijl haar achterdocht groeide. Dat was Charlie niet. Het kon niet.

Maar ineens staarde Karen met grote ogen naar de genoteerde nummers. De twijfels bleven maar komen. Zijn gezicht op dat scherm. Het was als een stukje van zijn verleden, een link naar hem – de enige link.

Hoe krankzinnig ook, je moet toch bellen, Karen.

Als is het alleen maar om te voorkomen dat je volledig doordraait.

27

KAREN MOEST ZICH ER ECHT toe zetten om het te doen.

Ergens had ze het gevoel dat ze hem bedroog, dat ze ontrouw was aan zijn herinnering. Stel dat hij het helemaal niet was op dat scherm? Stel dat ze het allemaal maar verzon, dat het om iemand ging die alleen maar op hem leek?

Haar man was al ruim een jaar dood!

Maar toch toetste ze het nummer in, terwijl ze in stilte bad dat het niet van een hotel was waar B1254 een kamer was en dat ze voortaan zó aan hem zou moeten denken.

'JP Morgan Chase. Kantoor 40th en Third Avenue,' zei een vrouwenstem aan de andere kant van de lijn.

Karen ademde opgelucht uit, een opluchting die gemengd was met een licht gevoel van schaamte. Maar nu ze deze stap had gezet, zou ze ook doorzetten. 'Kunt u mij doorverbinden met Megan Walsh?'

'Een moment, alstublieft.'

Megan Walsh bleek de manager van de afdeling Private Banking te zijn. En nadat Karen had uitgelegd dat haar man was overleden en dat ze de enige begunstigde van zijn nalatenschap was, bleek B1254 een kluisje te zijn dat een aantal jaren geleden in de vestiging was geopend.

Op naam van Charlie.

Karen reed de volgende ochtend naar de stad. De bank was een groot gebouw met hoge plafonds, een paar straten van Charlies kantoor verwijderd. Megan Walsh was een aantrekkelijke dame van in de dertig met lang donker haar. Ze was gekleed in een smaakvol mantelpakje. Ze nam Karen mee naar haar kantoortje.

'Ik herinner me meneer Friedman goed,' zei ze met samengeperste lippen tegen Karen om haar medeleven te betuigen. 'Ik heb de rekening zelf voor hem geopend. Mijn oprechte deelneming.'

'Ik was zijn spullen aan het uitzoeken,' zei Karen. 'Dit stond niet eens vermeld onder zijn nalatenschap. Ik wist niet eens dat er een kluisje was.'

De bankmanager bestudeerde Karens kopie van Charlies overlijdensakte en de brief met daarin de gegevens over de afwikkeling van het testament. Ze stelde een aantal vragen. Allereerst: de naam van hun hond. Karen glimlachte. (Hij bleek Sasha te hebben opgegeven.) De meisjesnaam van zijn moeder. Daarna ging ze Karen voor naar een privéruimte vlak bij de bankkluis.

'De rekening is afgelopen oktober ongeveer anderhalf jaar geleden geopend.' Mevrouw Walsh overhandigde Karen de papieren. De handtekening was duidelijk van Charlie.

Waarschijnlijk gewoon zakelijke dingen, dacht Karen. Ze zou wel zien wat erin zat en het vervolgens aan Saul overdragen.

Megan Walsh excuseerde zich en kwam even later terug met een grote, metalen bak.

'Neem rustig de tijd,' legde ze uit. Ze zette de bak op tafel en opende hem in Karens aanwezigheid met haar reservesleutel. 'Als u iets nodig hebt of als u iets op een rekening wilt storten, ben ik u graag van dienst zodra u klaar bent.'

'Dank u.' Karen knikte.

Toen de deur was gesloten en ze alleen achterbleef met dit deel van haar man dat hij nooit met haar had gedeeld, aarzelde ze even.

Eerst die shock toen ze zijn gezicht op dat scherm had gezien. Nu dit kluisje dat nooit was genoemd als onderdeel van de nalatenschap. Het was zelfs nergens in Charlies zakelijke dossiers terug te vinden. Ze liet haar hand behoedzaam over de metalen randen glijden. Wat hield hij voor haar verborgen?

Karen duwde het deksel omhoog en keek naar de inhoud van de kluis. Haar ogen werden groot.

Hij was gevuld met keurige stapeltjes papiergeld. Ingepakte pakketjes van biljetten van honderd dollar. In elastiek gebonden schuldbrieven met bovenop een briefje in Charlies handschrift waarop hij de coupures had geschreven: zesenzeventigduizend dollar, tweehonderdtienduizend dollar. Karen pakte een paar bundeltjes op en hield haar adem in.

Er zat minstens een paar miljoen dollar in.

Ze wist meteen dat het niet goed was. Hoe kwam Charlie aan zulke bedragen in contanten? Ze deelden alles. Verbijsterd liet ze de bundels weer in de kluis vallen. Waarom had hij dit voor haar verborgen gehouden?

Ze kreeg een knoop in haar maag. Haar gedachten flitsten terug naar de twee mannen van Archer, twee maanden geleden. Een aanzienlijke hoeveelheid geld is verdwenen. En het incident met Samantha in haar auto. Tweehonderdvijftig miljoen dollar. Dit was maar een fractie van dat bedrag.

Ze staarde nog steeds naar de inhoud van de kluis – het joeg haar angst aan. Wat is hier in vredesnaam aan de hand, Charlie?

Onder in het kluisje lag nog meer. Karen haalde een bruine envelop tevoorschijn. Ze maakte hem open en liet de inhoud eruit glijden. Ze kon haar ogen niet geloven.

Een paspoort.

Nieuw, ongebruikt. Karen bladerde erdoorheen. Charlies foto stond erin.

Charlies gezicht, maar met een compleet andere naam. Een valse naam. Weitzman. Alan Weitzman.

Verder zaten er nog een paar creditcards in, allemaal op dezelfde valse naam. Karens mond viel open. Haar hoofd begon te bonken. Wat hield je voor me verborgen, Charlie?

Verward liet Karen zich op de stoel vallen. Er moest voor dit alles een plausibele reden zijn. Misschien was het gezicht dat ze op dat scherm had gezien toch niet dat van Charlie.

Maar hier was het... Opeens leek het onmogelijk om het te ontkennen. Ze liet haar blik weer over het activiteitenoverzicht glijden. Het kluisje was twee jaar geleden geopend. Vervolgens een of twee keer per maand, bijna een vast patroon, alsof hij zich op iets voorbereidde. Karens blik dwaalde naar beneden, naar de laatste aantekening.

Daar stond Charlies handtekening. Zijn snelle, naar voren hellende handschrift.

Maar de datum... 9 april. De dag van de bomaanslag op het Grand Central.

Haar ogen richtten zich op het tijdstip: vijf over halftwee. Het zweet brak Karen uit.

Dat was vierenhalf uur nadat haar man zou zijn omgekomen.

28

KAREN VOCHT TEGEN DE NEIGING om te kokhalzen.

Ze voelde zich duizelig en licht in het hoofd. Terwijl ze zich aan de tafelrand vastklampte, kon ze haar ogen niet afhouden van wat ze op dat papier zag.

Vijf over halftwee.

Ineens was er nog maar erg weinig waar Karen iets van begreep. Op één ding na. Haar gedachten flitsten terug naar het korrelige beeld van hem dat met een handcamera was vastgelegd.

Haar man was absoluut nog in leven.

Verward nam ze de inhoud van de kluis nog een keer door. Op dat moment accepteerde ze dat alles een leugen was geweest. Alles wat ze het afgelopen jaar had gevoeld en als vanzelfsprekend had aangenomen, elke rilling van verdriet en verlies, elke keer dat ze zich empathisch had afgevraagd wat Charlie moest hebben gevoeld, elke keer dat ze naar zijn kant van het bed was gekropen en zijn kussen had omarmd en had gevraagd: Waarom... waarom?

Hij had het allemaal voor haar verborgen gehouden. Hij had dit zo gepland.

Hij was die dag niet gestorven. Bij de aanslag. In de helse vlammen.

Hij leefde nog.

Karens gedachten schoten terug naar die ochtend. Charlie die boven het geluid van de haardroger uit riep dat hij de auto zou wegbrengen. In haar haast waren de woorden nauwelijks tot haar doorgedrongen.

Hij leeft nog.

Vervolgens dacht ze terug aan de shock waarin ze had verkeerd toen ze in de yogastudio vastgeplakt aan het scherm langzaam tot de conclusie was gekomen dat hij in die trein zat. Zijn telefoontje – de laatste keer dat ze zijn stem hoorde – over dat hij eten zou meenemen. Dat was om vier over halfnegen. Het afgerukte handvat van zijn aktetas met zijn initialen erop. Het papiertje van zijn notitieblok dat iemand had gestuurd.

Het kwam allemaal weer terug en raasde met de kracht van een storm door haar gedachten. Alle verdriet en pijn die ze had gevoeld, elke traan...

Hij was daar geweest. In de trein.

Hij was alleen niet omgekomen.

In eerste instantie voelde het als de kramp van een buikgriep die haar ingewanden deed opspelen. Ze vocht tegen de neiging om te kokhalzen. Ze zou dolblij moeten zijn. Hij leefde nog! Maar toen staarde ze weer wezenloos naar het contante geld en het valse paspoort. Hij had haar niets laten weten. Hij had haar een heel jaar in het ongewisse gelaten. Haar verwarring ging over in woede. Ze staarde naar de foto op zijn valse paspoort. Weitzman. Waarom, Charlie? Waarom? Wat was je aan het uitspoken? Hoe kon je me dit aandoen?

Ons, Charlie?

Ze hadden van elkaar gehouden. Ze hadden een leven samen. Een gezin. Ze gingen op reis. Ze praatten over dingen die ze zouden doen als de kinderen uit huis waren. Ze vreeën met elkaar. Hoe kun je dat veinzen? Hoe kun je dit iemand aandoen van wie je houdt?

Ineens had Karen het gevoel alsof ze puddingknieën had. Al dat geld, het paspoort, wat betekende dat? Had Charlie een misdrijf begaan? Er overviel haar een claustrofobisch gevoel.

Ze moest hier weg. Nu.

Karen drukte het deksel dicht en riep Megan Walsh, die al snel kwam binnenlopen.

'Ik zou dit voorlopig graag hier laten liggen,' zei Karen, terwijl ze het zweet van haar wangen veegde.

'Natuurlijk,' antwoordde mevrouw Walsh. 'Ik geef u mijn visitekaartje.'

'Heeft nog iemand anders toegang tot deze kluis?' vroeg Karen haar.

'Nee, alleen uw man.' De bankmanager keek haar vragend aan. 'Is alles in orde?'

'Ja,' loog Karen. Ze pakte haar tas en vroeg om een kopie van het activiteitenoverzicht voordat ze wegging. 'Ik beslis binnen enkele dagen wat ik ga doen.'

'Dat is prima, mevrouw Friedman. Laat het me maar weten.'

Buiten op straat ademde Karen de koele lucht diep in haar longen. Ze zocht steun bij een reclamebord. Langzaam hervond ze haar evenwicht.

Wat is hier in vredesnaam aan de hand, Charlie? Ze wendde haar hoofd af van de mensen die haar op het trottoir passeerden, bang dat ze zouden denken dat ze gestoord was om zo radeloos over straat te zwalken.

Heb ik niet voor je gezorgd? Ben ik niet goed voor je geweest, lieverd? Ik hield van je. Ik vertrouwde je. Ik heb om je gerouwd, Charlie. Ik was er helemaal kapot van toen ik dacht dat je dood was.

Hoe kun je in vredesnaam nog in leven zijn?

29

HET KANTOOR VAN SAUL LENNICK was vlakbij, op de tweeënveertigste verdieping van een van die grote glazen gebouwen op de kruising van Fortyseventh en Park.

Karen haastte zich ernaartoe, zonder van tevoren te bellen, en bad dat hij er was. Zijn secretaresse Maureen kwam haar halen. Ze zag meteen het leed en de paniek op Karens gezicht.

'Kan ik iets voor u doen, mevrouw Friedman?' vroeg ze bezorgd. 'Een glas water?'

Karen schudde haar hoofd.

'Loopt u maar mee. Meneer Lennick is beschikbaar. Hij kan u nu ontvangen.'

'Bedankt.' Karen haalde opgelucht adem. Godzijdank!

Saul Lennicks kantoor was groot en straalde gewichtigheid uit. Er stond een verzameling Afrikaanse maskers en Balinese kunstvoorwerpen, en het bood uitzicht op de skyline van Manhattan en Central Park in het noorden.

Hij had net de telefoon opgehangen en keek bezorgd toen Maureen belde dat Karen eraan kwam.

'Karen?'

'Er is iets aan de hand, Saul. Ik weet niet wat. Maar Charlie heeft iets gedaan... in zijn bedrijf.'

'Wat dan?' vroeg Lennick. Hij liep om zijn bureau heen en zette voor zijn grote bureau een stoel voor haar neer, waarna hij weer ging zitten.

Ze stond op het punt om alles wat ze wist en had ontdekt eruit te flappen, te beginnen met Charlies gezicht in de documentaire. En dat hij nog in leven was!

Maar op het laatste moment bedacht ze zich, bang dat Saul misschien zou denken dat hij met een raaskallende gek van doen had. Ze besloot hem alleen te vertellen wat ze vandaag had ontdekt.

'Ik heb iets gevonden, Saul. Iets wat Charlie heeft geschreven voordat hij stierf. Ik weet niet eens hoe ik moet beginnen, maar het past binnen al die vreemde dingen die er zijn gebeurd. Die mensen van Archer. Samantha. Ik wist niet wat ik ermee aan moest, Saul.'

'Waarmee?'

Opgewonden vertelde Karen hem over de kluis. Het geld en de schuld-brieven. Het paspoort. Charlies foto en de valse naam. 'Eerst dacht ik dat hij een ander had. Maar dat was het niet, Saul. Het is nog veel erger. Kijk naar me, Saul. Ik ben een wrak.' Ze ademde diep in. 'Charlie heeft iets gedaan. Ik weet niet wat. Hij was mijn man, Saul. En ik ben bang. Ik heb het gevoel dat die mensen terugkomen. Ze zitten achter ons aan en nu vind ik een kluis met geld en een vals identiteitsbe-wijs. Ik wil mijn kinderen niet in gevaar brengen, Saul. Waarom hield Char-lie die dingen voor mij verborgen? Ik weet dat jij iets weet. Wat is er in vredesnaam aan de hand? Je bent het me verschuldigd, Saul. Wat?'

Lennick leunde naar achteren in zijn leren stoel. Achter hem strekte de immense skyline van New York zich als een reusachtige panoramafoto uit.

Hij zuchtte.

'Oké, Karen. Ik had gehoopt dat ik het hier nooit over hoefde te heb-ben. Dat het allemaal gewoon zou wegebben.'

'Wat, Saul? Dat wát zou wegebben?'

Hij boog zich weer naar voren. 'Heeft Charlie het ooit over ene Coombs gehad? Ian Coombs?'

'Coombs?' Karen schudde haar hoofd. 'Volgens mij niet. Ik kan me die naam niet herinneren.'

'En een investeringsgroep, Baltic Securities? Heeft hij die ooit genoemd?'

'Waarom vraag je me dat, Saul? Ik heb me nooit met Charlies zaken bemoeid. Dat weet je toch?'

'Dat weet ik, Karen. Maar...'

'Maar wat, Saul? Charlie is hier niet. Ineens maakt iedereen toespelin-gen over hem. Wat heeft mijn man in hemelsnaam gedaan?'

Lennick stond op. Hij was gekleed in een marineblauw streepjespak met gouden manchetten. Hij liep om zijn bureau heen en ging op een hoek zitten. 'Karen, heeft Charlie het toevallig ooit gehad over andere accounts die hij beheerde?'

'Andere accounts?'

Lennick knikte. 'Helemaal gescheiden van Harbor. In het buitenland misschien, de Bahama's of de Caymaneilanden? Daar hebben de financië-le autoriteit en de Amerikaanse overheid geen zeggenschap.' Zijn blik was taxerend, serieus.

'Je maakt me bang, Saul. Charlie was een eerlijke vent. Hij hield niets verborgen. En al helemaal niet voor jou.'

'Dat weet ik, Karen. En ik zou er nooit over zijn begonnen. Maar...'

Ze staarde hem aan. 'Maar wat?'

'Maar je hebt iets ontdekt, Karen. Geld, een paspoort. Dat lijkt me allemaal verre van eerlijk.'

Karen verstijfde. Haar gedachten flitsten terug naar het gezicht op dat scherm. Hun hele leven hadden ze praktisch alles met elkaar gedeeld. Dingen over de kinderen, hun financiën. Als ze boos op elkaar waren. Zelfs zaken die met hun honden te maken hadden. Zo deden ze dat. Het was een kwestie van vertrouwen. Nu voelde Karen diep vanbinnen twijfel. Twijfel die haar de stuipen op het lijf joeg. Over Charlie. Het was een gevoel dat ze nooit eerder had gehad.

'Over wiens geld hebben we het, Saul?'

Hij antwoordde niet. Hij perste alleen zijn lippen op elkaar en streek door zijn dunner wordende grijze haar.

'Wíéns geld?' Karen staarde hem recht aan.

De mentor van haar man ademde uit en trommelde met zijn vingers op het walnotenhouten blad van zijn bureau.

Daarna haalde hij zijn schouders op. 'Dat is nu juist het probleem, Karen. Niemand weet het precies.'

30

KAREN WAS BUITEN ZINNEN. DE daaropvolgende dagen had ze moeite om überhaupt uit bed te komen. Ze wist absoluut niet wat ze moest doen. Samantha begon zich zorgen te maken. Karen was nu al een week zichzelf niet meer, sinds ze Charlie op dat scherm had gezien. Haar dochters ogen reflecteerden dat ze wist dat er iets niet in orde was. 'Wat is er aan de hand, mam?'

Hoe moest Karen het haar in vredesnaam vertellen? Dat de persoon die ze het meest van allemaal bewonderde, die altijd voor haar had gezorgd en voor haar klaarstond, hen op deze manier voor de gek had gehouden? Wat had Saul gezegd? Andere accounts. Geld dat hij beheerde voor mensen die ze niet kende. In het buitenland? Wat voor mensen?

Al dat geld joeg Karen angst aan. Waar was het voor? Ze begon te vermoeden dat Charlie misschien een of ander misdrijf had begaan. *Heeft Charlie het toevallig ooit gehad over andere accounts die hij beheerde?*

Nee, had ze geantwoord. Charlie was een eerlijke vent. Hoe vaak heb ik hem niet zien tobben over minieme bedragen voor zijn cliënten?

Had ze zich al die jaren voor de gek laten houden?

Enkele dagen gingen voorbij. Karen dreef zichzelf bijna tot waanzin door te denken aan Charlie die nog ergens rondliep en wat het allemaal betekende. Het was laat op de avond. De lichten van de kinderen waren allang uit. Tobey lag op haar bed te slapen. Karen liep naar beneden om in de keuken een kop thee voor zichzelf te maken.

Op het aanrecht stond een foto van Charlie. De foto van de herdenkingsdienst: Charlie in zijn witte poloshirt, een kakikleurige korte broek en een Ray Ban-zonnebril. Charlie op zijn best, hadden ze altijd gezegd. Ontspannen op een boot in het Caribisch gebied, een mobiele telefoon tegen zijn oor.

Je kende hem, Saul...

Karen pakte de foto op en onderdrukte voor het eerst de neiging om hem woedend tegen de muur te smijten. Maar ineens kwam er een vreemde herinnering bij haar boven. Van diep uit het gewelf van hun gezamenlijke leven.

Een zwaaiende Charlie.

Het was aan het einde van een prachtige week zeilen in het Caribisch gebied geweest. Saint Barts. Virgin Gorda. Ze waren in Tortola afgemeerd. De kinderen moesten de volgende dag weer naar school.

Ineens kondigde Charlie aan dat hij nog even zou blijven. Hij moest daar nog met iemand spreken.

Zomaar ineens?

Dus vergezelde hij hen naar het lokale vliegveld. Het kleine vliegtuigje met plek voor twaalf mensen bracht hen terug naar San Juan. Karen werd altijd een beetje zenuwachtig van vliegen in zo'n klein toestel. Bij het opstijgen en landen hield ze altijd Charlies hand vast. Iedereen plaagde haar ermee...

Waarom kwam deze herinnering nu ineens boven?

Bij de geïmproviseerde gate nam Charlie afscheid van hen. De gate was eigenlijk niet meer dan een glazen scheidingswand die naar de landingsbaan leidde. 'Je redt je wel,' zei hij tegen haar terwijl hij haar omhelsde. 'Ik ben over twee dagen weer thuis.' Maar terwijl ze haar veiligheidsriem in het tweemotorige vliegtuigje vastgespte voelde Karen een onverklaarbare angstscheut door haar lichaam gaan – alsof ze hem misschien nooit meer zou zien. Ze had gedacht: waarom kom je niet met ons mee, Charlie? Een flits van alleen zijn, waarin ze Alex' hand vastpakte.

Terwijl de propellers van het vliegtuigje draaiden keek Karen uit het raam. Ze zag hem staan op het balkon van het kleine luchthavengebouw, in zijn poloshirt en met zijn Ray Ban-zonnebril op zijn voorhoofd. Zijn ogen reflecteerden de zon.

Hij zwaaide.

Hij zwaaide met zijn mobiele telefoon tegen zijn oor en keek toe terwijl het vliegtuigje taxiede.

In het buitenland, had Saul tegen haar gezegd. De Bahama's of de Caymaneilanden

Nu trok diezelfde angst door haar heen terwijl ze naar zijn foto staarde. Dat ze hem op een of andere manier niet echt kende. Niet op de manier zoals het hoorde. Zijn ogen waren nu donker en reflecteerden de zon niet meer. Ze waren dieper, onbekend – als een grot die naar vele spleten leidde. Spleten die ze nooit eerder had verkend.

Het joeg haar angst aan. Karen zette de foto neer. Hij loopt nog ergens rond, dacht ze. Misschien waren zijn gedachten op dit moment wel bij haar. Misschien vroeg hij zich precies op dit moment wel af of ze het wist, of ze iets vermoedde, of ze hem voelde. Het bezorgde haar de rillingen. Wat heb je in vredesnaam gedaan, Charlie?

Ze wist dat ze dit niet voor eeuwig voor zichzelf kon houden. Ze zou krankzinnig worden. Ze moest het weten. Waarom hij dit gedaan had. Waar hij was.

Karen liet zich op een kruk aan het aanrecht zakken. Ze legde haar hoofd in haar handen. Nog nooit had ze zich zo verward of alleen gevoeld.

Ze kon maar één plek bedenken waar ze naartoe kon gaan.

31

HAUCK LIEP VAN DE CELLEN in de kelder beneden terug naar zijn kantoor. Hij en Freddy Muñoz hadden net een verklaring afgenomen van een angstig kind van Latijns-Amerikaanse afkomst. Het kind hoorde bij een groep jongelui uit Norwalk die extravagante auto's stalen in de verre buitenwijken van Greenwich. De verklaring kon die zaak nu openbreken. Joe Horner, rechercheur bij de politie van Norwalk, hing aan de telefoon.

Toen Hauck door de gang liep gebaarde Debbie, zijn afdelingssecretaresse, naar hem.

'Er is hier iemand voor je, Ty.'

Ze zat op het bankje in de wachtruimte. Ze was gekleed in een oranje coltrui en een beige jas en had een tas naast zich op de bank. Hauck deed geen moeite om te verhullen dat hij blij was om haar te zien.

'Zeg maar tegen Horner dat ik hem zo te woord sta, Deb.'

Karen stond op. Ze glimlachte en was een beetje zenuwachtig. Hauck had haar al een paar maanden niet meer gezien, sinds die andere kwestie, de mensen die haar lastigvielen, was bedaard en de politiebescherming was ingetrokken. Hij had een paar keer gebeld om te vragen hoe het met haar was. Met een glimlach liep hij naar haar toe. Haar gezicht was bleek en afgetobd.

'U zei dat ik moest bellen.' Ze haalde haar schouders op. 'Als er ooit iets was.'

'Natuurlijk.'

Ze keek omhoog naar hem. 'Er is iets gebeurd.'

'Kom maar mee naar mijn kantoor,' zei hij en hij pakte haar bij de arm. Hauck riep naar Debbie dat hij de rechercheur uit Norwalk terug zou bellen, waarna hij Karen langs de rij met bureaus van de rechercheurs door de glazen afscheiding zijn kantoor binnen leidde. Hij zette een eenvoudige metalen stoel voor zijn bureau die bij de ronde vergadertafel stond. 'Ga zitten.'

Het was duidelijk dat ze overstuur was. 'Kan ik iets voor je halen? Water? Een kop koffie?' Ze schudde haar hoofd. Hauck trok nog een stoel bij, draaide hem om en ging tegenover haar zitten met zijn armen op de rugleuning. 'Vertel eens wat er aan de hand is.'

Karen haalde even diep adem en perste haar lippen stevig op elkaar. Daarna graaide ze in haar tas. Haar gezicht straalde zowel dankbaarheid als opluchting uit. 'Hebt u hier een computer, inspecteur?'

'Natuurlijk.' Hauck knikte en wees naar een laag kastje naast zijn bureau.

Ze gaf hem de dvd. 'Kunt u dit eens bekijken?'

Hij stak de dvd in de computer. De schijf sloeg aan en er verscheen beeld. Een grote groep mensen in de straten van New York. In beroering. Amateurbeelden, een handcamera in de menigte. Het was hem meteen duidelijk dat hij naar de nasleep van de bomaanslag in het Grand Central keek.

'Hebt u die documentaire toevallig gezien, inspecteur? Afgelopen woensdagavond?' vroeg Karen hem.

Hij schudde zijn hoofd. 'Nee, ik had dienst.'

'Ik wel.' Ze bracht zijn aandacht terug naar de dvd: mensen die vanuit het station de straat op renden. 'Het was heel moeilijk voor me. Een vergissing. Het was alsof ik het weer opnieuw meemaakte.'

'Dat begrijp ik.'

Karen wees naar het scherm. 'Hier ongeveer kon ik het niet langer aanzien. Ik wilde de televisie uitzetten.' Ze stond op en ging achter hem staan, terwijl ze over zijn schouder leunde. 'Het was alsof ik gek werd. Kijken naar Charlies dood. Nog een keer.'

Hauck begreep niet waar ze naartoe wilde. Met haar hand pakte ze de muis vast. Ze wachtte en liet de actie op het scherm zich ontvouwen: mensen die kokhalzend en hoestend de straat op strompelden via een verre uitgang, geblakerde gezichten. De handcamera schudde.

'En toen zag ik het.' Karen wees.

Ze zette de muis op de werkbalk en klikte. Het beeld kwam tot stilstand. Zestien minuten over negen.

Op het scherm was een vrouw te zien die iemand troostte die op straat was gevallen. Vóór haar was nog iemand, een man. Zijn jas zat onder het roet, zijn gezicht was afgewend van de camera die voorbij zoefde. Karen keek strak naar het scherm. Haar ogen stonden ijskoud, een geharde blik, maar tegelijkertijd merkte Hauck dat ze ook verdriet uitstraalden.

'Dat is mijn man,' zei ze, terwijl ze probeerde te voorkomen dat haar stem brak. Ze keek hem nu recht aan. 'Dat is Charlie, inspecteur.'

Haucks ademhaling stokte. Het duurde even voordat echt tot hem doordrong wat ze bedoelde. Haar man was daar omgekomen. Een jaar geleden. Hauck was bij haar thuis geweest, bij de herdenkingsdienst. Zoveel was duidelijk. Hij richtte zich weer op het scherm. De gelaatstrekken leken overeen te komen met de foto's die hij bij haar thuis had gezien. Hij knipperde met zijn ogen.

'Wat bedoel je?'

'Ik weet niet wat ik bedoel,' zei Karen. 'Hij zat in de trein, dat weet ik zeker. Hij belde me toen hij erin zat, vlak voor de bomaanslag. Ze vonden restanten van zijn koffertje tussen het puin...' Ze schudde haar hoofd. 'Maar op een of andere manier is hij niet gestorven.'

Hauck duwde zijn stoel van het bureau weg en richtte zijn ogen weer op het scherm. 'Honderden mensen zien er zo uit. Hij zit onder de as. Je kunt het niet zeker weten.'

'Dat zei ik ook tegen mezelf,' zei ze. 'In eerste instantie. Ik hoopte het in elk geval.' Karen liep weer naar de tafel. 'De afgelopen week heb ik het fragment wel duizend keer bekeken.'

Ze pakte een stuk papier uit haar tas. 'En toen vond ik dit. Het maakt niet uit wat het is. Maar het leidde me naar een kluisje bij een bank in Manhattan waarvan ik niet eens wist dat mijn man het had.'

Ze schoof het papier over de tafel naar Hauck toe.

Het was een kopie van een formulier voor het openen van een rekening van Chase. Voor een kluisje. Eraan vastgeniet zat een rekeningoverzicht. Er was veel activiteit, verspreid over een aantal jaren. Alle boekingen waren voorzien van dezelfde handtekening.

Charles Friedman.

Hauck bestudeerde het papier.

'Kijk eens naar de laatste datum,' zei Karen Friedman. 'En het tijdstip.'

Dat deed Hauck en hij voelde een scherpe pijn in zijn borst. Zijn ogen flitsten niet-begrijpend terug naar haar. Dat kon niet...

'Hij leeft nog.' Karen Friedman keek hem recht aan. Haar pupillen glansden. 'Hij is in de bank geweest, vierenhalf uur ná de bomaanslag. Vierenhalf uur nadat ik dacht dat hij dood was.

'Dat is Charlie.' Ze knikte naar hem terwijl ze naar het scherm keek. 'Dat is mijn man, inspecteur.'

32

'AAN WIE HEB JE DIT verteld?'

'Aan niemand.' Ze staarde hem aan. 'Dat kon ik toch niet doen? Mijn kinderen... na wat ze hebben doorgemaakt. Ze zouden er kapot aan gaan, inspecteur. Het is voor hen toch niet te begrijpen? En mijn vrienden...' Apathisch schudde ze haar hoofd. 'Wat moet ik in vredesnaam tegen hen zeggen, inspecteur? Dat het één grote vergissing is geweest? "Sorry, Charlie is niet echt dood. Hij heeft me gewoon het hele jaar voor de gek gehouden. Ons allemaal." Soms hoor je wel van mensen die ineens opduiken en volledig getraumatiseerd blijken te zijn door de levensveranderende situatie die ze hebben meegemaakt. Mensen die plotseling niet meer weten wie of wat ze zijn.' Ze legde haar hand op de bankformulieren. 'Maar toen vond ik deze. Ik heb even overwogen om ermee naar Saul Lennick te gaan. Charlie was als een tweede zoon voor hem. Maar ik werd bang. Ik dacht: stel dat hij echt iets verkeerds heeft gedaan? Iets slechts? Stel dat ik er verkeerd aan doe? Het zou iedereen treffen. Ik werd echt bang. Begrijpt u wat ik bedoel?'

Hauck knikte. Hij hoorde duidelijk de spanning in haar stem.

'Daarom ben ik hier.'

Hauck pakte de bankpapieren op. Als agent had hij door de jaren heen geleerd om niet te snel te reageren. Eerst feiten verzamelen, een beetje terughoudend zijn, totdat een beeld van de waarheid duidelijk wordt. Hij keek naar het formulier. Charlies Friedman was daar geweest.

'Wat wil je dat ik doe?'

'Dat weet ik niet.' Karen schudde ontsteld haar hoofd. 'Ik weet niet eens wat hij gedaan heeft. Maar het is... Charlie zou ons dit nooit zomaar aandoen. Ik kende hem. Hij was er de man niet naar, inspecteur.' Ze duwde een haarlok uit haar gezicht en veegde haar tranen weg met de muis van haar hand. 'Ik weet verdorie niet eens wat ik wil dat u doet.'

'Stil maar,' zei hij, terwijl hij even in haar arm kneep. Hauck staarde weer naar het scherm. Hij nam de gebruikelijke reacties door. Een shockreactie – geheugenverlies – door de bomaanslag. Maar het bankformulier veegde dat al snel van tafel. Een andere vrouw? Verduistering? Hij dacht terug aan het voorval op het parkeerterrein met Karens dochter. Tweehonderdvijftig miljoen dollar. Toch had Saul Lennick hem verzekerd dat Charles' hedgefonds helemaal intact was.

'Mag ik vragen wat je in het kluisje hebt aangetroffen?' vroeg Hauck.

'Geld.' Karen zuchtte. 'Veel geld. En een paspoort. Charlies foto, met een valse naam. Een paar creditcards...'

'En dat heeft hij allemaal achtergelaten?' Een jaar geleden. 'Het kan een reservepotje zijn geweest.' Hauck haalde zijn schouders op. 'Ik neem aan dat je begrijpt dat dit niet onvoorbereid was. Hij heeft dit allemaal gepland.'

Ze knikte en beet op haar onderlip. 'Dat besef ik.'

Maar wat Charles nooit kon hebben gepland, wist Hauck, was hoe hij dit zou uitvoeren. Tot het moment daar was.

Zijn gedachten gingen terug naar een andere naam. Thomas Mardy.

'Luister.' Hauck draaide zich naar haar om. 'Ik moet het vragen. Heeft je man wel eens... je weet wel...'

'Wel eens wat?' Karen staarde hem aan. 'Of hij vreemdging? Geen idee. Een week geleden zou ik hebben geantwoord dat het uitgesloten was. Nu zou ik bijna blij zijn als dat het was. Hij had dat paspoort, die creditcards... Hij heeft dit allemaal gepland. Terwijl we in hetzelfde bed sliepen. Terwijl hij de kinderen toejuichte op school. Hij is er op een of andere manier in geslaagd om te midden van de chaos bij die trein weg te komen en te zeggen: nu gaat het gebeuren. Dit is het moment. Dit is het moment waarop ik mijn hele leven achter me laat.'

Een paar seconden lang heerste er alleen stilte.

Hauck perste zijn lippen op elkaar en vroeg weer: 'Wat wil je dat ik doe?'

'Weet ik niet. Een deel van me wil mijn armen om hem heen slaan en hem zeggen dat ik blij ben dat hij nog leeft. Maar een ander deel... Ik maakte dat kluisje open en besefte dat hij een groot deel van zijn leven voor mij verborgen heeft gehouden. Voor de persoon van wie hij zogenaamd hield. Ik heb geen flauw idee wat ik wil doen, inspecteur! Hem in het gezicht slaan... Hem in de gevangenis gooien... Ik weet niet eens of hij een misdrijf heeft begaan. Behalve dat hij mij verdriet heeft gedaan. Maar het maakt niet uit. Daarvoor ben ik hier niet.'

Hauck rolde zijn stoel dichter naar het bureau. 'Waarvoor dan?'

'Waarvoor ik hier ben?' Er stonden weer tranen in haar ogen. Ze balde haar vuisten en sloeg er hulpeloos mee op tafel. Daarna keek ze weer naar hem op. 'Is dat niet duidelijk? Ik ben hier omdat ik nergens anders naartoe kan!'

Hauck liep naar haar toe en ze liet zich in zijn armen vallen. Ze begroef haar gezicht in zijn schouder en stompte zachtjes met haar vuisten. Hij hield haar vast, voelde haar trillen, en ze liet hem niet los.

'Hij was dood! Ik heb om hem gerouwd. Ik heb hem gemist. Ik heb me het hoofd gebroken over of zijn laatste gedachten bij ons waren. Elke dag wenste ik dat ik nog een keer met hem kon praten. Om hem te vertellen dat ik hoopte dat het goed met hem ging. En nu blijkt hij nog te leven...'

Ze ademde diep in en veegde de tranen van haar vochtige wangen. 'Ik wil niet dat er een klopjacht wordt gestart. Hij heeft gedaan wat hij heeft gedaan en daar zal hij wel een reden voor hebben gehad. Hij is geen klootzak, inspecteur – wat u ook mag denken. Ik wil hem niet eens terug. Het is te laat. Ik weet zelfs niet eens wat ik voel...

'Ik wil het gewoon weten... Ik wil weten waarom hij me dit heeft aangedaan, inspecteur. Ik wil weten wát hij heeft gedaan. Ik wil zijn gezicht zien terwijl hij het me vertelt. De waarheid. Meer niet.'

Hauck knikte. Hij kneep even in haar armen en liet haar los. Op zijn bureau stond een doos met tissues. Hij trok er een paar uit en gaf die aan haar.

Ze glimlachte en snoof. 'Bedankt.'

'Hoort bij mijn werk. Mensen moeten hier altijd huilen.'

Ze lachte en depte haar ogen en neus droog. 'U zult me wel een wrak vinden. Elke keer dat u me ziet...'

'Nee.' Hij knipoogde. 'Alles behalve dat. Maar je reikt wel intrigerende situaties aan.'

Karen probeerde weer te lachen. 'Ik weet niet eens wat ik van u wil.'

'Ik wéét wat je van me wilt,' antwoordde hij.

'Ik wist niet waar ik anders naartoe moest, inspecteur.'

'Ty.'

Dat leek haar te overvallen. Even bleven ze zo staan, tot elkaar aangetrokken. Ze veegde een kastanjebruine haarlok weg die voor haar nog steeds opgezwollen ogen hing.

'Oké.' Ze ademde diep in en knikte. 'Ty...'

'En het antwoord is ja.' Hij ging weer op de hoek van de tafel zitten en knikte. 'Ik zal je helpen.'

33

HIJ HAD JA GEZEGD. HAUCK nam de situatie nog een keer door.

Ja, hij zou haar helpen. Ja, hij wist wat ze van hem wilde. Maar hij besefte ook meteen dat hij het niet vanuit zijn functie kon doen.

Die avond ging hij met de *Merrily* de baai op. Hij zat in het donker met de motoren uit. Het water was kalm, de lichten van de stad Stamford flikkerden op de oever.

Waarom, vroeg hij zich af.

Omdat hij haar gezicht niet uit zijn gedachten kon krijgen? Of het gevoel van haar zachtheid toen ze tegen hem aan leunde? Haar zoete geur hing nog steeds in zijn neusgaten, elke haar op zijn arm stond recht overeind, elke zenuw was uit een lange winterslaap ontwaakt.

Is dat het, Ty? Is dat alles?

Of misschien was het het gezicht dat hij ineens weer voor zich zag, terwijl hij met zijn Topsider-zonnebril op een Harpoon Ale dronk. Een gezicht dat maandenlang niet in zijn gedachten was geweest, maar dat nu weer tot leven kwam, beangstigend echt.

Abel Raymond.

Het bloed dat onder zijn lange rode haar vandaan sijpelde. Hauck die over hem heen knielde en beloofde dat hij zou uitzoeken wie hem dit had aangedaan.

Charles Friedman was niet gestorven.

Dat veranderde alles.

Thomas Mardy. Controleur bij een kredietinstelling. Hij was in Cos Cob op die trein gestapt en in het Grand Central bij de bomaanslag om het leven gekomen.

Toch was een van zijn creditcards gebruikt voor een ritje met een limousine naar Greenwich, drie uur later.

Hauck wist nu hoe dat kon.

Hij vroeg zich af of de Mustang gewoon toeval was geweest. Charlies kindje... Het had hem in verwarring gebracht. Het zou iedereen in verwarring hebben gebracht.

Maar nu, nu hij Charlies gezicht op het scherm had gezien, wist hij – met meer zekerheid dan Karen Friedman ooit zou beseffen – hoe haar man de tijd had doorgebracht tussen de opname van die camera, toen hij het station uit liep, en zijn aanwezigheid in de kelder van de bank uren erna.

De klootzak was niet gestorven.

Die middag had Hauck Charlies naam door de centrale database van criminelen gehaald. Een gebruikelijke achtergrondcheck – creditcards, bankrekeningen, zelfs immigratie. Freddy Muñoz kwam de uitslag brengen. Met een vragende gezichtsuitdrukking klopte hij aan de deur. 'Die vent is overleden, inspecteur. Op 9 april.' Zijn blik was alleszeggend. 'Bij de bomaanslag in het Grand Central.'

Niets. Maar het verbaasde Hauck niet.

Charles Friedman en AJ Raymond waren op een of andere manier met elkaar verbonden. En niet alleen via de koperkleurige Mustang. Zoveel wist hij nu. Ze hadden afzonderlijke levens geleid, een wereld van verschil. En toch waren ze met elkaar verbonden.

Wat kon het in vredesnaam zijn?

Hauck nam nog een laatste slok. Het antwoord lag hier niet. De jongen had familie. Pensacola, toch? Zijn broer had zijn spullen opgehaald. Zijn vader was havenmeester. Hauck herinnerde zich de foto van de oude man tussen AJ's spullen.

Ja, hij zou haar helpen, had hij gezegd. Hauck stond op en startte de motor. De *Merrily* kwam sputterend tot leven.

Hij zou haar helpen. Hij hoopte alleen dat ze geen spijt zou krijgen van wat hij zou ontdekken.

'Carl, ik wil wat vrije dagen opnemen.' Hauck klopte op de deur van zijn baas. 'Ik heb genoeg opgebouwd.'

Carl Fitzpatrick, hoofdcommissaris van politie in Greenwich, zat achter zijn bureau en bereidde zich voor op een vergadering. 'Natuurlijk, Ty. Kom binnen, ga zitten.' Hij draaide zich om en pakte het dienstrooster. 'Om hoeveel dagen gaat het?'

'Een paar weken,' antwoordde Hauck zonder verder uit te wijden. 'Misschien meer.'

'Een paar wéken?' Fitzpatrick staarde hem over zijn leesbril aan. 'Daar kan ik geen fiat voor geven.'

Hauck haalde zijn schouders op. 'Misschien meer.'

'Jezus, Ty...' De hoofdcommissaris gooide zijn bril op het bureau en keek hem recht aan. 'Wat is er aan de hand?'

'Dat kan ik niet zeggen. Het is momenteel vrij rustig. Als er iets bijzonder is, kunnen Freddy en Zaro het wel alleen af. Ik heb de afgelopen vijf jaar hoogstens een week vakantie opgenomen.'

'Is alles goed met je, Ty? Er is toch niets met Jess aan de hand?'

'Nee, Carl. Alles gaat goed.' Fitzpatrick en hij waren vrienden, en hij vond het vervelend om zo vaag te doen. 'Ik moet gewoon iets afhandelen.'

'Een paar weken...' De hoofdcommissaris krabde aan zijn hoofd en bladerde door het dienstrooster. 'Geef me een paar dagen. Ik gooi het schema wel om. Wanneer moet het verlof ingaan?'

'Morgen.'

'Morgen.' Fitzpatrick staarde hem met grote ogen aan. 'Morgen is onmogelijk, Ty. Dit komt zomaar uit de lucht vallen.'

'Voor jou misschien.' Hauck stond langzaam op. 'Voor mij werd het hoog tijd.'

34

DE BEL GING. TOBEY BLAFTE en stormde naar de voordeur. Alex was bij een vriendje aan het leren voor een examen. Samantha zat in de woonkamer te bellen. Haar benen bungelden over de rugleuning van de bank. Op de televisie was *Heroes*.

'Doe jij open, mam?'

Karen stond in de keuken en was net klaar met de afwas. Ze gooide de theedoek neer en liep naar de voordeur.

Toen ze zag wie daar stond lichtte haar gezicht verrast op.

'Er zijn een paar dingen die je voor me kunt doen,' zei de inspecteur, ineengedoken in zijn beige nylonjack tegen de regen.

'Mijn dochter is thuis,' zei Karen met een blik op de woonkamer. Ze wilde haar er niet bij betrekken. Dus pakte ze een regenjas van de kapstok, legde hem om haar schouders en stapte naar buiten. 'Wat dan?'

'Doorzoek de persoonlijke bezittingen van je man, notities van zijn bureau, cheques, creditcardbonnetjes. Alles wat je nog kunt vinden. Heb je nog inzage in zijn computer?'

Karen knikte. Ze had hem nog niet uit zijn werkkamer verwijderd. Daar was het nog nooit echt het juiste moment voor geweest. 'Ik denk het wel.'

'Mooi. Neem zijn oude e-mails door, websites van reisorganisaties die hij wellicht heeft bezocht voordat hij vertrok, overzichten van telefoongesprekken. Hoe zit het met zijn werkgerelateerde dingen? Heb je die nog?'

'Beneden staat een doos met spullen die ik heb teruggekregen. Ik weet niet waar de computer is gebleven die hij op kantoor gebruikte. Waar moet ik naar zoeken?'

'Naar alles wat kan helpen vaststellen waar hij naartoe kan zijn gegaan. Zelfs als blijkt dat hij daar niet meer is, is het in elk geval een beginpunt. Vandaaruit zoeken we wel verder...'

Karen trok de regenjas nu over haar hoofd tegen de regen. 'Het is ruim een jaar geleden.'

'Dat weet ik. Maar er zijn nog gegevens. Neem contact op met zijn voormalige secretaresse of het reisbureau waar hij vroeger gebruik van maakte. Misschien hebben ze hem brochures gestuurd of reserveringen gemaakt waarvan niemand destijds dacht dat het belangrijk was. Ga bij jezelf ook eens te rade: waar zou hij naartoe gaan? Je hebt achttien jaar met hem samengeleefd.'

'Denk je dat ik mijn hersens nog niet genoeg heb gepijnigd?' Het begon nog harder te regenen. Karen sloeg haar armen om zich heen tegen de kou. 'Ik zal nog een keer kijken.'

'Als ik terug ben zal ik je daar, indien nodig, bij helpen,' zei Hauck.

'Als je terug bent? Waar ga je naartoe dan?'

'Naar Pensacola.'

'Pensacola?' Karen keek hem met samengeknepen ogen aan. 'Wat is daar dan? Heeft dat hiermee te maken?'

'Je hoort het,' zei Hauck met een glimlach, 'zodra ik meer duidelijkheid heb. Intussen wil ik dat jij alles doorzoekt wat je kunt vinden. Denk terug. Er is altijd een aanwijzing. Iets wat iemand heeft achtergelaten. Ik neem contact op zodra ik er weer ben.'

'Bedankt,' zei Karen. Ze legde haar hand op zijn jas, terwijl de regen over haar gezicht stroomde. Er stonden ineens tranen in haar ogen.

Het was lang geleden dat ze de aanwezigheid van iemand in haar leven had gevoeld, en hier was deze man, een man die ze nauwelijks kende en die in haar leven was gekomen in de chaos rond Charlies dood. Hij had haar gezien, doelloos, als een boot die in de golven van een storm verging. En nu was hij de enige persoon aan wie ze zich in deze wereld kon vastklampen, het enige anker. Het was vreemd.

'Het spijt me dat ik je hierin heb meegesleept, inspecteur. Je hebt vast al genoeg te doen.'

'Je hebt me er niet in meegesleept.' Hauck schudde zijn hoofd. 'En trouwens, ik doe dit niet in functie.'

'Hoe bedoel je?'

'Je wilde toch niet dat dit openbaar werd? Je wilde me niet opzadelen met wat er uit het onderzoek naar voren zou komen. Dat zou ik in functie nooit voor elkaar kunnen krijgen.'

Ze keek hem verward aan. 'Ik begrijp het niet.'

'Ik heb een paar weken verlof opgenomen,' zei hij, terwijl de regen langs zijn kraag stroomde. Toen knipoogde hij. 'Maak je daar niet druk om. Ik wist toch niet wat ik met al die vrije tijd aanmoest. Maar ik opereer op eigen houtje. Geen politiepenning. Niemand anders.' Zijn blauwe ogen glinsterden en drukten een zachte glimlach uit. 'Ik hoop dat je dat goed vindt.'

Vond ze het goed? Karen wist niet wat ze verwacht had toen ze hem benaderde. Misschien zocht ze alleen maar iemand om naar te luisteren. Maar nu smolt haar hart een beetje om wat hij bereid was te doen.

'Waarom...?'

Hij haalde zijn schouders op. 'Iedereen had het of te druk of was alleen geïnteresseerd in zijn salaris.'

Karen keek hem met een glimlach aan. Een warm, dankbaar gevoel vulde haar hart. 'Ik bedoelde, waarom doet je dit, inspecteur?'

Hauck wiebelde van het ene been op het andere. 'Dat weet ik eigenlijk niet.'

'Dat weet je best.' Karen keek hem aan. Ze duwde een lok nat haar uit haar ogen. 'Laat het me weten als de tijd er rijp voor is. Maar hoe dan ook bedankt, inspecteur. Wat de reden ook is.'

'Ik dacht dat dat nu wel duidelijk was: ik heet Ty,' zei hij.

'Oké, Ty.'

Haar blik straalde een gloed van dankbare warmte uit. Karen stak haar hand uit. Hij nam hem aan. Zo stonden ze daar terwijl de regen op hen neer kletterde.

'Ik heet Karen.' Ze keek hem recht in de ogen. 'Aangenaam kennis te maken, Ty.'

35

GREGORY KHODOSHEVSKI LIET DE MOTOR van zijn T-Rex trike van zeventigduizend dollar op volle toeren draaien, en het voertuig schoot met driehonderd pk over het geïmproviseerde parcours dat hij had aangelegd op zijn uitgestrekte landgoed in Greenwich.

Vlak achter hem probeerde zijn veertienjarige zoon Pavel hem in zijn eigen vuurrode T-Rex dapper bij te houden.

'Kom op, jongen!' Khodoshevski lachte in de helmmicrofoon terwijl hij om een pion manoeuvreerde en zijn zoon aan de andere kant ervan passeerde. 'Je laat je toch niet kloppen door een oude *starik* als ik, hè?'

Pavel nam de bocht scherp en zijn trike viel bijna om. Daarna trok hij hem recht en accelereerde tot bijna honderd kilometer per uur. Hij vloog over een heuvel.

'Ik zit je op de hielen, ouwe!'

Ze raceten om de vijver heen, langs het helikopterplatform en stuiterden vervolgens weer terug op het lange, rechte stuk op Khodoshevski's uitgestrekte landgoed. Op de heuvel stond zijn reusachtige georgiaanse landhuis, als een kasteel met ervoor een groot plein en een garage voor acht auto's. In de garage stonden een Lamborghini Murciélago, een gele Hummer waarmee zijn vrouw Ludmila door de stad paradeerde, en een op bestelling gebouwde zwarte Maybach Mercedes compleet met kogelwerend glas en een Bloomberg-satellietverbinding die hem alleen al een half miljoen had gekost.

Hoewel hij nog maar achtenveertig was, was de Zwarte Beer, zoals Khodoshevski soms werd genoemd, een van de machtigste mensen ter wereld, hoewel zijn naam nergens terug te vinden was. In de kleptocratie, de privatiseringswoede in het Rusland van de jaren negentig, had Khodoshevski een Franse investeringsbank zover gekregen om een vervallen fabriek in auto-onderdelen in Urkutsk op te kopen, in ruil voor een beslissende zetel in het bestuur van Tazprost, Ruslands grootste – en meest noodlijdende – automobielfabrikant. Khodoshevski had de zetel op zijn zesendertigste toegewezen gekregen toen twee minder volgzame bestuursleden opstapten. Zo verkreeg hij de rechten voor het opzetten van Mercedes- en Nissan-dealerschappen in Estland en Letland en honderden Gaznost-tankstations in heel Rusland.

Onder Jeltsin werd de Russische economie door een handjevol gretige *kapitalisti* opgedeeld. Eén grote snoepwinkel noemde Khodoshevski het altijd. In de publieke financiële sector, *free for all*, opende hij warenhuizen naar het voorbeeld van Harrods, waar dure westerse merken werden verkocht. Verder kocht hij drankgroothandels voor dure Franse champagne en wijn op. Daarna banken en radiostations. Zelfs een goedkope luchtvaartmaatschappij.

Tegenwoordig was Khodoshevski, via een holdingcompany, de grootste op zichzelf opererende landheer op de Champs-Elysees.

Om zijn imperium uit te breiden had hij veel dubieuze dingen gedaan. Publieke gezanten van Poetins economische vakbondscentrales stonden bij hem op de loonlijst. Veel van zijn rivalen waren gearresteerd en gevangengezet. Sommige van hen waren ongelukkig uit het raam gevallen of hadden op weg naar huis onverklaarbare auto-ongelukken gehad. Khodoshevski genereerde tegenwoordig meer cashflow dan een economie van gemiddelde grootte. Wat hij in Rusland niet kon kopen stal hij.

Gelukkig hield zijn geweten hem 's nachts niet uit zijn slaap. Hij stond via afgezanten dagelijks in contact met machtige mensen – Europeanen, Arabieren, Zuid-Amerikanen – wier kapitaal zo groot was geworden dat de wereldeconomie erop draaide. Rijkdom die equivalent was aan een supereconomie, waardoor vastgoedprijzen bleven stijgen, luxe merken bleven floreren, fabrikanten van jachten verzekerd waren van werk en de indexcijfers op Wall Street hoog bleven. Ze ontwikkelden economieën zoals het Internationale Monetaire Fonds ooit naties ontwikkelde: ze kochten steenkoolafzettingen in Smolensk op, suikerrietvelden voor ethanol in Costa Rica, staalfabrieken in Vietnam. Hoe de munt ook viel, die van hen viel altijd met de kop naar boven. Khodoshevski had de ultieme arbitrage ingesteld. Het hedgefonds der hedgefondsen! Verliezen was onmogelijk.

Behalve misschien vandaag, van zijn zoon.

'Kom op, Pavel. Laat zien wat je waard bent. Gassen!'

Lachend stoven ze over het laatste rechte stuk, waarna ze een rondje om de grote fontein op het plein voor het huis maakten. De oververhitte motoren van hun T-Rexen spurtten als opgevoerde skelters. Ze stuiterden over de keien naar de finish in een race van vader tegen zoon.

'Ik ga je verslaan, Pavel!' riep Khodoshevski toen hij naast zijn zoon reed.

'Juich niet te vroeg, ouwe!' Zijn vastberaden zoon gaf nog meer gas en grijnsde.

Na de laatste bocht gaven ze alles wat ze hadden. Hun wielen raakten elkaar, vonken vlogen rond en Khodoshevski slingerde tegen het bassin van de reusachtige barokke fontein die ze uit Frankrijk hadden geïmporteerd. Het glasvezelchassis van zijn T-Rex kreukte als crêpepapier. Pavel gooide triomfantelijk zijn handen in de lucht terwijl hij voorbij racete. 'Ik heb gewonnen!'

Stram perste Khodoshevski zich uit het gehavende voertuig. Total loss, merkte hij sip op. Weg zeventigduizend dollar.

Pavel sprong uit zijn trike en rende naar hem toe. 'Papa, is alles goed?'

'Of alles goed is?' Hij zette zijn helm af en voelde aan zijn lichaam. Hij had een schaafplek op zijn elleboog. 'Niets gebroken. Een mooie race, jongen! Dat was lachen, hè? Jij wordt nog wel een autocoureur. Help me nu dit wrak in de garage zetten voordat je moeder ziet wat we hebben gedaan.' Hij aaide zijn zoon over zijn bol. 'Wie heeft er nu zulk speelgoed?'

Toen ging zijn mobiele telefoon. De Rus trok zijn BlackBerry uit zijn spijkerbroek. Hij herkende het nummer. 'Een momentje.' Hij wuifde naar Pavel. 'Het is zakelijk, knul.' Hij ging op de rand van de fontein zitten en klapte zijn telefoon open, terwijl hij met zijn hand door zijn warrige zwarte haar streek.

'Met Khodo.'

'Ik bel even om te zeggen,' begon de beller, een bankier die Khodoshevski kende, 'dat de creditposten waarover we het hadden, zijn overgeboekt. Ik ga hem persoonlijk de laatste vracht leveren.'

'Dat is goed.' Khodoshevski snoof. 'Hij weet zeker iets van je, dat je hem nog een kans geeft na die puinhoop die hij er vorig jaar van heeft gemaakt. Laat goed tot hem doordringen wat de prijs is van zaken met ons doen. Zorg ervoor dat hij het deze keer volledig begrijpt.'

'Dat zal ik zeker doen,' zei de Duitse bankier. 'Ik zal hem de hartelijke groeten van je doen.'

Khodoshevski hing op. Het zou niet de eerste keer zijn, dacht hij, dat hij zijn handen vuil maakte. En ook zeker niet de laatste keer. De man was een goede vriend. Khodoshevski had regelmatig een hapje met hem gegeten en samen hadden ze diverse flessen goede wijn soldaat gemaakt. Niet dat het uitmaakte. Khodoshevski klemde zijn kaken op elkaar. Niemand verliest zoveel van zijn geld zonder het te voelen.

Niemand.

'Kom, knul.' Hij stond op en sloeg Pavel op de rug. 'Help me dit wrak de garage in duwen. Er staat nog een spiksplinternieuwe. Wat dacht je ervan: gun je je ouweheer nog een kans?'

36

'MENEER RAYMOND?'

Hauck klopte aan bij het kleine, witte huis met dakspanen en een goed-kope groene luifel boven de deur in een middenstandswijk van Pensacola. Voor het huis was een kleine, verwaarloosde tuin en in de garage stond een zwarte GMC-pick-up, voorzien van een bumpersticker met de tekst: ZELFS JEZUS HIELD VAN EEN GOED GLAS BIER.

De deur ging open en een donkere, zongebruinde man tuurde naar bui-ten. 'Wie bent u?'

'Ik ben Hauck, inspecteur bij de politie van Greenwich, Connecticut. Ik heb de zaak van uw zoon behandeld.'

Raymond was sterk gebouwd, had een normale lengte en een ruige, grij-ze stoppelbaard. Hauck gokte dat hij rond de zestig was. Zijn knoestige huid leek wel van leer, waardoor zijn lichtblauwe ogen extra opvielen. Op zijn brede rechterarm zat een vervaagde blauw-rode militaire tatoeage.

'Iedereen kent me als Pappy,' gromde hij, terwijl hij de deur verder open-trok. 'Alleen mensen die geld van me willen noemen me meneer Raymond. Daarom reageerde ik een beetje achterdochtig.'

Hauck stapte een kleine, schaars gemeubileerde woonkamer binnen. Er stonden een bank die eruitzag alsof hij er al veertig jaar stond en een hou-ten tafel met een paar Budweiser-blikjes erop. De televisie stond aan, een herhaling van *CSI*. Aan de muur hingen een paar ingelijste foto's. Kinde-ren. In honkbal- en footballtenue.

Hauck herkende een van hen.

'Ga zitten,' zei Pappy Raymond. 'Ik zou u iets te drinken willen aanbie-den, maar mijn vrouw is bij haar zus in Destin, dus er is niets in huis, be-halve een ovenschotel van een week oud en warm bier. Wat brengt u hier, inspecteur Hauck?'

'Uw zoon.'

'Mijn zoon?' Raymond pakte de afstandsbediening en zette de televi-sie uit. 'Mijn zoon is al een jaar overleden. Hij is overreden en de dader is doorgereden. Nooit opgelost. Ik had begrepen dat de zaak gesloten was.'

'Er is informatie binnengekomen,' zei Hauck, terwijl hij over een stapel kranten stapte, 'die nieuw licht op de zaak kan werpen.'

'Nieuw licht...' De oude man tuitte zijn lippen en deed alsof hij onder de indruk was. 'Lekker op tijd.'

Hauck staarde hem aan. Hij wees naar de muur. 'Dat is AJ, hè?'

'Dat is Abel.' Raymond knikte en zuchtte.

'Hij was verdediger in een American footballteam, toch?'

Raymond zei een poosje niets en vroeg toen: 'Luister, beste man. Ik weet dat u ver hebt gereisd om hier te komen en dat u mijn zoon op een of andere manier probeert te helpen...' Hij zweeg en keek Hauck met samengeknepen ogen aan. 'Maar waarom bent u hier nou eigenlijk echt?'

'Charles Friedman,' antwoordde Hauck. Hij pakte een stapel lokale sportpagina's van een krant van de stoel en ging tegenover Raymond zitten. 'Zegt die naam u iets?'

'Friedman. Nee. Nooit van gehoord.'

'Weet u het zeker?'

'Dat zei ik toch? Mijn rechterhand trilt een beetje, maar mijn hersens werken nog prima.'

Hauck glimlachte. 'Heeft AJ... Abel zijn naam ooit laten vallen?'

'Niet tegen mij. Niet dat we elkaar nog regelmatig spraken nadat hij twee jaar geleden naar het noorden was verhuisd. Ik weet niet of u het weet, maar ik heb dertig jaar in de haven gewerkt.'

'Dat heb ik inderdaad gehoord, meneer. Uw andere zoon vertelde dat toen hij AJ's spullen kwam halen.'

'Een zwaar leven.' Pappy Raymond zuchtte. 'Kijk, hier.' Hij pakte een foto van zichzelf waarop hij aan het stuur van een sleepboot stond en gaf hem aan Hauck. 'Toch kon ik er goed van leven. Abel kreeg wat ik nooit heb gehad, zoals enige scholing – niet dat hij er veel mee heeft gedaan. Hij besloot zijn eigen weg te gaan... We maken allemaal eigen keuzes, toch, inspecteur Hauck?' Hij zette de foto neer. 'Afijn, nee, ik geloof niet dat hij de naam Charles Friedman ooit heeft genoemd. Hoezo?'

'Hij had een connectie met AJ.'

'O ja?'

Hauck knikte. 'Charles Friedman was een hedgefondsmanager. Hij zou zijn omgekomen bij de bomaanslag vorig jaar april in het Grand Central in New York. Maar dat was niet het geval. Nadien is hij nog naar Greenwich gereden en heeft hij contact opgenomen met uw zoon.'

'Met Abel? Waarom?'

'Ik ben hier om dat uit te zoeken.'

De ogen van de vader vernauwden zich tot spleetjes, Hij was op zijn hoede, een blik die Hauck herkende. Hij lachte. 'Dat is toch ook wat: de ene dode neemt contact op met de andere.'

'Heeft AJ nooit gezegd dat hij ergens bij betrokken was voordat hij werd overreden? Drugs, gokken... misschien zelfs chantage?'

Raymond trok zijn voeten van de tafel en ging rechtop zitten. 'Nogmaals, ik weet dat u een lange reis hebt gemaakt, inspecteur, maar ik snap niet dat u zulke dingen over mijn jongen kunt beweren.'

'Dat was ook niet mijn bedoeling,' zei Hauck. 'Mijn excuses. Wat hij mogelijk allemaal heeft uitgevreten, interesseert me niet, tenzij het licht kan werpen op zijn moordenaar. Maar waar ik wel geïnteresseerd in ben is de vraag waarom een man die net een levensbedreigende situatie heeft meegemaakt en wiens leven totaal niet lijkt op dat van uw zoon naar Greenwich rijdt en contact opneemt met uw zoon.'

Pappy Raymond haalde zijn schouders op. 'Ik ben geen agent, maar ik neem aan dat jullie dat normaal gesproken aan hem zelf zouden vragen?'

'Kon dat maar,' zei Hauck. 'Maar hij is onvindbaar. Al ruim een jaar. Spoorloos verdwenen.'

'Dan zou ik me daarop concentreren. U verdoet uw tijd hier.'

Hauck gaf Pappy Raymond de foto terug en stond op.

'Denkt u dat die man Abel heeft vermoord?' vroeg Pappy. 'Die Charles Friedman? Dat hij hem heeft overreden?'

'Geen idee. Maar volgens mij weet hij wel wat er is gebeurd.'

'Het was een goede knul.' Raymond zuchtte diep. Er stond een glinstering in zijn lichtblauwe ogen. 'Koppig, deed alles op zijn eigen manier. Ik zou willen dat we meer tijd samen hadden kunnen doorbrengen.' Hij ademde in. 'Maar ik kan u dit vertellen: die jongen deed werkelijk geen vlieg kwaad, inspecteur. Het was niet nodig...' Hij schudde zijn hoofd. 'Het was niet nodig dat hij zo moest sterven.'

'Misschien is er nog iemand anders aan wie ik het kan vragen,' drong Hauck aan. 'Iemand die iets weet. Ik wil u graag helpen.'

'Míj helpen?'

'Om de moord op AJ op te lossen, meneer Raymond, want ik ben ervan overtuigd dat het om moord ging.'

De oude man grinnikte en een piepende lach ontsnapte aan hem. 'U lijkt me een beste kerel, inspecteur, en u bent van ver gekomen. Hoe was uw naam ook al weer?'

'Hauck.'

'Hauck.' Pappy zette de televisie weer aan. 'Gaat u maar terug, inspecteur Hauck. Terug naar waar u vandaan komt. Connecticut. Want wat voor "nieuw licht" u ook hebt gevonden, mij zal het verdomme niet helpen.'

37

PAPPY RAYMOND HIELD IETS ACHTER. Waarom zou hij Hauck anders zo wegsturen? Hauck wist ook dat de ouwe man niet snel zou praten.

Hij ging terug naar hotel Harbor Inn, dat uitzicht bood op de baai van Pensacola, en stapte onderweg een souvenirwinkel binnen om een T-shirt voor Jess te kopen met de tekst: PENSACOLA ROCKS. Hij pakte een Seminole-biertje uit de minibar, ging op het bed liggen en zette CNN op.

Er was iets gebeurd. Een explosie in een olieraffinaderij in Lagos in Nigeria. Meer dan honderd mensen waren omgekomen. De olieprijs was de hele dag blijven stijgen.

Hauck haalde het telefoonnummer van AJ Raymonds broer Pete tevoorschijn, die na het ongeluk naar Greenwich was gekomen om AJ's spullen op te halen.

Hauck belde hem. Pete zegde toe hem de volgende dag na zijn dienst in een bar te ontmoeten.

De Bow Line zat vlak bij de haven, waar Pete, die twee jaar eerder bij de kustwacht had gewerkt, net zoals zijn vader havenloods was.

'Het was alsof er iets in Pop was uitgeschakeld,' zei Pete, terwijl hij een flesje Budweiser dronk. 'AJ was dood. Niemand zou mijn vader ooit een teddybeer noemen, maar de ene dag wilde hij nog alles in het werk stellen om de dader te achterhalen en de volgende dag was het alsof het allemaal in het verleden lag. Het was zelfs verboden om erover te beginnen. Hij heeft zijn gevoelens nooit gedeeld.'

'Denk je dat hij schuldgevoelens had?'

'Schuldgevoelens?'

Hauck nam een slok bier. 'Ik heb in mijn leven heel wat mensen verhoord, Pete. Ik denk dat hij iets achterhoudt.'

'Over AJ?' Pete haalde zijn schouders op en duwde zijn haar terug onder een petje van de Jacksonville Jaguars. 'Er was iets gaande... Mensen die hem kenden vertelden me dat hij op een doofpotaffaire was gestuit. Schepen waarvan hij dacht dat ze hun vrachtbrieven vervalsten, een grote zaak waarbij de nationale veiligheid in het geding zou zijn. Hij zat er behoorlijk mee in zijn maag.

'Toen werd AJ aangereden. En dat was het einde. Het was over voor hem.' Hij knipte met zijn vingers. 'De lichten gingen uit. Wat het ook was, ik heb er nooit meer iets over gehoord. Het was alsof de hele zaak de volgende dag was begraven.'

'Ik wil niet te veel aandringen,' zei Hauck. 'Het enige wat ik wil is de moordenaar van je broer vinden, want ik ben ervan overtuigd dat hier sprake is van moord. Ken je misschien iemand die hier meer van weet?'

Pete dacht even na. 'Ik kan u een paar namen geven. Zijn oude maten. Maar ik snap eigenlijk niet dat u denkt dat het allemaal verband met elkaar houdt.'

Hauck gooide een paar biljetten op de bar. 'Het zou enorm helpen.'

'Dertig jaar...' Pete stond op en dronk zijn flesje leeg. 'Pop was als een god daar in die haven. Er gebeurde niets waar hij geen weet van had. En moet je hem nu zien. Hij was altijd al een harde man, maar ik zou hem nooit verbitterd hebben genoemd. Wat er met mijn broer is gebeurd heeft hem zwaar aangegrepen. Zwaarder dan ik had verwacht, als je bedenkt dat ze het nooit met elkaar eens waren toen AJ nog leefde.'

De volgende dag deed Hauck een ronde door de haven. Vroeg in de ochtend waren er een paar grote vrachtschepen binnengekomen. Reusachtige schragen en hydraulische liften maakten sissende geluiden terwijl ze de grote containers van de schepen laadden.

In het loodskantoor vond hij Mack Tyler, een zongebruinde sleepbootmaat met brede schouders. Hij was net terug van een scheepshelling.

Tyler was in eerste instantie een beetje op zijn hoede. De mensen namen elkaar daar in bescherming, en hier was een agent uit het noorden die allemaal vragen stelde. Het vereiste van Hauck een zekere finesse om hem aan het praten te krijgen.

'Ik weet nog dat ik op een dag met hem samen voer,' zei Tyler. Hij leunde tegen een muur en stak een sigaret op. 'Hij zou net aan boord gaan van een olietanker die we hadden binnengehaald. Pappy had het altijd over die schepen die hij eerder had gezien en die valse aangiften deden. Dat ze zo hoog in het water lagen dat ze onmogelijk vol konden zijn, zoals op de papieren stond. Volgens mij is hij zelfs een keer in het ruim van zo'n schip gaan kijken.

'Afijn,' – Tyler blies rook uit – 'die bewuste keer legden we de boot naast het schip stil. De loopplank was al uitgeschoven, en Pappy bereidde zich voor om aan boord te gaan. Toen ging zijn mobiele telefoon. Om vijf uur 's ochtends! Hij neemt op en ineens zakt hij door de knieën, zijn gezicht wordt bleek en flets – het leek wel alsof hij een hartaanval kreeg. We riepen een andere sloep op. Ik moest de oude man naar het ziekenhuis brengen. Maar hij wilde niet. Gewoon een paniekaanval, beweerde hij. Waarom, dat wilde hij niet zeggen. Een paniekaanval, dikke neus.'

'Weet u nog wanneer dat was?' vroeg Hauck.

'Ja, dat weet ik nog wel.' De grote zeeman blies nog een wolk rook uit. 'Het was niet lang na de dood van zijn zoon.'

Later sprak Hauck met Ray Dubose, een van de andere havenloodsen, bij een koffietentje vlak bij de marinewerf.

'Het werd steeds gekker,' zei Dubose, een grote man met grijs krulhaar die aan de kale plek op zijn hoofd krabde. 'Pappy bazuinde overal rond dat een of andere oliemaatschappij haar vracht vervalste. Dat die schepen veel te hoog in het water lagen. Dat hij die eerder had gezien. Dezelfde maatschappij. Hetzelfde logo, een walvis of een haai of zoiets. Dat weet ik niet meer.'

'Wat gebeurde er toen?'

'De havenmeester zei dat hij zich er niet mee moest bemoeien.' Dubose nam een slok koffie. 'Zo deden ze dat! Dat dit een zaak voor de douane was, niet voor ons. "We halen ze alleen binnen, Pappy." Hij zou het wel doorgeven. Maar Pappy bleef maar druk uitoefenen. Hij schopte stennis bij de mensen van de douane. Probeerde contact te zoeken met een verslaggever die hij uit een bar kende, alsof hij een zaak had ontmaskerd die de nationale veiligheid aanging en Pappy Bruce Willis was of zo.'

'Ga verder.'

Dubose haalde zijn schouders op. 'Iedereen zei dat hij zich er niet mee moest bemoeien, meer niet. Maar Pappy was niet een type om te luisteren. Koppige ouwe gek. Kent u dat type? Zo is hij geboren. Maar ik mis die ouwe wel. Vrij snel nadat zijn zoon daar om het leven kwam, hield hij het na dertig jaar voor gezien en ging met pensioen. Hij had het er heel moeilijk mee. Het vreemde is...' Dubose verfrommelde zijn koffiebeker en gooide hem in de vuilnisbak tegen de muur. 'Na de dood van zijn zoon heb ik hem nooit meer over die stomme tankers gehoord.'

Hauck bedankte hem en reed terug naar het hotel. De rest van de middag zat hij op het kleine balkon met uitzicht op de prachtige baai.

De oude man hield iets achter. Hauck wist het zeker. Hij had die gekwelde blik honderden malen eerder gezien. *Wat u ook hebt gevonden, het zal mij verdomme niet helpen...*

Het was mogelijk dat hij zijn jongste zoon alleen uit schuldgevoel had verdrongen. En wat er nadien was gebeurd.

Maar er kon ook meer spelen. Dat de aanrijding toch geen ongeluk was geweest. Dat ze om die reden de SUV die de getuigen hadden beschreven nooit hadden kunnen vinden. Waarom niemand hem had zien rijden. Misschien had iemand Pappy Raymonds zoon moedwillig gedood.

En Hauck wist zeker dat die tankers er iets mee te maken hadden.

Hij trok een blikje bier open en overwoog om Karen te bellen en te vragen of ze al iets had gevonden.

Maar steeds weer zag hij de harde blik in de ogen van de oude zeeman voor zich.

38

KAREN DOORZOCHT OPNIEUW AL CHARLIES spullen, zoals Hauck haar had gevraagd. Ze opende de dozen die ze in de kelder had opgestapeld en deed haar best om de aandacht van de kinderen te vermijden. Zware dossiers, opgeborgen in dozen die zijn secretaresse Heather had gestuurd, vergezeld van een briefje: JE WEET NOOIT WAT ER IN ZIT. MISSCHIEN WEL DINGEN DIE JE WILT BEWAREN. Brochures voor reizen die ze als gezin hadden gemaakt. Het vakantiehuis in Whistler dat ze elk jaar huurden. Brieven. Talloze brieven. Van alles over de Mustang, die Charlie haar in zijn testament had gevraagd niet te verkopen.

De inhoud van de dozen was eigenlijk de optelsom van hun gezamenlijke leven. Spullen die Karen nog nooit had doorzocht, omdat ze dat niet over haar hart kon verkrijgen. Maar er was niets wat hielp. Op een gegeven moment zat ze gefrustreerd met haar rug tegen de betonnen muur en vloekte in gedachten. Charlie, waarom heb je ons dit in hemelsnaam aangedaan?

Daarna doorzocht ze zijn computer, die nog steeds op zijn bureau stond. Voor de eerste keer sinds het ongeluk zette ze hem aan. Het voelde vreemd, bemoeizuchtig, alsof ze hem controleerde. Ze zou dit beslist nooit hebben gedaan als hij nog leefde. Charlie gebruikte nooit wachtwoorden. Ze kon meteen inloggen. Wat was er in vredesnaam te verbergen geweest?

Ze scrolde door zijn Word-documenten. Het waren voornamelijk brieven die hij vanuit huis had verstuurd – aan mensen in het bedrijfsleven, publicaties voor handelstijdschriften. Kladjes van toespraken die hij had gehouden. Ze logde in op zijn mailaccount. E-mails die hij had geschreven voordat hij verdween waren waarschijnlijk allang verwijderd.

Het voelde doelloos en verkeerd om zijn spullen te doorzoeken. Ze zat daar achter zijn bureau, in de rommelige werkkamer die er eigenlijk nog net zo uitzag als hij deze een jaar geleden had achtergelaten en waar hij de rekeningen betaalde, zijn publicaties in tijdschriften doorlas en zijn posities controleerde. Het bureau was nog steeds bezaaid met handelstijdschriften en -brochures.

Er was niets. Het was duidelijk dat hij niet gevonden wilde worden. Hij kon verdomme overal ter wereld zijn.

En Karen had eerlijk gezegd ook geen idee wat ze zou doen als ze hem zou vinden.

Ze nam contact op met Heather, die nu bij een klein advocatenkantoor werkte. En Linda Edelstein, die Karen nog af en toe als reisagent inschakelde. Ze vroeg hun allebei om na te gaan of Charlie misschien ongewone aankopen had gedaan (een flat misschien, hoe gek het ook klinkt, of een auto?) of een reis had geboekt in de weken voordat hij stierf. Ze draaide een onnozel verhaal in elkaar over dat ze in zijn kantoor iets had gevonden wat erop duidde dat hij een verrassingstripje aan het plannen was, voor hun trouwdag.

Hoe kon ze hun in vredesnaam vertellen wat er werkelijk in haar gedachten speelde?

Als een goede vriendin keek Linda in haar reiscomputer. 'Ik geloof van niet, Kar. Ik zou het nog weten. Het spijt me, lieverd. Ik heb niets voor je.'

Dit was krankzinnig. Karen zat ten einde raad tussen de spullen van haar man en werd kwaad. Ze wenste dat ze die documentaire nooit had bekeken. Het had alles veranderd. Waarom heb je ons dit aangedaan, Charlie? Wat heb je in vredesnaam gedaan? Vertel het me, Charlie!

Ze pakte een stapel losse papieren op en wilde die tegen de muur gooien. Maar toen viel haar blik op een memo van Harbor van een jaar geleden. Haar ogen gleden over de lijst met geadresseerden. Misschien wisten zij het? Ze zag daar een naam staan, een naam waaraan ze maanden niet meer had gedacht.

Samen met een stem. Een stem waarop ze nooit had gereageerd, maar die nu ineens in haar oren weerklonk, met dezelfde galmende boodschap: *Ik zou graag met u praten, mevrouw Friedman... Er zijn dingen die u moet weten.*

39

HET ADRES WAS MOUNTAIN VIEW Drive 3135, een heuvelachtige straat in Upper Montclair, New Jersey.

Karen vond het adres van Jonathan Lauer in een van Charlies dossiers. Ze controleerde of het adres nog klopte. Ze wilde hem niet bellen. Het was zaterdagmiddag.

Er zijn dingen die u moet weten...

Saul had gezegd dat het om persoonlijke dingen ging. Karen had nooit meer iets van hem gehoord. En het was niet zo dat ze Saul niet vertrouwde. Als ze toch elke steen omdraaiden, zoals Ty had gevraagd, kon ze het net zo goed rechtstreeks van Lauer horen. Ze had hem nooit teruggebeld. Het was heel lang geleden.

Maar ineens hadden de cryptische woorden van Charlies handelaar een belangrijkere betekenis gekregen.

Karen reed de oprit op. In de openstaande garage stond een wit minibusje geparkeerd. Het huis was modern, opgetrokken uit cederhout en glas, met aan de voorzijde een hoog raam dat doorliep tot aan de eerste verdieping. In de voortuin lag een kinderfiets naast een verplaatsbaar voetbaldoel. Het tegelpad naar de voordeur was omzoomd met groene bodembedekkers en buxussen.

Karen voelde zich na al die tijd een beetje zenuwachtig en opgelaten. Ze belde aan.

'Ik doe wel open, mama!'

Een jong meisje met vlechten, een jaar of vijf, zes oud, deed de deur open.

'Hallo.' Karen glimlachte. 'Is papa of mama thuis?'

Een vrouwenstem riep vanuit het huis: 'Lucy, wie is dat?'

Kathy Lauer liep naar de voordeur met een deegroller in de hand. Karen had haar een of twee keer eerder ontmoet, de eerste keer tijdens een kantoorborrel en later op Charlies begrafenis. Ze was klein en tenger met schouderlang donker haar en ze droeg een groen Nantucket-sweatshirt. Ze staarde Karen verrast aan.

'Ik weet niet of je nog weet wie ik ben...' begon Karen.

'Natuurlijk weet ik dat nog, mevrouw Friedman,' antwoordde Kathy Lauer, terwijl ze het gezicht van haar dochter tegen haar bovenbeen drukte.

'Zeg maar Karen,' antwoordde Karen. 'Sorry dat ik je lastigval. Je vraagt je vast af wat ik hier zomaar doe. Ik vroeg me af of je man misschien thuis was.'

Kathy Lauer keek haar een beetje bevreemd aan. 'Mijn man?'

Er viel een ongemakkelijke stilte.

Karen knikte. 'Jon heeft me een aantal keren gebeld, nadat Charlie...' Ze zweeg voordat ze het woord kon uitspreken. 'Ik voel me een beetje opgelaten omdat ik hem nooit heb teruggebeld. Ik had het toen zo druk met andere dingen. Het is lang geleden. Maar hij noemde een aantal dingen...'

'Een aantal dingen?' Kathy Lauer staarde haar aan. Karen kon haar reactie niet echt plaatsen: zenuwachtig of geërgerd. Kathy vroeg haar dochter of ze terug naar de keuken wilde gaan en zei dat ze zo zou komen om het koekjesdeeg met haar uit te rollen. Het meisje holde weg.

'Wat dingen over de zaak van mijn man,' legde Karen uit. 'Is hij toevallig thuis? Ik weet dat het een beetje vreemd is dat ik hier nu zomaar –'

'Jon is dood,' zei Kathy Lauer. 'Ik dacht dat je dat wist.'

'Dood?' Karen voelde dat haar hart ophield met kloppen en het bloed steeg naar haar wangen. Verstijfd schudde ze haar hoofd. 'Mijn hemel. Wat vreselijk... Nee...'

'Ongeveer een maand geleden,' zei zijn vrouw. 'Hij reed op zijn fiets de straat in, Mountain View. Een auto reed recht op hem af. Zomaar. Daarna is hij doorgereden. De automobilist is niet eens gestopt.'

40

DOCK 39 WAS EEN SMOEZELIGE bar in nautische stijl in de haven, niet ver van de marinewerf. Een eenvoudig Miller-bord flikkerde in het raamkozijn en boven de ingang, op de houten gevel, hing een gravure van de boeg van een schip. Vanaf de straat zag Hauck dat er een televisie aanstond. Een basketbalwedstrijd. Het was play-offtijd. Een menigte mensen had zich bij de bar verzameld.

Hauck stapte naar binnen.

Het was er donker, rokerig en volgepakt met mensen die rechtstreeks van de werven kwamen. Bij de bar volgde een luidruchtige groep de wedstrijd. The Pinstons tegen The Heat. De mensen hadden hun werkkleding nog aan en bliezen hier stoom af. Havenarbeiders en zeelui. Hier kwamen geen mensen die op kantoor werkten. Ray Dubose had Hauck verteld dat hij hem hier kon vinden.

Hauck maakte oogcontact met de barman en bestelde een pul Bass ale. Hij zag Pappy, die met een paar jongens bier zat te drinken aan het uiteinde van de bar. De oude man leek niet in de wedstrijd geïnteresseerd. Hij staarde voor zich uit en negeerde het plotselinge geschreeuw dat af en toe weerklonk of de stoot van de elleboog van zijn buurman als iemand een manoeuvre maakte. Op een gegeven moment draaide Pappy zich om en zag Hauck. Pappy's ogen vernauwden zich dreigend en hij klemde zijn kaken op elkaar. Hij pakte zijn flesje bier, stond op en maakte zich uit zijn vriendenclubje los.

Hij wurmde zich door de mensenmassa een weg naar Hauck. 'Ik heb gehoord dat u navraag over me hebt gedaan. Ik dacht dat ik u had gezegd terug te gaan naar waar u vandaan kwam.'

'Ik probeer een moord op te lossen,' zei Hauck tegen hem.

'Voor mij hoeft u geen moord op te lossen. Ik wil dat u me met rust laat en naar huis gaat.'

'Waar bent u op gestuit?' vroeg Hauck. 'Dat is de reden dat u niet met mij wilt praten, hè? Dat is de reden dat u ontslag hebt genomen – of onder druk werd gezet om dat te doen. Iemand heeft u bedreigd. U kunt niet blijven doen alsof het vanzelf wel verdwijnt. Het zal niet verdwijnen. Uw zoon is dood. Dat was de reden voor dat "ongeluk" in Greenwich, toch? De reden dat AJ werd vermoord.'

'Laat me verdomme met rust.' Pappy Raymond duwde Haucks arm weg. Hauck zag dat hij dronken was.

'Ik probeer de moord op uw zoon op te lossen, meneer Raymond. En dat zal me lukken ook, met of zonder uw hulp. Waarom maakt u het niet makkelijker voor uzelf en vertelt u mij gewoon wat u had ontdekt?'

Hoe meer Hauck zei, des te woedender werd de blik in Raymonds ogen. 'Bent u soms doof?' Hij sloeg met zijn bierpul tegen Haucks borst. 'Ik wil uw hulp niet. Ik heb geen hulp nodig. Ga weg van hier. Ga terug naar huis.'

Hauck pakte zijn arm vast. 'Ik ben niet uw vijand, meneer. Dat u zich laat verteren door de dood van uw zoon door helemaal niets te doen is dat wel. Die schepen maakten zich schuldig aan vervalsing. Ze waren leeg, hè? Er was een soort fraude aan de gang. Daarom is AJ vermoord. Het was geen ongeluk. Dat weet ik, en dat weet u. En ik trek me niet terug. Als u het me niet vertelt, doet een ander het wel. Desnoods zet ik een tent op in uw godvergeten voortuin, net zolang totdat ik het weet.'

Er weerklonk een schreeuw van de bar. 'Kom op, Pappy!' bulderde een van zijn maten naar hem. 'Wade heeft net een driepunter gescoord! We staan nog maar zes punten achter!'

'Ik zeg het nog één keer.' Pappy keek hem kwaad aan. Zijn blik brandde in Haucks ogen. 'Ga naar huis.'

'Nee.' Hauck schudde zijn hoofd. 'Dat doe ik niet.'

De oude man haalde uit met zijn arm en sloeg hem. Het was een lukrake klap – zijn vuist raakte de schouder van een man die vlakbij stond – maar wel eentje van een man die eraan gewend was klappen uit te delen. Hauck was er totaal door verrast en werd aan de zijkant van zijn gezicht geraakt. De bierpul viel uit zijn handen op de grond.

Mensen draaiden zich naar hen om. 'Wauw...!'

'Wat wilt u toch van me, meneertje?' Pappy greep Hauck bij de kraag vast. Weer bracht hij zijn vuist omhoog. 'Kunt u verdomme niet gewoon teruggaan naar waar u vandaan kwam en wat hier is gebeurd laten rusten? U wilt een held zijn, een misdrijf oplossen. Laat mijn gezin met rust.'

'Waarom beschermt u die mensen? Ze hebben wel uw zoon vermoord.'

Pappy's gezicht was maar enkele centimeters van dat van Hauck verwijderd. Er hing een walm van bier en blinde woede om hem heen. Weer hief hij zijn vuist.

'Waarom?' Hauck staarde hem aan. 'Waarom?'

'Omdat ik nog meer kinderen heb,' antwoordde Pappy en er stond angst in zijn ogen. Zijn vuist aarzelde. 'Begrijpt u dat niet? Zij hebben óók weer kinderen.'

Ineens verdween de woede uit de ogen van de oude man; wat er in zijn felle, sidderende ogen overbleef, was iets anders. Hulpeloosheid. De wanhoop van iemand die in de val zat en geen kant op kon.

'U hebt geen idee.' Pappy keek hem dreigend aan, terwijl hij zijn vuist liet zakken en Haucks kraag losliet. 'U hebt echt geen idee...'

'Dat heb ik wel.' Hauck keek de oude man recht aan. 'Ik weet precies hoe het is. Ik heb ook een kind verloren.'

Hauck drukte iets in Pappy's hand, terwijl een paar van zijn vrienden hem wegtrokken en zeiden dat de oude man iets te veel had gedronken. Ze boden Hauck een nieuwe pul bier aan.

Ze sleepten Pappy terug naar de bar, waar hij ging zitten met een gezicht dat was doortrokken van alcohol en onsamenhangendheid, te midden van het geschreeuw en de rook.

Mistroostig keek Pappy naar wat Hauck hem in zijn hand had gedrukt. Zijn ogen werden groot. Daarna keek hij weer naar Hauck.

Alstublieft, zei zijn gezichtsuitdrukking, en dit keer wanhopig. Gaat u alstublieft weg.

41

'MAM?'

Samantha klopte op de slaapkamerdeur.

Karen draaide zich om. 'Ja, schat.'

Karen lag op bed met de televisie aan. Ze wist niet eens waarnaar ze keek. De hele rit terug naar Greenwich had het door haar hoofd gespeeld: Jonathan was dood. Aangereden door een auto die van de heuvel reed terwijl hij terug naar huis fietste. Charlies handelaar had geprobeerd haar iets te vertellen. Hij had een gezin, twee jonge kinderen. En Jonathan was op dezelfde manier aan zijn einde gekomen als die jongen die een briefje met Charlies naam in zijn jaszak had en in Greenwich was gestorven op de dag dat Charlie verdween. Hit-and-run. Als ze niet had besloten hem te bezoeken, had ze het nooit geweten.

Samantha ging naast haar zitten. 'Mam, wat is er aan de hand?'

Karen zette de televisie zachter. 'Hoe bedoel je?'

'Mam, alsjeblieft. We zijn niet gek. Je bent al ruim een week jezelf niet meer. Het is overduidelijk dat je geen griep hebt. Er is iets aan de hand. Is alles goed?'

'Natuurlijk is alles goed, lieverd.' Karen wist dat haar gezicht iets totaal anders uitdrukte. Hoe kon ze haar dochter het nieuws in vredesnaam vertellen?

Sam staarde haar aan. 'Ik geloof je niet. Kijk jezelf nou. De afgelopen dagen ben je nauwelijks het huis uit geweest. Je hebt niet gewerkt en bent niet naar yoga gegaan. Bovendien zie je lijkbleek. Je kunt geen dingen voor ons verborgen houden die belangrijk zijn. Je bent toch niet ziek, hè?'

'Nee, schatje.' Karen pakte haar dochters hand vast. 'Ik ben niet ziek, erewoord.'

'Wat is het dan?'

Wat kon ze zeggen? Dat er dingen op hun plaats vielen die haar echt angst aanjoegen? Dat ze Charlies gezicht had gezien nadat hij zogenaamd was omgekomen? Dat ze valse paspoorten en geld had gevonden? Dat hij misschien iets strafbaars had gedaan? Dat twee mensen die licht op de zaak hadden kunnen werpen dood waren? Hoe confronteer je je kinderen met de waarheid dat hun vader hen op zo'n monsterlijke manier had misleid, vroeg Karen zich af. Hoe laat je zo veel verdriet en pijn los op iemand van wie je zoveel houdt?

'Zwanger, misschien?' drong Sam met een schaapachtige grijns aan.

'Nee, schat,' – Karen glimlachte terug – 'ik ben niet zwanger.' Er vormde zich een traan in haar oog.

'Ben je verdrietig omdat ik voor mijn studie ergens anders ga wonen? Want als dat het is, ga ik niet. Ik kan ook hier in de buurt studeren, zodat ik bij jou en Alex kan blijven...'

'O, Samantha.' Karen trok haar dochter naar zich toe en omhelsde haar. 'Dat zou ik echt nooit van je vragen. Ik ben zo trots op je, schat. Hoe je met dit alles bent omgegaan. Ik weet hoe moeilijk je het hebt gehad. Ik ben trots op jullie allebei. Jullie hebben je eigen leven. Wat er met je vader is gebeurd, verandert daar niets aan.'

'Maar wat is het dán, mam?' Sam trok haar knie op. 'Ik zag die rechercheur hier laatst. Die uit Greenwich. Jullie stonden buiten in de regen. Alsjeblieft, je kunt het me wel vertellen. Je wilde altijd dat ik eerlijk was. Nu is het jouw beurt.'

'Ik weet het,' zei Karen. Ze veegde een paar haren uit Sams ogen. 'Dat heb ik altijd van je gevraagd, en jij hebt je eraan gehouden, hè?'

'Meestal wel.' Samantha haalde haar schouders op. 'Ik heb een paar dingen achtergehouden.'

'Meestal wel...' Karen glimlachte weer en keek in de ogen van haar dochter. 'Meer kon ik ook niet van je vragen, toch schat?'

Samantha glimlachte terug.

'Ik weet dat het mijn beurt is, Sam. Maar ik kan het je echt niet vertellen, lieverd. Nog niet. Het spijt me. Er zijn dingen –'

'Het heeft met papa te maken, hè? Ik zag dat je zijn spullen doorzocht.'

'Sam, alsjeblieft. Je moet me vertrouwen. Ik kan niet –'

'Hij hield van je, mam.' Samantha's ogen glansden. 'Van ons allemaal. Ik hoop dat ik in mijn leven ook het geluk zal hebben om iemand te vinden die op zo'n manier van me houdt.'

'Ja, schatje.' Karen hield haar stevig vast. De tranen stroomden over haar wangen terwijl ze elkaar omhelsden. 'Ik weet het, schatje. Ik weet...'

Midden in haar zin stokte ze. Ze dacht ineens aan iets verontrustends.

Lauers vrouw had gezegd dat Lauer zou getuigen in de week dat hij omkwam. Saul Lennick had dat geweten. Laat mij het maar afhandelen, Karen... Hij had haar nooit iets gezegd.

Plotseling vroeg Karen zich af of hij er inderdaad vanaf wist.

Wist hij dat Charlie nog leefde?

'Ja, schat...' Karen streek nog steeds over haar dochters haar. 'Ik hoop met heel mijn hart dat dat ooit zal gebeuren.'

42

SAUL LENNICK STOND OP DE Charles Brug in Praag te wachten en keek uit over de Vltava.

Op de brug krioelde het van de toeristen en middagwandelaars. Kunstenaars zaten voor hun ezels en legden het uitzicht vast. Violisten speelden Dvořák en Smetana. De lente had een feestelijke stemming in de stad gebracht. Hij keek omhoog naar de gotische torenspitsen van de St.-Vitus en Kasteel Praag. Dit was een van zijn lievelingsuitzichten.

Drie zakelijk geklede mannen stapten op de overspanning vanuit ingang Linhart Ulice en bleven onder de oostelijke toren staan.

De rossige, in een overjas met een bruine vilten hoed, een hoornen bril en een rood, vrolijk gezicht liep op hem af. In zijn hand had hij een metalen koffertje. De andere twee bleven enkele passen achter hem wachten.

Lennick kende hem goed.

Johann-Pieter Fichte was een Duitser. Hij had gewerkt op de afdeling Private Banking van Credit Suisse en de Bundesbank. Fichte was gepromoveerd in de Economische Wetenschappen aan de universiteit van Bazel. Nu was hij private banker in de hoogste financiële kringen.

Hij vertegenwoordigde een aantal van de meest onfrisse personen ter wereld.

De bankier stond in het wereldje bekend als een geldsjacheraar. Hij was bijzonder vaardig in het verplaatsen van aanzienlijke activa van de ene kant van de wereld naar de andere, in welke vorm dan ook: contanten, diamanten, wapens – zelfs zo nu en dan drugs – totdat ze in compleet andere valuta weer tevoorschijn kwamen als zuivere fondsen waarin prima te beleggen was. Hij deed dit via een netwerk van valutahandelaren en lege vennootschappen, een ingewikkeld labyrint van relaties, zowel in de onderwereld als in directiekamers over de hele wereld. Onder Fichtes minder zichtbare cliënten bevonden zich Irakese geestelijken en Afghaanse krijgsheren die Amerikaanse wederopbouwfondsen plunderden; een Kazachstaanse olieminister, een neef van de president, die een tiende van de overheidsreserves in eigen zak had gestoken; Russische oligarchen, die voornamelijk in drugs en prostitutie handelden; zelfs de Colombiaanse drugskartels.

Fichte wuifde en baande zich een weg door de menigte. Zijn twee metgezellen – bodyguards, naar Lennick aannam – bleven een paar passen achter hem.

'Saul!' riep Fichte, terwijl hij Lennick met een brede glimlach omhelsde en zijn koffer aan Lennicks voeten zette. 'Het is altijd weer een genoegen je te zien, vriend. Fijn dat je hier helemaal naartoe bent gekomen.'

'Dat is de prijs die je als dienstverlener betaalt.' Lennick grijnsde en schudde de bankier de hand.

'Ja, we zijn gewoon de duurbetaalde boodschappenjongens en accountants van de rijken der aarde' – de bankier haalde zijn schouders op – 'op elk gewenst moment beschikbaar. Hoe gaat het met je fantastische vrouw? En je dochter? Nog steeds in Boston zeker? Mooie stad.'

'Allemaal prima, Johann. Bedankt voor je belangstelling. Zullen we ter zake komen?'

'Ah, zaken.' Fichte zuchtte en draaide zijn gezicht naar de rivier. 'De Amerikaanse manier... Zijne Excellentie generaal-majoor Mubuto doet je de hartelijke groeten.'

'Wat een eer,' loog Lennick. 'Doe hem de hartelijke groeten terug.'

'Natuurlijk.' De Duitse bankier toverde een glimlach op zijn gezicht. Hij staarde voor zich uit, alsof hij naar een vogel keek die ver weg op de Vltava was geland, en legde met zachte stem uit: 'De fondsen waarover we het hadden, komen in de vorm van vier gescheiden leveringen. De eerste staat al op een rekening van Zürich Bank, klaar om op jouw aanwijzing te worden overgeboekt naar waar ook ter wereld. De tweede staat momenteel vast op de Baltic Bank in Estland in de vorm van een liefdadigheidsfonds voor sponsoring van graantransporten van de VN naar arme volkeren in Oost-Afrika.'

Lennick glimlachte. Fichte had altijd een gecultiveerd gevoel voor ironie gehad.

'Ik dacht wel dat je dat kon waarderen. De derde levering is momenteel nog in non-cashvorm. Militaire uitrusting. Een deel voor jezelf, heb ik me laten vertellen. Die zal het land binnen een week verlaten. De generaal houdt sterk vast aan de timing.'

'Waarom zo'n haast?'

'Gezien de status van de Ethiopische militaire opbouw aan de grens met Soedan is het denkbaar dat Zijne Excellentie en zijn gezin gedwongen worden om het land op vrij korte termijn te verlaten.' Hij knipoogde.

'Ik zal ervoor zorgen dat de fondsen niet al te lang dood kapitaal blijven,' beloofde Lennick met een glimlach.

'Dat wordt beslist gewaardeerd.' De Duitser maakte een buiging. Daarna werd zijn stem weer zakelijk. 'Zoals besproken zal elk van de leveringen een waarde hebben van tweehonderdvijftig miljoen euro.'

Ruim één miljard dollar. Zelfs Lennick verwonderde zich erover. Hij vroeg zich af hoeveel koppen er hadden moeten rollen en hoeveel duizenden fortuinen er waren weggevaagd om zo'n som bij elkaar te krijgen.

De bankier zei: 'De algemene overeenkomst hadden we al doorgenomen, volgens mij.'

'De productenmix is goed gespreid en indien nodig volledig transparant,' antwoordde Lennick. 'Een combinatie van Amerikaans en wereldwijd aandelenvermogen, vastgoedbeleggingsfondsen, hedgefondsen. Twintig procent zal worden vastgehouden in ons private equityfonds. Zoals je weet hebben we de afgelopen jaren gemiddeld een winst van tweeëntwintigenhalf procent op onze portfolio behaald, afgezien van onvoorziene fluctuaties, natuurlijk.'

'Fluctuaties...' De Duitser knikte en de warmte in zijn blauwe ogen was ineens verdwenen. 'Je doelt zeker op dat energiehedgefonds dat vorig jaar over de kop ging? Ik hoop dat het niet nodig is om nogmaals te benadrukken dat mijn cliënt niet erg blij is met die ontwikkeling, Saul.'

'Zoals gezegd' – Lennick slikte een brok in zijn keel weg en probeerde het gesprek in een andere richting te sturen – 'een onvoorziene fluctuatie, Johann. Het zal niet meer gebeuren.'

Lennick had met de hoeveelheid kapitaal die vandaag de dag in de wereld beschikbaar was, geleerd om in elke denkbare marktomgeving geld te verdienen. Zowel in tijden van economische groei als van stagnatie. Goede markten of slechte. Zelfs na terroristische aanslagen. Paniek zoals na 11 september zou zich nooit meer herhalen. Hij had miljarden geïnvesteerd aan alle kanten van de economische hefboom, onontvankelijk voor de grillen van wie er ook verloor of won. Tegenwoordig waren geopolitieke trends en wijzingen slechts kleine probleempjes in de wereldwijde kapitaaltransfer. Ja, er waren altijd lieden zoals Charlie, die koppig inzetten op de prijs van olie en niet in staat waren op tijd te dekken. Maar daarachter hoefde je alleen maar te kijken naar de grote investeringsfondsen van Saoedi-Arabië en Koeweit, de grootste olieproducenten ter wereld, die hun risico's spreiden door alle ethanol producerende suikerrietvelden ter wereld op te kopen.

Het was de grootste kapitaalvergrotende motor van de wereld.

'Heb je er geen moeite mee, vriend?' vroeg de Duitse bankier ineens. 'Je bent toch joods? En je weet dat dit geld uiteindelijk zijn weg vindt naar belanghebbenden die onvriendelijk tegenover je eigen volk staan.'

'Ja, ik ben joods.' Lennick keek hem aan en haalde zijn schouders op. 'Maar ik heb lang geleden geleerd dat geld neutraal is, Johann.'

'Ja, geld is neutraal,' beaamde Fichte. 'Maar het geduld van mijn cliënt niet.' Zijn gezichtsuitdrukking werd weer scherp. 'Dit soort mensen verliest niet graag ruim een half miljard dollar van hun fondsen, Saul. Ze vroegen me je eraan te herinneren dat je in Boston een dochter met kinderen hebt. Dat klopt toch?' Hij keek Lennick recht in de ogen. 'Zijn ze niet twee en vier?'

Het bloed trok uit Lennicks gezicht weg.

'Ze vroegen me te informeren naar hun algemene gezondheid, Saul. Ik hoop dat het goed met hen gaat. Gewoon een gedachte van mijn eigen werkgevers, zodat je niet stil blijft zitten. Toch...' De glimlach keerde terug en Fichte gaf hem een vriendelijk tikje op zijn arm, 'wel een stimulans om die – hoe noemde je ze ook al weer? – "fluctuaties" tot een minimum te beperken, of niet?'

Een koude druppel zweet gleed over Lennicks rug onder zijn gestreepte Brioni-overhemd dat zeshonderd dollar had gekost.

'Dat mannetje van je heeft een aanzienlijke som geld van ons verloren,' zei Fichte. 'Het zou je niet moeten verbazen, Saul. Je weet met wie je hier van doen hebt. Niemand staat boven verantwoordelijkheid, mijn vriend, zelfs jij niet.'

Fichte zette zijn hoed weer op.

Lennick voelde een benauwdheid op zijn borst. Zijn handpalmen, die ineens nat waren van het zweet, klemden zich om de brugleuning. Hij knikte. 'Je had het over vier leveringen, Johann. Tweehonderdvijftig miljoen euro per stuk. Je hebt er nog maar drie genoemd.'

'Ah, de vierde...' De Duitse bankier glimlachte en klopte Lennick kordaat op de rug. Hij keek naar de metalen koffer aan zijn voeten.

'De vierde geef ik je vandaag, Herr Lennick. In obligaties aan toonder. Mijn mannen escorteren je met alle genoegen naar waar je die ook wilt plaatsen.'

43

DE VOLGENDE OCHTEND WAS DE rode plek op Haucks gezicht al een beetje minder zichtbaar. Hij had zijn tassen gepakt, klaar om over enkele minuten uit te checken. Het was niet nodig om de oude man nog langer onder druk te zetten. Er waren andere manieren om te achterhalen wat hij wilde weten. Hij blikte op zijn horloge. Om tien uur vertrok zijn vlucht.

Toen hij de deur opentrok om te vertrekken trof hij Pappy Raymond aan. Hij stond buiten tegen de reling geleund. Het gezicht van de oude man zag er afgetobd uit, zijn ogen waren bloeddoorlopen en vertrokken. Hij zag eruit alsof hij de nacht opgekruld in een steegje had doorgebracht.

'Hoe gaat het met uw oog?' Hij keek naar Hauck. In zijn toon lag iets van verontschuldiging.

'Gaat wel.' Hauck haalde zijn schouders op en wreef over de zijkant van zijn gezicht. 'Dat bier vond ik minder leuk.'

'Ja.' Pappy glimlachte schaapachtig. 'U hebt er een van mij te goed.' Achter zijn half dichtgeknepen ogen was het blauw van zijn ogen zichtbaar. 'Gaat u naar huis?'

'Om een of andere reden heb ik het gevoel dat u dat niet erg vindt.'

'Hmm,' snoof Pappy. 'Hoe heb ik u dat idee gegeven?'

Hauck wachtte. Hij zette zijn tassen neer.

'Ik ben mijn hele leven een idioot geweest,' zei Pappy uiteindelijk. Hij duwde zich van de reling weg. 'Zo koppig als een ezel. Het probleem is dat je daar pas achter komt als je ouder wordt. En dan is het te laat.'

Uit de zak van zijn overall haalde hij het Orange Bowl-kaartje tevoorschijn dat Hauck hem de avond ervoor in de hand had gedrukt. Hij tuitte zijn lippen. 'We hadden de hele dag gereden om die wedstrijd te zien. Voor mijn zoon was het net zoiets als de Superbowl. Hij is altijd fan geweest van de Seminoles.' Hij krabde aan zijn hoofd en had ineens een scherpe blik. 'Ik moet u eigenlijk bedanken. Ik herinner me dat u gisteren zei...'

'Mijn dochtertje was vier.' Hauck keek hem aan. 'Ze is door onze auto overreden, op onze eigen oprit. Vijf jaar geleden. Ik had gereden. Ik dacht dat ik de auto in de parkeerstand had gezet. Toen het verdriet eindelijk iets afnam raakte ik verbitterd. Mijn ex-vrouw kan me nog steeds niet in de ogen kijken zonder het allemaal opnieuw voor zich te zien. Dus ik weet hoe het is... Dat is het enige wat ik wilde zeggen.'

'Het gaat nooit weg, hè?' Raymond verschoof zijn gewicht tegen de reling.

Hauck schudde zijn hoofd. 'Nooit.'

Raymond zuchtte. 'Ik heb die rottige tankers drie, vier keer zien binnenkomen. Vanuit Venezuela, de Filipijnen, Trinidad. Twee keer heb ik de schepen zelf binnengehaald. Zelfs een idioot kon zien dat die schepen te hoog in het water lagen. Er zat geen druppel olie in. Ik ben zelfs eens aan boord geslopen om het met eigen ogen te zien.' Hij schudde zijn hoofd. 'Zo schoon als de billetjes van een baby. Het is niet juist waar ze mee bezig waren...'

Hauck vroeg: 'Hebt u uw baas ingelicht?'

'Mijn baas, de havenmeester, de mensen van de douane... Geen belasting op olie, dus wat kon het ze schelen? Het was niet duidelijk wie er werd betaald. Ik kreeg steeds te horen: "We halen ze alleen maar binnen en parkeren ze, ouwe. Hits de boel niet op." Maar ik bleef de boel ophitsen. En toen kreeg ik een telefoontje.'

'Om u te overreden ermee op te houden?'

Pappy knikte. '"Geen golven maken, vriend. Je weet nooit waar ze neerslaan."' Uiteindelijk kreeg ik ook bezoek.'

'Weet u nog van wie?'

'Hij sprak me buiten voor de bar aan, net zoals u. Een brede kaak, donker haar, een snor. Het type klootzak van wie je weet dat hij niets goeds in de zin heeft. Hij begon over mijn zoon die in het noorden woonde. Hij liet me zelfs een foto zien. AJ en een meisje met een kind. Ik wist wat hij me wilde vertellen. En toch zette ik door. Ik belde een verslaggever die ik kende, beloofde dat ik bewijs zou leveren. Toen ben ik aan boord geklommen. Een week later stuurden ze me dít.'

Pappy graaide in de zijzak van zijn broek, een marineblauwe werkbroek die hij altijd op zijn werk had gedragen, en haalde er een mobiele telefoon uit tevoorschijn. Hij zocht naar een bewaard bericht en gaf het toestel aan Hauck.

Een foto. Hauck zuchtte diep. Op de weg lag AJ Raymond.

Pappy wees. 'Ziet u wat ze erbij hebben gemeld?'

Genoeg gezien?

Woede en besef drukten op Haucks borst. 'Wie heeft u dit gestuurd?'

Pappy schudde zijn hoofd. 'Nooit geweten.'

'Bent u ermee naar de politie gestapt?'

Weer schudde hij zijn hoofd. 'Zij hadden gewonnen. Nee.'

'Ik wil deze foto graag naar mijn eigen mobiel doorsturen. Vindt u dat goed?'

'Ga uw gang. Ik sta niet langer langs de zijlijn. Het is nu aan u.'

Hauck stuurde de foto naar zichzelf door en voelde zijn eigen mobieltje vibreren.

'Het was een goede knul, die zoon van mij.' Pappy keek Hauck recht in de ogen. 'Hij hield van surfen en vissen. Auto's. Hij deed geen vlieg kwaad. Hij verdiende het niet om zo te sterven...'

Hauck gaf Pappy zijn telefoon terug. Hij ging naast de oude man bij de reling staan. 'Die mensen hebben uw zoon dat aangedaan, niet u. U probeerde te doen wat u dacht dat juist was.'

Pappy staarde hem aan. 'Waarom doet u dit allemaal? U hebt me nooit een politiepenning laten zien. U doet het niet alleen voor AJ.'

'Mijn dochter,' zei Hauck, terwijl hij zijn schouders ophaalde, 'had ook rood haar.'

'Dus we zijn hetzelfde.' Pappy glimlachte. 'Of zoiets. Ik zat fout, inspecteur, zoals ik u behandelde. Ik was bezorgd over Pete en mijn andere zoon, Walker. Hun gezin. Als ik dit allemaal weer zou oprakelen. Grijp die klootzakken die mijn zoon hebben vermoord. Ik weet niet waarom ze het hebben gedaan. Ik weet niet wat ze daarmee geheim wilden houden. Maar wat het ook was, het was het niet waard. Pak ze, begrepen? Waar dit ook toe mag leiden. En als u ze te pakken hebt' – hij knipoogde, er lag een glinstering in zijn oog – 'zet u hen niet achter de tralies, begrepen?'

Hauck glimlachte. Hij kneep de man in zijn arm. 'Hoe heette hij?'

Pappy trok zijn ogen tot spleetjes. 'Wie?'

'Die tanker,' vroeg Hauck.

'Een of andere Griekse naam.' Pappy snoof. 'Ik heb hem opgezocht. Godin van de onderwereld. Persephone.'

44

ALS HET OM GELD GING kon Vito Collucci alles vinden. Als forensisch accountant speurde hij verborgen assets op voor wraakzuchtige exen van overspelige echtgenoten. Of de verborgen winst van grote bedrijven die processen probeerden af te wenden. Voordat hij zich als accountant vestigde, had hij vijftien jaar als rechercheur bij de politie van Stamford gewerkt en daar kende Hauck hem van.

Vito Collucci kon zelfs een slecht zaadje in een spermabank vinden, zei hij altijd.

'Vito, ik wil je om een gunst vragen,' zei Hauck in zijn telefoon, terwijl hij naar de luchthaven reed voor zijn vlucht vanuit Pensacola.

Tegenwoordig stond Vito aan het hoofd van een groot bedrijf. Hij was regelmatig als 'gastdeskundige' bij MSNBC te zien, maar was nooit vergeten dat Hauck hem zaken had toegewezen toen hij pas begon.

'Wanneer?' vroeg hij. Als Hauck belde ging het meestal om informatie die lastig te vinden was.

'Vandaag,' antwoordde Hauck. 'Eventueel morgen, als het echt niet anders kan.'

'Vandaag is prima.'

Hauck landde om twee uur en reed met zijn Bronco bij La Guardia weg. Terwijl hij Greenwich passeerde en doorreed naar Stamford, het bureau anderhalve kilometer verderop, dacht hij eraan dat hij steeds nauwer bij iets betrokken raakte en dat hij zich steeds meer op verboden terrein bevond, meer dan hem lief was. Hij overwoog om Karen Friedman te bellen, maar besloot toch te wachten. Hij had een sms'je ontvangen.

GEBRUIKELIJKE PLEK. Van Vito. Drie uur was prima.

De gebruikelijke plek was Stamford Restaurant & Pizzeria, een eenvoudig agententrefpunt aan Main Street, voorbij het centrum, vlak bij de grens met Darien.

Vito was er al. Hij zat aan een van de lange tafels met geblokte tafelkleden. Hij was klein en rond, met dikke worstelaararmen en springerig grijzend haar. Voor hem op tafel stonden een bord met ziti met saus en een schaaltje andijvie en cannellinibonen.

'Normaal gesproken zou ik flink uitpakken met mijn bestelling,' zei hij toen Hauck binnenkwam, 'maar je hebt geluk: Ellie heeft me op een cholesterolverlagend dieet gezet.'

'Dat zie ik.' Hauck grijnsde en ging zitten. Hij bestelde hetzelfde. 'Hoe gaat het met je?'

'Goed,' zei Vito. 'Druk.'

'Op televisie lijk je slanker.'

'En jij wordt maar niet ouder,' zei Vito. 'Behalve dat blauwe oog dan. Je moet toch eens beseffen, Ty, dat je worstelpartijen met jongelui niet meer kunt winnen.'

'Ik zal eraan denken.'

Vito had een bruine envelop naast zich op tafel liggen. Hij schoof hem naar Hauck. 'Kijk maar even. Ik zal je laten weten wat ik heb gevonden.'

Hauck bestudeerde de inhoud.

'Het schip was niet zo moeilijk. Ik heb het op internet opgezocht. Persephone, toch?' Vito prikte een paar ziti aan zijn vork. 'Een supertanker uit de ULCC-klasse. In 1978 in Duitsland gebouwd. Nu behoorlijk verouderd. Wat ben je van plan, Ty? Wil je iets zeewaardigers kopen?'

'Zou het leuk doen in de baai.' Hauck knikte. 'Alleen een beetje lastig af te meren.' Hij bekeek een kopie van een pagina uit het nautische handboek met een afbeelding van het schip. Tweeënzestigduizend ton.

'Het is door de jaren heen een aantal keren doorverkocht,' ging Vito verder. 'De laatste keer aan een of ander Grieks bedrijf: Argos Maritime. Zegt dat je iets?'

Hauck schudde zijn hoofd.

'Dat dacht ik al. Dus ik heb verder gezocht. Ik deed me voor als assistent bij een advocatenkantoor en zei dat ik onderzoek deed naar een claim. De afgelopen vier jaar is deze schroothoop verhuurd aan een aardolieonderzoekend bedrijf waarover ik nergens iets kan vinden. Dolphin Oil.'

Hauck krabde aan zijn hoofd. 'Wie is Dolphin Oil?'

'Ik zou het echt niet weten.' Vito haalde zijn schouders op. 'Geloof me, ik heb het nagetrokken. Ze staan niet in de database van Dun & Bradstreet. Vervolgens heb ik een handelslijst van petroleum onderzoekende en ontwikkelende bedrijven doorgenomen, maar ook daarop vond ik niets. Als Dolphin een speler op de olie- en gasmarkt is, houden ze het erg verborgen.'

'Is het wel een echt bedrijf?'

'Precies wat ik dacht,' zei Vito en hij duwde zijn bord weg. 'Dus ben ik verder gaan graven. Ik vond een adresboek van buitenlandse bedrijven. In Europa of Azië zijn ze niet bekend. Ik dacht: hoe kan een bedrijf dat nergens in de industrie bekend is nou een supertanker huren? Raad eens wat er boven tafel kwam? Sla de pagina maar om.'

Dat deed Hauck.

Vito grijnsde breed. 'Even buiten Tortola, op de Britse Virgineilanden... Kijk eens aan: Dolphin Oil!'

'In Tortola?'

Vito knikte. 'Er worden daar tegenwoordig veel bedrijven opgezet. De mini-Caymaneilanden. Zo wordt de belasting ontdoken, en publieke fondsen ontsnappen aan het oog van de Amerikaanse overheid en de toezichthouder. Voor zover ik weet, en ik ben er nog maar een paar uur mee bezig, is Dolphin alleen maar een holdingcompany. Geen inkomsten of winst van enige soort. Geen transacties. Een lege huls. Het management bestaat uit een groep extravagante juristen. Kijk maar eens naar het bestuur: iedereen heeft een bv achter zijn naam. Voor zover ik weet is het volledig in handen van een investeringsmaatschappij die daar ook gevestigd is. Falcon Partners.'

'Falcon... nooit van gehoord.' Hauck schudde zijn hoofd.

'Dat is ook de bedoeling, Ty. Daarom bevindt de maatschappij zich daar! Het is een soort van private investment-partnerschap. Tenminste, dat wás het. Het fonds is opgeheven, en de assets zijn eerder dit jaar weer teruggegeven aan de commanditaire vennootschapspartners. Het heeft even geduurd voordat ik erachter was waarom. Ik heb naar een lijst van de partners gezocht, maar het is helemaal besloten – potdicht. Wie het ook zijn, het geld is waarschijnlijk al lang weer terug waar het vandaan kwam.'

Hauck bestudeerde het minieme uittreksel van Falcon Partners. Hij voelde aan zijn water dat hij op het goede spoor was.

De eigenaar van Dolphin was betrokken geweest bij een of andere doofpotaffaire. Ze hadden lege tankers gebruikt, maar verklaard dat ze gevuld waren met olie. Pappy had de fraude ontdekt en ze hadden geprobeerd hem de mond te snoeren. Maar wat ze ook geheim wilden houden, Pappy was niet het type dat zich stilhield en uiteindelijk had het hem het leven van zijn zoon gekost. Genoeg gezien: Dolphin leidde naar Falcon.

Hauck voelde dat de haren op zijn armen overeind gingen staan. 'Hoe komen we in vredesnaam bij Falcon, Vito?'

Vito staarde hem aan. 'Wat is hier het punt, Ty?'

'Het punt?'

Vito haalde zijn schouders op. 'Ik ken je al zo lang, maar dit is de eerste keer dat je geen open kaart speelt. Mijn spionnen vertellen me dat je met verlof bent.'

'Hebben je spionnen misschien ook verteld waarom?'

'Iets persoonlijks, meer niet. Een of andere zaak die je bezighoudt.'

'Het gaat om moord, Vito, en dan maakt het niet uit voor wie ik werk. En als dit allemaal zo persoonlijk was' – Hauck keek hem aan en er verscheen een glimlach om zijn mond – 'dan had ik Match.com gebeld, niet jou.'

Vito grijnsde. 'Ik waarschuw een oude vriend alleen om binnen de grenzen te blijven, meer niet.'

De privédetective haalde een opgevouwen papiertje uit zijn jaszak en schoof het over de tafel. 'Wie Falcon ook is, Ty, ze wilden het geheim houden. Het bestuur bestaat uit dezelfde juridische functionarissen als die van Dolphin.'

Hauck bekeek het vel papier.

'Nog een ding,' voegde Vito eraan toe. 'Ik zei dat Falcon uit een groep bv's bestond die geheim wilden blijven. Maar de general manager staat wel geregistreerd. In de investeringsovereenkomst. Hij beheert de fondsen.'

Hauck draaide het vel om. Er stond een naam op die door Vito met een gele stift was gemarkeerd.

Toen Haucks blik erop viel zonk zijn hart een beetje; het maakte geen sprongetje zoals hij eigenlijk had verwacht. Hij wist waar dit toe zou leiden.

Harbor Capital. De general partner.

Harbor was de firma van Karen Friedmans echtgenoot.

'Was dat waar je naar zocht?' vroeg Vito, terwijl hij naar Hauck keek die bij de pagina bleef hangen.

'Ja, precies wat ik zocht, vriend.' Hauck zuchtte.

45

DE MAN KWAM OMHOOG IN het glinsterende blauwgroene water van de afgelegen Caribische baai.

Niemand in de buurt. Deze plek had zelfs geen naam, het was slechts een stip op de kaart. Het enige geluid was het gekras van een handjevol fregatvogels die naar de zee doken, op zoek naar prooi. De man keek achterom naar het witte zandstrand en de wuivende palmbomen in de zwakke bries.

Hij kon overal zijn. Overal ter wereld.

Waarom was hij juist hiernaartoe gegaan?

Twintig meter verderop dobberde zijn boot op het rustige getij. Een tijd terug – het leek wel een eeuwigheid geleden – had hij tegen zijn vrouw gezegd dat hij hier de rest van zijn leven wel zou willen doorbrengen. Een plek zonder markten en indexen. Zonder mobiele telefoons of televisie. En plek waar niemand naar je zocht.

En waar niemand was om je te vinden.

Elke dag verdween dat deel van zijn leven verder uit zijn gedachten. De gedachte had een vreemde aantrekkingskracht op hem.

De rest van zijn leven.

Hij richtte zijn gezicht naar de warme stralen van de zon. Zijn haar was nu kortgeknipt, opgeschoren. Zijn kinderen zouden met hun ogen draaien als ze het zagen. Een oude vent die probeerde er cool uit te zien. Zijn lichaam was fit en in vorm. Hij droeg geen bril meer. Zijn gezicht was bedekt met stoppeltjes en hij was zongebruind.

En hij had geld.

Genoeg geld voor de rest van zijn leven. Als hij het goed beheerde. En een nieuwe naam. Hanson. Steve Hanson. Een naam waarvoor hij had betaald. Een naam die niemand kende.

Zijn vrouw niet, zijn kinderen niet.

Ook de mensen niet die hem misschien probeerden te vinden.

In deze gecompliceerde wereld van computers en persoonlijke geschiedenissen was hij gewoon verdwenen. *Poef.* Opgelost. Het ene leven eindigde – met wroeging, spijt, van het verdriet dat hij had veroorzaakt, het vertrouwen dat hij had gebroken. Toch had hij het moeten doen. Het was noodzakelijk geweest. Om hen te redden. Om zichzelf te redden.

Het ene leven eindigde – en het andere begon.

Toen het moment zich aandiende moest hij het wel aangrijpen.

Hij dacht er eigenlijk nooit meer aan. De bomaanslag. Hij was in de eerste wagon naar achteren gelopen om te bellen en toen... *Boem!* Een zwarte, krachtige wolk met een kern van oranje hitte. Als een hoogoven. Zijn kleren schroeiden van zijn rug. Ineengedoken tegen een wand. In een wirwar van schreeuwende mensen. Overal zwarte rook, het donkere getij dat over hem heen sloeg. Hij wist zeker dat hij dood was. Door de waas heen herinnerde hij zich dat hij had gedacht dat het zo het beste was. Het loste alles op.

Gewoon doodgaan.

Toen hij bijkwam keek hij naar de verwoeste treinwagon. Alles wat er eerder nog was, was verdwenen. Uitgewist. De wagon waarin hij had gezeten. De mensen om hem heen die de krant lazen of naar hun iPods luisterden. Verdwenen. In een gruwelijke vlammenzee. Hij hoestte rook op. Ik moet hier weg, dacht hij. Zijn hersens gonsden. Verdoofd. Hij strompelde naar buiten, het perron op. Afgrijselijke aanblikken: overal bloed, de geur van cordiet en verschroeid vlees. Kreunende mensen die om hulp riepen. Wat kon hij doen? Hij moest hier weg. Hij moest Karen laten weten dat hij nog leefde.

Maar toen werd het hem ineens duidelijk.

Dit was de manier! Dit was wat zich had aangediend.

Hij kon sterven.

Hij struikelde ergens over. Een lichaam. Het gezicht was bijna onherkenbaar. In de chaos wist hij dat hij iemand anders moest worden. Hij voelde in de broekzak van de man. In de met rook gevulde duisternis was het hele station zwart. Hij vond het. Hij keek niet eens naar de naam. Wat maakte het uit? Daarna begon hij te rennen. Ineens was hij alerter dan ooit tevoren. Dit was de manier! Rennen, strompelen over de puinhopen, niet naar de hoofdingang, maar naar de andere kant van het spoor. Weg van de vlammen. Hij zag daar mensen rennen die uit de achterste wagons waren gevlucht. De uitgangen naar de buitenwijken. Weg van de vlammen. Door zijn gedachten schoot nog het enige wat hij moest doen. Abel Raymond. Hij keek nog een keer achterom naar de brandende wagon.

Hij kon sterven.

'Meneer Hanson!' Een stem bracht hem ineens terug in de realiteit en onderbrak zijn duistere herinnering. Vanuit het water keek Charles in de richting van de boot. Zijn Trinidadse kapitein hing over de boeg. 'Meneer Hanson, we moeten nu ongeveer weg als we er vanavond willen zijn.'

Er. Waar ze ook naartoe gingen. Weer een stip op de kaart. Met een bank. Een dealer in zeldzame stenen. Wat maakte het uit?

'Oké, ik kom eraan,' riep hij terug.

Al watertrappend keek hij nog een keer om naar de idyllische baai.

Waarom was hij hiernaartoe gegaan? Terugdenken deed alleen maar pijn. De blije stemmen en herinneringen vulden hem met berouw en schaamte. Hij bad dat ze een nieuw leven had opgebouwd met een andere man die van haar hield. En Sam en Alex... Dat was het enige wat hij hoopte. We zouden hier de rest van ons leven kunnen doorbrengen, had hij eens tegen haar gezegd.

De rest van ons leven.

Charlies Friedman zwom naar de boot die voor anker lag. De naam van het schip was in gouden letters op de achtersteven geschilderd. De enige aanknoping die hij zichzelf toestond, de enige herinnering.

Emberglow.

Deel 3

46

TWEE KEER PER WEEK, OP dinsdag en donderdag, lunchte Ronald Torbor thuis. Op die dagen nam Carthy, de senior bankmanager, van een tot drie zijn werk over.

Als assistent-manager van de First Caribbean Bank op het eiland Nevis woonde Ronald in een comfortabel stenen huis met drie slaapkamers, vlak bij Airport Road, groot genoeg voor zijn eigen gezin – zijn vrouw Edith, zijn kinderen Alya, Peter en Ezra – en zijn schoonmoeder. Bij de bank kwamen mensen bij hem om rekeningen te openen en leningen aan te vragen. Zijn functie had in de ogen van zijn collega's een zekere status. Hij voorzag ook in de behoeften van de rijkere clientèle van het eiland. Hoewel hij hier was opgegroeid en als jochie op de zandwegen had gevoetbald, hield Ronald tegenwoordig van golfen op Saint Kitts. En als de general manager, die binnenkort zou worden overgeplaatst, wegging, maakte Ronald grote kans om de eerste bankmanager te worden die op het eiland zelf was geboren.

Die dinsdag had Edith zijn lievelingsmaaltje bereid: gestoofde kip in groene currysaus. Het was mei. Er was weinig te doen op de bank. Zodra het toeristenseizoen voorbij was werd Nevis een slaperig eilandje. Hij voelde in die dagen geen haast om snel weer terug op zijn werk te zijn.

Aan tafel las Ronald de krant: de uitslagen van de Caribische cricketkampioenschappen in Jamaica. Zijn zesjarige zoontje Ezra was thuis van school. Na de lunch zou Edith met hem naar de huisarts gaan. De jongen leed aan het syndroom van Asperger, een lichte vorm van autisme. En op Nevis was de zorg niet erg goed, ondanks de toestroom van nieuw geld en projectontwikkelaars.

'Na het werk kun je bij het voetballen van Peter kijken,' zei Edith, die naast Ezra zat. De jongen speelde met een speelgoedvrachtwagen en maakte lawaai.

'Ja, Edith.' Ronald zuchtte en genoot van zijn rust.

'En neem je versgemaakte roti van mevrouw Williams mee?' Haar bakkerij was recht tegenover de bank, de beste van het eiland. 'Je weet wel welke ik lekker vind, en –'

'Ja, mama,' mompelde Ronald weer.

'En noem me geen "mama" in het bijzijn van je zoon, Ronald.'

Ronald keek op van zijn krant en knipoogde naar Ezra.

Het kind lachte.

Buiten hoorden ze het geluid van knarsend grint. Er reed een auto naar hun huis.

'Dat zal Mr. P zijn,' zei Edith. Paul Williams, haar neef. 'Ik zei dat hij langs kon komen voor een lening.'

'Jezus, Edith,' kreunde Ronald. 'Had je hem niet gewoon naar de bank kunnen sturen?'

Maar het was Mr. P niet. Er stapten twee blanke mannen uit de jeep en ze liepen naar de voordeur. De ene was klein en gedrongen, met een zonnebril en een dikke snor. De andere was langer en droeg een licht sportjack met een fleurig poloshirt eronder. Hij had een honkbalpetje op.

Ronald haalde zijn schouders op. 'Wie zijn dat?'

'Geen idee.' Edith deed de deur open.

'Goedemiddag, mevrouw.' De man met de snor zette beleefd zijn petje af. Hij keek langs haar heen naar binnen. 'Mogen we uw man even spreken? Ik zie dat hij thuis is.'

Ronald stond op. Hij had hen nooit eerder gezien. 'Waar gaat het over?'

'Bankzaken,' antwoordde de man, terwijl hij langs Ronalds vrouw stapte en het huis binnenliep.

'De bank is gesloten. Lunchpauze.' Ronald probeerde niet onvriendelijk over te komen. 'Ik ben om drie uur weer terug.'

'Nee.' De man met de snor zette zijn bril af en glimlachte. 'Ik ben bang dat de bank toch open is, meneer Torbor. Híér, om precies te zijn.'

De man sloot de deur achter zich. 'Zie het maar als overwerk.'

Een rilling van angst trok door Ronalds lichaam. Edith keek hem vragend aan, waarna ze om de tafel heen liep en naast haar zoon ging zitten.

De man met de snor knikte naar Ronald. 'Ga zitten.'

Dat deed Ronald. De man keerde een stoel om, ging zitten en glimlachte eigenaardig. 'Het spijt ons zeer dat we uw lunch verstoren, meneer Torbor. Zodra u ons hebt verteld wat we willen weten, kunt u gerust verder eten.'

'Wat u wilt weten?'

'Klopt, meneer Torbor.' De man haalde een opgevouwen papiertje uit zijn jas tevoorschijn. 'Dit is het rekeningnummer van een privérekening bij uw bank. Het zal u bekend voorkomen. Enkele maanden geleden werd er vanuit Tortola een aanzienlijk bedrag op overgeboekt, vanuit de plaatselijke Barclays Bank.'

Ronald staarde naar het rekeningnummer. Zijn ogen werden groot. Het nummer was van zijn bank, First Caribbean. De langere man was naast Ezra gaan zitten. Hij knipoogde en trok gezichten naar de jongen, wat hem aan het lachen maakte. Ronald blikte angstig naar Edith. Wat deden ze hier verdorie?

'De rekening is niet meer actief, meneer Torbor,' gaf de man met de snor toe. 'Het geld staat niet langer op uw bank. Maar wat we willen weten, en wat u voor ons gaat uitzoeken, als u ooit weer terug wilt keren naar uw lunch en dit prettige leventje van u, is waar het geld precies naartoe is gegaan toen ze hier vertrokken. En ook onder welke naam.'

Er sijpelde zweet door Ronalds pas gestreken witte overhemd. 'U weet vast wel dat ik dat soort informatie niet kan geven. Het is allemaal privé. Onder controle van bankreglementen –'

'Privé.' De man met de snor knikte en blikte naar zijn partner.

'Reglementen.' De man in het poloshirt zuchtte. 'Altijd lastig. We hadden niet anders verwacht.'

Met een plotselinge beweging reikte hij naar Ezra en trok hem van zijn stoel. Totaal overrompeld begon het kind te jammeren. De man zette hem op zijn schoot. Edith probeerde hem tegen te houden, maar hij gaf haar een elleboogstoot en sloeg haar tegen de grond.

'Ezra!' gilde ze.

De kleine jongen begon te huilen. Ronald sprong op.

'Zitten!' De man met de snor pakte hem bij de arm vast. Hij haalde iets uit zijn jaszak en legde het op de tafel. Iets zwarts van metaal. Ronald voelde een steek in zijn hart toen hij zag wat het was. 'Zitten.'

Volledig over zijn toeren liet Ronald zich weer op de stoel zakken. Met een hulpeloze blik keek hij naar Edith. 'Ik doe wat u wilt. Alstublieft, doet u Ezra geen pijn.'

'Dat is ook niet nodig, meneer Torbor.' De man met de snor glimlachte. 'Maar laten we er niet langer omheendraaien. U belt nu naar uw kantoor en laat uw secretaresse of met wie u ook spreekt die rekening opzoeken. Verzin maar een excuus of een plausibele reden. We weten dat u zulke geldsommen niet dagelijks in uw suffe bank krijgt. Ik wil weten waar ze naartoe zijn gegaan, naar welk land, naar welke bank en onder welke naam. Begrepen?'

Ronald zweeg.

'Je vader begrijpt wat ik bedoel, hè jongen?' Hij kietelde aan Ezra's oor. 'Want zo niet' – zijn ogen werden ineens dreigend – 'dan beloof ik je dat jullie geen gelukkig leven zullen hebben en dat je je dit moment voor de rest van je leven met verdriet en angst zult herinneren. Is dat duidelijk, meneer Torbor?'

'Doe het alsjeblieft, Ronald. Doe het,' smeekte Edith, terwijl ze overeind krabbelde.

'Ik kan het niet doen. Ik kan het niet,' zei hij trillend. 'Er zijn procedures voor dit soort dingen. Ook al zou ik instemmen, dan nog wordt het gecontroleerd door internationale bankreglementen. En wetten...'

'Weer die reglementen.' De man met de snor schudde zijn hoofd en zuchtte luid.

De langere man, die Ezra vasthield, haalde iets uit zíjn jaszak.

Ronalds ogen puilden uit hun kassen.

Het was een blikje aanstekervloeistof.

Ronald sprong op om hem tegen te houden, maar de man met de snor sloeg hem met het pistool tegen de zijkant van zijn hoofd en hij viel op de grond.

'O, jezuschristus, nee!' gilde Edith, terwijl ze haar zoon uit de armen van de man probeerde te trekken. Hij duwde haar met zijn elleboog weg.

Vervolgens pakte de man die Ezra vasthad de huilende jongen met een glimlach bij zijn kraag vast en overgoot hem met vloeistof.

Ronald kwam opnieuw uit zijn stoel, maar de man met de snor had de haan van zijn pistool overgehaald en hield het wapen nu tegen Ronalds voorhoofd. 'Zitten, had ik toch gezegd?'

Ezra gilde.

'Hier is uw mobiele telefoon, meneer Torbor.' Hij schoof het mobieltje over de tafel. 'Pleeg het telefoontje en dan gaan we weg. Nu.'

'Ik kan het niet.' Ronald hield zijn trillende handen op. 'Jezus, God in de hemel, niet doen. Ik... kan het niet.'

'Uw zoontje lijkt een beetje van streek, meneer Torbor.' De man schudde zijn hoofd. 'Maar het is een onschuldige jongen. Het zou zonde zijn om hem zo'n pijn te doen. Voor een paar belachelijke reglementen... En niet prettig voor uw vrouw om getuige van te zijn, toch?'

'Ronald!'

De man die Ezra vasthield haalde een plastic aansteker te voorschijn. Hij drukte de aansteker aan en er verscheen een regelmatige vlam. Hij bracht hem dicht bij het vochtige shirt van het kind.

'Nee!' gilde Edith. 'Ronald, alsjeblieft. Laat hen dit niet doen! Doe in vredesnaam wat ze willen, Ronald, alsjeblieft...'

Ezra gilde. De man die hem vast had hield de vlam nog dichterbij. De man met de snor duwde de telefoon voor Ronalds gezicht en keek hem kalm aan.

'*Exactamente*, meneer Torbor. Weg met die reglementen. Tijd om dat telefoontje te plegen.'

47

DIE DINSDAGMIDDAG ZETTE KAREN ALEX gehaast af bij het jongerencentrum in Arch Street voor een inzamelingsactie voor het opvangtehuis 'Kinderen in Nood'.

Ze was opgewonden toen Hauck had gebeld. Ze hadden afgesproken in een bar in L'Escale, met uitzicht op de haven van Greenwich, die feitelijk naast de deur was. Ze wilde hem graag vertellen wat ze had ontdekt.

Hauck zat al aan een tafel vlak bij de bar en zwaaide toen ze binnenkwam.

'Hoi.' Ze zwaaide terug en hing haar leren jas over de rugleuning van haar stoel.

Even klaagde ze over het verkeer in de stad op dit tijdstip van de dag. 'Probeer maar eens een parkeerplaats op de Avenue te vinden.' Ze rolde zogenaamd gefrustreerd met haar ogen. 'Daar moet je politie voor zijn!'

'Lijkt me niet meer dan eerlijk.' Hauck haalde zijn schouders op en onderdrukte een glimlach.

'Ik vergat tegen wie ik het had!' Karen lachte. 'Kun je er niet iets aan doen?'

'Ik ben met verlof, weet je nog? Als ik terug ben zal ik dat als eerste aanpakken. Erewoord.'

'Goed zo!' Karen knikte opgewekt, alsof ze verrukt was. 'Stel me niet teleur. Ik vertrouw op je.'

De serveerster kwam eraan en Karen bestelde snel een pinot grigio. Hauck had al een glas bier besteld. Karen had wat make-up opgedaan een droeg een mooi beige truitje op een strakke broek. Om een of andere reden wilde ze er goed uitzien. Toen haar wijn werd gebracht, hield Hauck zijn glas naar haar op.

'Waar zullen we op proosten?' vroeg ze.

'Op eenvoudigere tijden,' stelde hij voor.

'Amen.' Karen grijnsde. Ze tikten hun glazen licht tegen elkaar.

In eerste instantie voelde ze zich wat ongemakkelijk en ze babbelden zomaar wat. Ze vertelde over Alex' betrokkenheid bij het bestuur van Kinderen in Nood. Hauck was onder de indruk en noemde het 'zeer bewonderenswaardig'.

Karen glimlachte. 'Sociale stage, inspecteur. Alle kinderen moeten dat doen. Het is een vereiste om toegelaten te worden tot de universiteit.'

Ze vroeg hem waar zijn dochter naar school ging en hij antwoordde: 'Brooklyn.' De korte versie; hij liet Norah en Beth achterwege. 'Het gaat ineens allemaal zo snel,' zei hij. 'Nog even en ík loop een sociale stage.'

Karens ogen lichtten op. 'Wacht maar tot ze toelatingsexamen voor de universiteit moet doen!'

Geleidelijk ontspande Hauck zich, de grenzen tussen hen vervaagden een beetje, en ineens voelde hij zich springlevend in de warme gloed van haar heldere groenbruine ogen, de sproeten op haar wangen, haar lichte accent, de volheid van haar lippen, de honingkleur van haar haren. Hij besloot niet te vertellen wat hij over Dolphin te weten was gekomen en Charles' connectie ermee. Over Thomas Mardy en dat hij die dag bij het ongeval aanwezig was geweest. Totdat hij het zeker wist. Het zou haar alleen maar nog meer verdriet doen, dingen in beweging zetten in een richting waarvan hij op een dag spijt zou kunnen krijgen. Toch werd hij, als hij naar Karen Friedman keek, teruggevoerd naar een deel van zijn leven dat doordrongen was van verlies. En hij fantaseerde – in de ongedwongenheid van haar lach, het tweede glas wijn, hoe ze lachte om al zijn grappige uitlatingen, zoals hij had gehoopt – dat zij hetzelfde voelde.

Toen er even een stilte viel zette Karen haar glas neer. 'Dus je zei dat je daar wat vooruitgang had geboekt?'

Hij knikte. 'Herinner je je die hit-and-run op de dag van de bomaanslag waarvoor ik bij je langskwam?'

'Natuurlijk herinner ik me die.'

Hauck zette zijn glas bier neer. 'Ik ben erachter gekomen waarom de jongen moest sterven.'

Haar ogen werden groot. 'Waarom dan?'

Hij had zorgvuldig nagedacht over wat hij zou zeggen en hij hoorde zichzelf vertellen dat een of ander bedrijf daar fraude pleegde, een oliebedrijf, en dat de vader van de jongen – een havenloods – erachter was gekomen.

'Het was een waarschuwing' – Hauck haalde zijn schouders op. 'Ongelooflijk, hè? Om hem de mond te snoeren.'

'Dus het was moord?' zei Karen. Er ging een schok door haar heen.

Hauck knikte. 'Ja.'

Verbijsterd leunde ze naar achteren. 'Wat vreselijk. Je dacht al die tijd al dat het geen ongeluk was. Mijn hemel...'

'En het was succesvol.'

'Hoe bedoel je?'

'De oude man liet het rusten. Hij begroef het. Ik was er nooit achter gekomen als ik er niet naartoe was gegaan.'

Karens gezicht werd lijkbleek. 'Je zei dat je daar voor mij naartoe was gegaan. Hoe staat dit in verband met Charles?'

Hoe kon hij het haar vertellen? Over Charles, Dolphin, de lege schepen? Dat Charles die dag in Greenwich was geweest? Hoe kon hij haar nog meer verdriet doen, totdat hij het zeker wist?

En nu hij bij haar was wist hij waarom.

'Het bedrijf,' zei Hauck, 'dat zich aan die fraude schuldig maakte, had een connectie met Harbor.'

Alle kleur trok weg uit Karens gezicht. 'Met Charlie?'

Hauck knikte. 'Dolphin Petroleum. Ken je die naam?'

Ze schudde haar hoofd.

'Het kan onderdeel zijn geweest van een groep investeringen die hij bezat.'

Karen aarzelde. 'Wat bedoel je met investeringen?'

'In het buitenland.'

Karen legde een hand over haar mond en keek hem aan. In haar hoofd weerklonken de woorden die Saul had gezegd. 'Denk je dat Charles erbij betrokken was? Bij die hit-and-run?'

'Ik wil niet op de feiten vooruitlopen, Karen.'

'Bescherm me alsjeblieft niet, Ty. Denk je dat hij erbij betrokken was?'

'Dat weet ik niet.' Hij zuchtte. Dat Charles er die dag bij was geweest, liet hij achterwege. 'Er zijn nog steeds veel aanwijzingen die ik moet natrekken.'

'Aanwijzingen?' Karens ogen hadden een vreemde, verwarde blik. Ze hield haar handpalmen voor haar lippen en knikte. 'Ik heb ook iets ontdekt, Ty.'

'Wat dan?'

'Ik weet niet, maar het maakt me angstig, net zoals wat jij net vertelde.' Ze beschreef dat ze Charles' oude spullen had doorzocht, zoals hij had gevraagd, zijn oude dossiers, en dat ze met zijn oude secretaresse en zijn reisagente had gesproken, maar dat het niets had opgeleverd.

Totdat ze op een naam was gestuit.

'De man had me een aantal keren gebeld, vlak na Charles' dood. Iemand die voor hem werkte.' Ze vertelde dat Jonathan Lauer had geprobeerd contact met haar op te nemen en cryptische boodschappen had achtergelaten. *Dingen die je moet weten...* 'Ik kon het toen gewoon niet aan. Het was te veel. Ik vertelde het aan Saul. Hij zei dat het om persoonlijke zaken ging en dat hij die wel zou afhandelen.'

Hauck knikte. 'Oké...'

'Maar toen ik eraan dacht in het licht van wat tot dusver naar boven is gekomen, begon het aan me te knagen. Dus ben ik hem gaan opzoeken toen jij weg was. In New Jersey. Om hem te zien. Ik wist niet waar hij nu werkte; het enige wat ik had was een adres van toen hij nog voor Charles werkte, met een privénummer. Ik waagde de gok. Zijn vrouw deed open.' Karens ogen werden glazig. 'Ze vertelde me iets gruwelijks.'

'Wat dan?'

'Hij is dood. Verongelukt met de fiets, een paar maanden geleden. Wat het allemaal zo griezelig maakt is dat hij later die week zou getuigen in een zaak die verband houdt met Harbor.'

'Wat voor zaak?'

'Dat weet ik niet. Maar dat was niet het enige. Het was de manier waarop hij was verongelukt; die kwam overeen met de manier waarop die jongen van Raymond was verongelukt, die jongen die dat briefje met Charlies naam bij zich had.'

Hauck zette zijn glas weer neer. Zijn antenne die hij voor dit soort dingen had begon te zoemen.

'Hij is aangereden,' zei Karen. 'Net zoals die jongen van jou. Het was een hit-and-run.'

Een groep kantoormensen die naast hen zat werd ineens luidruchtiger. Karen boog zich naar voren en drukte haar benen tegen elkaar. Haar gezicht stond enigszins wezenloos.

'Je hebt goed werk verricht,' zei Hauck tevreden. 'Heel goed.'

Er kwam weer wat kleur op haar wangen.

'Heb je honger?' vroeg Hauck. Hij waagde een gokje.

Karen haalde haar schouders op en wierp snel een blik op haar horloge. 'Alex rijdt met een buurjongen mee. Ik heb nog wel even.'

48

ONDERWEG NAAR HUIS BELDE HAUCK naar Freddy Muñoz.

'Inspecteur!' riep zijn rechercheur verrast uit. 'Lang niet gezien. Hoe bevalt je vakantie?'

'Ik ben niet op vakantie, Freddy. Luister, ik wil je om een gunst vragen. Ik heb een kopie nodig van het dossier over een onopgeloste moord in New Jersey, Upper Montclair. De naam van het slachtoffer is Lauer. L-A-U-E-R. Voornaam Jonathan. Mogelijk doet de staatspolitie van New Jersey er ook onderzoek naar.'

Muñoz schreef de informatie op. 'Lauer. En wat geef ik als reden op?'

'Overeenkomsten met een zaak die we hier onderzoeken.'

'En welke zaak is dat, inspecteur?'

'Een onopgeloste hit-and-run.'

Muñoz zweeg even. Op de achtergrond klonken schreeuwende jonge kinderen; misschien was er een wedstrijd van de Yankees op de televisie. 'Jezus, Ty. Begint dit een modus operandi voor je te worden?'

'Laat iemand het dossier morgen bij mij thuis afleveren. Als ik geen verlof had deed ik het zelf. En Freddy...' Hauck hoorde Freddy's zoon Will juichen. 'Dit blijft onder ons, oké?'

'Ja, inspecteur,' antwoordde de rechercheur. 'Natuurlijk.'

Nieuwe aanwijzingen, dacht Hauck.

De eerste had betrekking op Charlie Friedmans gevolmachtigde, Lennick. Karen vertrouwde hem. Hij was bijna als familie. Hij zou van Lauer hebben geweten. Wist hij ook van Dolphin en Falcon?

Heeft Charlie het toevallig ooit gehad over buitenlandse accounts die hij beheerde?

De tweede had betrekking op New Jersey, de tweede hit-and-run. Hauck had nooit echt in toeval geloofd.

Al rijdend dwaalden zijn gedachten steeds weer af naar Karen. Hij kon zo tien goede redenen bedenken waarom hij nu zou moeten stoppen, voordat het tussen hen echt serieus werd.

Te beginnen met het feit dat haar man nog leefde. En dat Hauck had gezworen hem te zullen vinden. En dat hij haar niet nog meer onnodig verdriet wilde doen en dus dingen achterhield.

En dat ze rijk was. Gewend aan andere dingen. Ze begaf zich in totaal andere kringen.

Jezus, Ty. Je maakt nu niet bepaald een grote kans.

Toch kon hij niet ontkennen dat hij iets bij haar voelde. De vonk die oversprong toen hun handen elkaar tijdens het etentje een of twee keer raakten. Hetzelfde gevoel dat nu door zijn aderen stroomde.

Hij nam op de I-95 de afrit naar Stamford. Het begon hem te dagen waarom hij het haar niet kon vertellen. Waarom hij de volledige waarheid geheimhield. Dat Charles na de bomaanslag naar Greenwich terug was gegaan. Dat hij betrokken was bij de dood van die jongen. Misschien ook wel bij de dood van die andere vent.

Waarom hij de politie niet bij de zaak wilde betrekken. Er geen andere mensen bij wilde halen.

Omdat Hauck besefte dat hij de afgelopen vier jaar in wezen ontheemd was geweest, alleen. En Karen Friedman was de enige met wie hij zich nu verbonden voelde.

49

DE VOLGENDE MIDDAG WERD ER aan de deur geklopt en Hauck liep ernaartoe om open te doen.

Het was Freddy Muñoz.

Hij overhandigde Hauck een grote kartonnen map die met een touw-
tje dichtzat. 'Ik hoop dat ik je niet stoor. Ik dacht: ik breng hem zelf even,
inspecteur. Is dat goed?'

Hauck had net hardgelopen en zweette. Hij droeg een grijs T-shirt en
een korte sportbroek. Het grootste gedeelte van de ochtend had hij achter zijn computer gewerkt.

'Je stoort me niet.'

'Je hebt een leuk huis.' De rechercheur knikte goedkeurend. 'Maar je
mist toch een vrouwenhand, hè? Iemand die de keuken een beetje op orde houdt.'

Hauck blikte naar de afwas in de gootsteen, een paar lege verpakkingen
van kant-en-klaarmaaltijden op het aanrecht. 'Bied je je soms aan?'

'Helaas, ik kan niet.' Muñoz knipte met zijn vingers, alsof het hem echt
speet. 'Ik moet vanavond werken, inspecteur. Maar ik dacht: ik blijf even
hangen terwijl jij het dossier leest, is dat goed?'

Bemoedigd sloeg Hauck de map open en liet de inhoud op de salontafel glijden, terwijl Muñoz plaatsnam in een comfortabele fauteuil.

Het eerste wat hij zag was het incidentenrapport. Het rapport van het
ongeluk door de leidinggevende agent ter plaatse. Van de politie van County Essex. Persoonlijke gegevens van de overledene. Zijn naam, Lauer. Adres:
Mountain View Drive 3135. Geboortedatum. Beschrijving: blanke man, ongeveer dertig jaar, gekleed in een geel wielrentenue, zwaar lichamelijk let-
sel en bloedingen. Ooggetuige omschreef een rode SUV, model onbekend,
die snel wegreed. Kentekenplaten van de staat New Jersey, kenteken onbekend. Tijd: 10.07 uur. Datum. Ooggetuigenverslag bijgevoegd.

Het kwam hem allemaal bekend voor.

Hauck bestudeerde de foto's. Fotokopieën ervan. Het slachtoffer. In zijn
wielrentenue. Een frontale botsing. Zware verwondingen aan gezicht en
lichaam. Er was een foto van zijn fiets, die helemaal in de kreukels lag. Een

paar kiekjes in beide richtingen. Boven aan en onder aan de heuvel. Het was duidelijk dat het voertuig de heuvel af was gereden.

Bandensporen alleen voorbij de plek van de botsing.

Net zoals bij AJ Raymond.

Vervolgens bladerde Hauck door het rapport van de patholoog-anatoom. Zwaar trauma door een stomp voorwerp, verbrijzeld bekken, gebroken wervels en hoofdletsel. Zware inwendige bloedingen. Op slag dood, concludeerde de patholoog-anatoom.

Hauck bestudeerde de rapporten van de rechercheurs. Ze hadden dezelfde procedure gevolgd als Hauck in Connecticut. Ze hadden de omgeving grondig uitgeplozen, de staatspolitie op de hoogte gesteld, carrosseriebedrijven gebeld en de bandensporen onderzocht om het merk van de banden te achterhalen. Ze hadden de vrouw van het slachtoffer en zijn werkgever gesproken. Geen motief gevonden om aan te nemen dat het geen ongeluk was geweest.

Nog steeds geen verdachten.

Muñoz was opgestaan en naar een schilderij bij het raam gelopen waaraan Hauck momenteel werkte. Hij tilde het van de ezel. 'Dat ziet er goed uit, inspecteur!'

'Bedankt, Freddy.'

'Nog even en ik zie je in het Bruce Museum. En dan bedoel ik niet als toevallige bezoeker.'

'Kies er gerust een uit,' mompelde Hauck, terwijl hij door de papieren bladerde. 'Ooit zijn ze miljoenen waard.'

Het was frustrerend, net zoals dit. De politie in New Jersey had nooit betrouwbare aanwijzingen gevonden.

Het kwam neer op toeval, toeval waarin Hauck niet geloofde en dat nergens toe leidde.

'Vind jij het aannemelijk, Freddy?' vroeg Hauck. 'Twee afzonderlijke hit-and-runs. Twee verschillende staten. Beide een connectie met Charles Friedman.'

'Lees verder, inspecteur,' zei Muñoz, terwijl hij weer in de fauteuil ging zitten.

Het enige wat nog restte was een nauwkeurige beschrijving van de getuigenissen van de ooggetuigen. Getuigenis: er was maar een.

Toen Hauck het document openvouwde verstijfde hij. Hij merkte dat zijn mond openviel en zijn ogen werden als magneten naar de naam getrokken op de eerste bladzijde van de getuigenis.

'Zie jij wat ik zie?' Freddy Muñoz zat nu rechtop. Hij zwaaide zijn benen van de stoel.

'Ja.' Hauck knikte en ademde diep in. 'Zeker weten.'

De enige getuige van de moord op Jonathan Lauer was een gepensioneerde politieman uit New Jersey geweest.

Zijn naam was Phil Dietz.

Dezelfde ooggetuige van de aanrijding van AJ Raymond.

50

HIJ HAD EEN FOUT GEMAAKT. Hauck las de getuigenverklaring nog een aantal keren door.

Hij had een grove fout gemaakt!

Meteen herinnerde Hauck zich Pappy's beschrijving van de man die hem buiten de bar onder druk had gezet. Klein en gezet, met een snor. Tegelijkertijd was het Hauck duidelijk wie die foto van AJ Raymonds lichaam op straat had gemaakt.

Dietz.

Zijn hart leek stil te staan.

Hauck dacht terug aan zijn eigen zaak. Dietz had gezegd dat hij nu in de beveiliging werkte. Hij zou na het ongeluk naar de plek des onheils zijn gerend. Hij beweerde dat hij de auto niet goed had gezien, een witte SUV met kentekenplaten van een andere staat, die in de richting van de heuvel wegscheurde.

Wat nou: niet goed gezien. Hij was daar gepositioneerd.

Daarom hadden ze nooit een witte SUV met kenteken uit Massachusetts of New Hampshire kunnen traceren. Daarom had de politie van New Jersey geen soortgelijk voertuig kunnen vinden.

Ze bestonden niet! Het was allemaal doorgestoken kaart.

De kans dat iemand de twee ongevallen ooit met elkaar in verband zou brengen, was nihil geweest als Karen het gezicht van haar man niet in die documentaire had gezien.

Hauck grijnsde. Dietz was op beide locaties geweest. Twee verschillende staten, met ruim een jaar ertussen.

Natuurlijk betekende dit dat Charles Friedman er ook bij betrokken was.

Hauck keek weer naar Muñoz, een gevoel dat hij eindelijk vooruitgang boekte stroomde door zijn aderen. 'Is er verder nog iemand die hiervan weet, Freddy?'

'Je zei dat ik het onder ons moest houden, inspecteur.' De rechercheur haalde zijn schouders op. 'Dat heb ik dus gedaan.'

'Laten we dat zo houden.'

Muñoz knikte.

'Ik wil dat dossier van Raymond nog een keer doornemen. Kun je vandaag een kopie daarvan leveren?'

'Ja, meneer.'

Hauck staarde naar de foto van het sociabele gezicht met snor – een voormalige agent – dat nu het berekenende gelaat van een professionele moordenaar bleek te zijn. Zijn bloed stuwde door zijn aderen.

Je hebt geblunderd, zei hij tegen Dietz. En niet zo'n klein beetje ook, klootzak!

Het eerste wat Hauck deed was een foto van Dietz naar Pappy sturen, die een dag later bevestigde dat het dezelfde man was die hem in Pensacola had aangesproken. Dat alleen was waarschijnlijk al genoeg om Dietz meteen te arresteren voor samenzwering tot moord op AJ Raymond en misschien ook op Jonathan Lauer.

Maar daarmee zou de connectie met Charles Friedman nog niet zijn bewezen.

Toeval was geen bewijs. Met een goede advocaat zou kunnen worden aangevoerd dat hij puur toevallig op beide ongevalplekken aanwezig was geweest. Hij had Karen beloofd dat hij de waarheid over haar man zou uitzoeken. Charles was in Greenwich geweest. Lauer werkte voor hem. Beiden leidden naar Dolphin. Dietz was er ook bij betrokken. Het zat Hauck totaal niet lekker waar dit toe leek te leiden. Charles in verband brengen met Dietz zou een begin zijn. Maar nu vreesde hij wat hij zou aantreffen als hij de beerput opentrok.

Ga hiermee naar Fitzpatrick, fluisterde een stemmetje hem in. Zorg ervoor dat je een arrestatiebevel verkrijgt. Laat de FBI het verder afhandelen. Maar hij had iets beloofd en zijn hele leven was hij altijd zijn beloften nagekomen. Karen had een samenzwering blootgelegd.

Maar iets hield hem tegen.

Stel dat Charles onschuldig was? Stel dat hij Charles niet met Dietz in verband kon brengen? Stel dat hij Karen zou kwetsen, haar hele gezin, nadat hij had gezworen dat hij haar zou helpen, had geprobeerd het zíjn zaak te maken, niet de hare? Arresteer hem. Leg druk op Dietz.

Of kwam het door haar? Waren het zijn gevoelens waarin hij wegzakte, nu die zaken samenvielen? Hij wilde haar nog iets langer beschermen, totdat hij zeker wist wat zijn bloed zo snel liet stromen. En waarvan hij 's nachts wakker lag. Als politieagent wist hij dat zijn gevoelens hem op een dwaalspoor brachten.

Hij belde haar later die dag terwijl hij naar Dietz' dossier staarde. 'Ik ga naar New Jersey. Misschien hebben we iets gevonden.'

Karen reageerde opgewonden. 'Wat dan?'

'Ik heb het dossier over de hit-and-run van Jonathan Lauer bekeken. De enige ooggetuige daar was ene Dietz. Hij was ook een van de ooggetuigen van de dood van AJ Raymond.'

Karen hapte naar adem. In de stilte die volgde wist Hauck dat ze in gedachten naging wat dit betekende.

'Het was allemaal doorgestoken kaart, Karen. Die vent, die Dietz, was bij beide ongevallen aanwezig. Maar het waren geen ongevallen, Karen. Het was moord. Om iets geheim te houden. Je hebt goed werk verricht. Niemand zou hier ooit achter zijn gekomen als jij Lauer niet had opgezocht.'

Ze antwoordde niet. Er heerste alleen stilte. Een stilte waarin ze probeerde vast te stellen wat dit betekende. Met betrekking tot Charles. Voor haar kinderen. Voor haar.

'Wat moet ik nu denken, Ty?'

'Luister, Karen. Voordat we op de zaken –'

'Weet je, ik vind het verschrikkelijk,' zei Karen. 'Ik vind het vreselijk voor die mensen. Gruwelijk. Ik weet dat jij dit al die tijd al vermoedde. Maar ik kan niet anders dan concluderen dat er iets aan de hand is en dat begint me angst aan te jagen, Ty. Wat betekent dit alles met betrekking tot Charles?'

'Dat weet ik niet. Maar ik ga het uitzoeken.'

'Hoe ga je dat uitzoeken, Ty? Wat ga je doen?'

Hij had haar veel niet verteld: dat Charles een connectie met Falcon had. Met Pappy Raymond. Dat hij zeker wist dat Charles medeplichtig was aan de dood van AJ Raymond en misschien ook wel aan de dood van Jonathan Lauer. Maar hoe kon hij haar dit nú vertellen?

'Ik ga erheen,' zei hij. 'Naar Dietz' huis. Morgen.'

'Waarom ga je daarheen?'

'Kijken of ik iets kan vinden. Bedenken wat onze volgende stap is.'

'Onze volgende stap? Je moet hem arresteren, Ty. Je weet dat hij die mensen in de val heeft gelokt. Hij is verantwoordelijk voor hun dood!'

'Je wilde weten hoe dit alles verband hield met je man, Karen! Daarom had je mijn hulp toch ingeroepen? Je wilde weten wat hij had gedaan.'

'Die man is een moordenaar, Ty! Er zijn al twee mensen dood.'

'Ik weet dat er twee mensen dood zijn, Karen! Daar hoef je me niet aan te herinneren.'

'Wat probeer je te zeggen, Ty?'

De stilte tussen hen was even ijzig. Plotseling wist Hauck het zeker: nu hij toegaf dat hij er niet naartoe ging om Dietz te arresteren, verried hij alles wat in zijn hart lag: de gevoelens die hij voor haar koesterde, de rode vlechten die hem ertoe hadden aangezet, de echo van de pijn uit een ver verleden.

Uiteindelijk slikte Karen. 'Je vertelt me niet alles, hè Ty? Charles is erbij betrokken, hè? Meer dan je laat merken.'

'Ja.'

'Mijn man...' Karen grinnikte duister. 'Hij gokte altijd tegen de trends in. Hij noemde zichzelf een "contrariaan". Een dure naam voor iemand die altijd denkt dat hij slimmer is dan anderen. Doe alsjeblieft voorzichtig als je daar bent, Ty, wat je ook van plan bent.'

'Ik ben politieagent, Karen,' zei Hauck. 'Het is mijn dagelijks werk.'

'Nee, Ty. Politieagenten arresteren mensen die een misdrijf hebben gepleegd. Ik weet niet wat je daar gaat doen, maar wel dat het deels met mij te maken heeft. En dat maakt me bang, Ty. Doe alsjeblieft wat jij denkt dat goed is, oké?'

Hauck sloeg het dossier open en staarde naar Dietz' gezicht. 'Oké.'

51

DIE AVOND SPOOKTE ER IETS vreemds door Karens gedachten. Nadat ze het telefoongesprek met Ty had afgerond.

Over wat hij had ontdekt.

In eerste instantie was ze opgetogen geweest. Over het verband tussen de twee ongelukken. En het idee dat ze hem echt had geholpen.

Daarna wist ze niet meer wat ze nu eigenlijk voelde. Een gevoel van ongemak dat twee mensen die met haar echtgenoot in verband stonden, waren vermoord om iets geheim te houden – en de verdenking, een verdenking die Ty niet ophelderde, dat Charlie erbij betrokken was.

Jonathan Lauer werkte voor hem. De jongen die in Greenwich was overreden op de dag van Charles' verdwijning had een briefje met Charlies naam in zijn zak gehad. De kluis met al dat geld en het paspoort. De tanker die een connectie met Charlies bedrijf had. Dolphin Oil...

Ze wist niet waar het allemaal toe leidde.

Behalve dan dat haar man, met wie ze achttien jaar getrouwd was geweest, betrokken was geweest bij iets wat hij voor haar had verzwegen en waarover Ty haar niet alles vertelde wat hij wist.

Samen met het feit dat een groot deel van het leven dat ze de afgelopen achttien jaar had geleid – al die kleine mythen waarin ze had geloofd – een leugen was geweest.

Maar er was nog iets anders wat zich binnen in haar nestelde. Zelfs meer dan de angst dat haar gezin nog steeds in gevaar was. Of sympathie voor de twee mensen die waren gestorven. Sterfgevallen die, zo gaf Karen nu schoorvoetend toe, onlosmakelijk met Charles waren verbonden.

Ze besefte dat ze zich zorgen maakte om hem, om Hauck. Wat hij op het punt stond te doen.

Ze was nog niet eerder tot het besef gekomen, maar nu wel. Dat ze op hem was gaan vertrouwen. Dat ze door de manier waarop hij naar haar had gekeken – die dag bij de footballwedstrijd, toen zijn ogen oplichtten toen hij haar zag staan – wist dat hij het allemaal voor haar deed. Dat hij zich tot haar aangetrokken voelde.

En dat Karen op de meest subtiele, verborgen manier hetzelfde voelde.

Maar er was meer.

Ze wist zeker dat hij iets onbezonnens zou doen, over de schreef zou gaan. Dat hij zichzelf in gevaar zou brengen. Dietz was hoe dan ook een moordenaar. Dat hij iets achterhield, iets wat verband hield met Charlie. Voor haar.

Na zijn telefoontje stopte ze een bevroren pizzabroodje in de magnetron voor Alex, die tegenwoordig op die dingen leek te leven.

Toen het broodje klaar was riep ze hem naar beneden. Ze ging met hem aan de bar zitten en vroeg hem naar zijn schooldag. Hij had een zeven voor een presentatie over Europese geschiedenis gekregen – het cijfer vormde de helft van zijn eindexamencijfer – en hij was benoemd tot medevoorzitter van Kinderen in Nood. Ze was echt trots op hem. Die avond besloten ze om samen naar *Friday Night Lights* op de televisie te kijken.

Maar toen hij weer naar boven ging bleef Karen aan de bar zitten. Haar bloed stroomde onrustig.

Op een of andere vreemde, onverklaarbare wijze was er iets tussen hen gegroeid. Iets wat ze niet kon ontkennen.

Dus toen het tv-programma was afgelopen en Alex goedenacht had gezegd en naar boven was gegaan, liep Karen naar de werkkamer en pakte de telefoon. Ze voelde iets in haar maag bewegen, alsof ze weer een schoolmeisje was, maar het kon haar niet schelen. Ze draaide Ty's nummer; haar handpalmen zweetten. De telefoon ging één keer over voordat hij opnam.

'Inspecteur?' zei ze. Ze wachtte tot hij zou tegensputteren.

'Ja?' antwoordde hij. Hij liet zijn protest achterwege.

'Wees alsjeblieft voorzichtig,' zei ze.

Hij probeerde haar bezorgdheid weg te wuiven door te grappen dat hij dit al miljoenen keren had gedaan, maar Karen onderbrak hem.

'Niet doen,' smeekte ze. 'Niet doen. Laat me dit niet nog een keer meemaken. Wees alsjeblieft voorzichtig, Ty. Dat is alles wat ik vraag. Hoor je me?'

Even viel er een stilte en toen zei hij: 'Ja, ik hoor je.'

'Goed zo,' zei ze zacht en daarna hing ze op.

Vervolgens bleef Karen nog lange tijd met opgetrokken knieën op de bank zitten. Ze had een naar voorgevoel, net als toen in dat vliegtuigje in Tortola, toen Charlie haar vanaf het balkon uitzwaaide, met de zon die op zijn zonnebril weerkaatste. Een plotseling gevoel van verlies. Een rilling van angst.

'Wees alsjeblieft voorzichtig, Ty,' fluisterde ze weer, deze keer tegen niemand. Angstig sloot ze haar ogen. 'Ik wil jou niet óók verliezen.'

52

DE SNELWEG DIE SLECHTS ANDERHALVE kilometer van Haucks huis in Stamford liep, ging over in de New Jersey Turnpike ten zuiden van de George Washingtonbrug.

Hauck reed ruim twee uur langs de moerassen van de Meadowlands, het uitgestrekte elektrische traliewerk en het groothandelsterrein van New Jersey, langs de luchthaven Newark, naar het zuidelijke deel van de staat, ten noorden van de afslag Philadelphia.

Hij nam in Burlington County afrit 5 en reed verder over secundaire wegen die door de zuidelijke delen van de staat liepen: Columbus, Mount Holly, slaperige stadjes die door weids platteland met elkaar waren verbonden, een gebied met veel paarden, ver weg van de industrie in het noorden.

Dietz was agent geweest in het stadje Freehold. Hauck had hem nagetrokken voordat hij vertrok. Hij had zestien jaar gediend.

Zestien jaar waaraan plotseling een einde was gekomen door klachten over seksuele intimidatie, twee berispingen vanwege buitensporig geweld en nog een andere kwestie. Dietz had op een minderjarige getuige in een methamfetaminezaak buitensporige druk uitgeoefend voor haar getuigenis, waardoor het meer op ontucht had geleken.

Hauck had het allemaal over het hoofd gezien. Er was ook geen reden geweest om hem na te trekken.

Na zijn ontslag had Dietz een eigen beveiligingsbedrijf opgericht, Dark Star. Hauck had onderzoek naar het bedrijf gedaan. Het was lastig vast te stellen wat het bedrijf precies deed. Bodyguards. Beveiliging. Aangenomen werk voor particulieren. Dus hij installeerde geen exclusieve beveiligingssystemen, de reden die hij had opgegeven voor zijn aanwezigheid in de buurt toen AJ Raymond werd vermoord.

Dietz was een schurk.

Terwijl Hauck over het uitgestrekte platteland reed dwaalden zijn gedachten af. Hij werkte nu bijna vijftien jaar als agent. Eigenlijk wist hij niet anders. Hij had zich binnen de bureaucratie van de politie van New York snel omhooggewerkt en het tot rechercheur geschopt. Had speciale

eenheden toegewezen gekregen. Nu had hij de leiding over zijn eigen afdeling in Greenwich. En hij had zich altijd aan de wet gehouden.

Wat zou hij doen als hij het huis vond? Hij had niet eens een plan.

Even buiten Medford vond Hauck Country Road 620.

De weg werd omzoomd door glooiende weilanden en witte hekwerken.
Er stonden borden voor stallen en paardenboerderijen. Merryvale Farms –
de stal van Barrister, 'Wereldrecordhouder op de vierhonderd meter'. Vlak
bij Taunton Lake keek Hauck op zijn navigatiesysteem. Dietz' adres was
Muncey Road 733. De weg lag ongeveer vijf kilometer ten zuiden van de
stad, ver van de bewoonde wereld. Hauck vond de weg tussen een omheind
veld en een lokale brandweerkazerne. Zijn hart begon sneller te kloppen.

Wat doe je hier, Ty?

Het wegdek van Muncey Road vertoonde diepe groeven en moest nodig opnieuw geasfalteerd worden. Even voorbij de afslag stonden een paar
huizen, kleine houten boerderijtjes met een pick-up en soms een paar-
dentrailer ernaast, en voortuinen die waren overwoekerd door onkruid.
Hauck zag een huisnummer op een brievenbus: 340. Nog een lange weg
te gaan.

Op een gegeven moment ging het asfalt over in zand. Hauck stuiterde
er met zijn Bronco overheen. De huizen stonden nu verder uit elkaar. In
een bocht zag hij een verzameling brievenbussen. Op een ervan stond 733.
Zelfs de postbode ging niet verder. Er ging een rilling door Hauck heen
nu hij in de buurt kwam. Grenzen... Hij wist dat hij die lang geleden al
had overschreden. Hij had geen arrestatiebevel en had dit niet op het bureau gemeld. Dietz was een potentiële samenzweerder in twee moorden.

Wat doe je hier verdorie, Ty?

Hij passeerde een rode bungalow in de stijl van de jaren vijftig: huisnummer 650. Er vormde zich een laagje zweet op zijn polsen en onder zijn
kraag. Hij kwam nu echt in de buurt.

De afstand tussen de huizen was steeds groter geworden. Sommige lagen wel vierhonderd meter uit elkaar. Er was geen geluid, op het onbe-
stendige geknerp van gravel onder de wielen van zijn Bronco na.

Eindelijk kwam het huis in zicht. Na een flauwe bocht, weggestopt onder een groep hoge iepen, aan het einde van de weg. Een oude witte boer-
derij. Het hekwerk aan de voorzijde behoefde reparatie. Een van de dak-
goten hing los. De tuin was in geen maanden gemaaid. Het was dat er op
de oprit een tweezits jeep met een ploegwerktuig stond, anders zou je denken dat er niemand woonde. Hauck reed langzaam voorbij en deed zijn

best om geen aandacht te trekken. Achter op de jeep zat een sticker van de politie van Freehold Township. Een huisnummer op de pilaar van de veranda aan de voorzijde bevestigde het: 733.

Bingo.

De verkrotte dubbele garage was dicht. Hauck zag geen lichten aan in huis. Er zouden hier maar weinig auto's langsrijden. Hij wilde niet dat iemand zag dat hij nog een keer voorbij reed. Ongeveer vijftig meter verderop zag hij een afslag, eerder een karrenspoor dan een weg, nauwelijks breed genoeg voor een auto. Die weg sloeg hij in en hij stuiterde over het oneffen terrein. Een eindje verderop reed hij links een veld met droog hooi in. Zijn auto was niet zichtbaar achter de pluimen die tot aan zijn middel reikten. Een paar honderd meter verderop had Hauck fatsoenlijk uitzicht op het huis.

Oké, wat nu?

Hauck haalde een verrekijker uit zijn tas. Hij draaide het raampje naar beneden en tuurde naar het huis. Geen beweging. Een van de luiken hing los. Niets wees erop dat er iemand thuis was.

Uit dezelfde tas pakte Hauck zijn automatische pistool. Hij haalde de veiligheidspal eraf en keek of de zestien kogels van negen millimeter er nog in zaten. Hij had zijn pistool jaren niet gebruikt. Hij herinnerde zich dat hij een steeg in was gerend en drie kogels had afgevuurd op een verdachte die een gebouw uit vluchtte en Haucks partner met zijn TEC-9 had beschoten, nadat ze een gewapende inval hadden gedaan. Met één schot had hij de jongen in zijn been geraakt en vervolgens gearresteerd. Hij had er zelfs een eervolle vermelding voor gekregen. Dat was de enige keer geweest dat hij in functie ooit zijn dienstwapen had getrokken.

Hauck legde het pistool op de stoel naast zich. Daarna pakte hij uit het dashboardkastje het kleine zwarte leren mapje waarin zijn Greenwichpenning zat. Eigenlijk wist hij niet wat hij ermee moest, dus stopte hij hem in zijn jaszak. Hij pakte een tweeliterfles water en nam een flinke slok. Zijn mond was droog. Hij besloot niet te lang stil te staan bij wat hij hier nu eigenlijk deed. Opnieuw richtte hij zijn verrekijker op het huis.

Niets.

Vervolgens deed hij wat hij tijdens diverse surveillances door de jaren heen honderden keren eerder had gedaan.

Hij trok een blikje bier open en keek naar de klok terwijl de seconden wegtikten.

Hij wachtte.

53

DE HELE AVOND HIELD HIJ het huis in de gaten. Er ging geen licht aan. Niemand die er naartoe reed of thuiskwam.

Op een gegeven moment zocht hij het telefoonnummer op dat Dietz hem samen met zijn huisadres had gegeven. Hij belde het nummer. Na vier keer overgaan sloeg het antwoordapparaat aan. 'U bent verbonden met Dark Star Security... Spreekt u alstublieft een boodschap in.' Hauck verbrak de verbinding. Hij zette de radio op 104.3 Classic Rock en hoorde The Who. *No one knows what it's like to be the bad man...* Zijn oogleden werden zwaar en hij dommelde even weg.

Toen hij weer wakker werd was het licht. Er was niets veranderd.

Hauck stak het pistool achter zijn riem. Daarna pakte hij een zaklamp en zijn mobiele telefoon en stapte uit. Hij baande zich een weg door het dichte hooiveld totdat hij het pad vond.

Als Dietz er toch was zou hij hem arresteren. Hij zou de politie van Freehold erbij roepen en de details later afhandelen.

Als hij er niet was zou hij rustig rondkijken.

Hij liep over de zandweg naar de voorzijde van het vervallen huis. Er stond een bordje in de verwaarloosde voortuin: PRIVÉTERREIN. PAS OP VOOR DE HOND. Hauck liep de trap op; zijn hart bonkte in zijn keel, zijn handpalmen waren nat van het zweet. Hij ging aan de zijkant van de deur staan en tuurde door het raam dat door een gordijn was afgedekt. Niets. Hij haalde even diep adem en vroeg zich af of hij krankzinnig bezig was. Daar gaat-ie... Hij klemde zijn hand om zijn automatische pistool. Met in zijn andere hand de zaklantaarn klopte hij op de voordeur.

'Is er iemand thuis?'

Niets.

Even later klopte hij weer. 'Ik wil de weg vragen... Is er iemand thuis?'

Alleen stilte.

De veranda liep helemaal om het huis heen. Hauck besloot naar achteren te lopen. In de tuin, een klein stukje van de zandweg af, zag hij een condensatorkastje staan, verscholen tussen de bosjes. Hij liep ernaartoe en tilde de metalen plaat op. Het was de elektriciteitstoevoer naar het huis.

Hauck trok de telefoonlijn en het alarm los. Daarna liep hij terug naar de veranda. Door het raam zag hij een eetkamer met een eenvoudige houten tafel. Verderop was de keuken. Het was een oude keuken die nooit was vervangen, met tegels en linoleum uit de jaren vijftig. Hij trok aan de achterdeur.

Ook die was op slot.

Opeens blafte er een hond. Het geluid trok door zijn hele lichaam. Hauck verstijfde en slikte. Hij voelde zich betrapt. Maar toen besefte hij dat het geblaf van een naburig terrein kwam. De blaf weerklonk honderden meters verderop, maar het ging door merg en been. Hauck keek uit over de velden die het zicht belemmerden. Zijn bloed begon nu rustiger te stromen. Zenuwen...

Hij liep verder naar achteren en passeerde een afgesloten schuur, een afgedekte grasmaaier en her en der een paar verroeste stoelen. Er was een trapje naar een cederhouten veranda aan de achterzijde. Een oude Weber-barbecue. Een houten picknicktafel. Twee openslaande deuren. De gordijnen waren dicht.

Behoedzaam liep Hauck naar de deuren. Ook op slot. Glaspanelen. Een deurgrendel. Hij pakte zijn zaklamp en tikte tegen een van de glaspanelen vlak bij de deurknop. Het glas rammelde in zijn frame. Los. Hij knielde en sloeg nog een keer hard op het paneel. Het glas versplinterde en viel eruit.

Met zijn hand om zijn pistool geklemd bleef hij even staan en wachtte of hij geluid hoorde. Niets. Hij betwijfelde of Dietz een alarmverbinding met de lokale politie had. Hij zou het risico vast niet willen lopen dat iemand onnodig zou rondsnuffelen.

Hauck stak zijn hand door het gat. Hij schoof de deurgrendel open en draaide aan de knop.

De deur zwaaide wijd open.

Er ging geen alarm af, er klonk geen geluid. Voorzichtig stapte Hauck naar binnen.

Hij bevond zich in een armoedig ingerichte serre. Een versleten gestoffeerde stoel, een houten tafel. Op de tafel lagen een paar tijdschriften: *Forbes. Outdoor Life. Security Today.*

Met bonkend hart liep Hauck met zijn pistool in de hand door de keuken. De vloerplanken kraakten bij elke stap. Het huis was nog steeds donker. Hij keek in de woonkamer en zag een gloednieuwe Samsung-flatscreen.

Hij was binnen, maar had geen idee wat hij zocht.

Hauck ontdekte tussen de woonkamer en de keuken een kleine kamer die vol stond met boekenkasten. Een kantoortje. Er was een kleine, stenen open haard, een bureau met papieren, een computer. Een paar foto's aan de muur. Hauck keek ernaar. Hij herkende Dietz. In uniform met andere politieagenten. In visserskleding terwijl hij een indrukwekkende vis omhooghield. Nog een van hem op een groot zeilschip met een zwarte romp, samen met een donkerharige man met ontbloot bovenlichaam.

Hauck doorzocht de papieren op het bureau. Een enkele rekening, een paar memo's met het logo van Dark Star erop. Niets wat enig licht op de zaak kon werpen. De computer stond aan. Hauck zag het icoontje van de startpagina van Gmail, maar toen hij erop klikte werd er meteen om een wachtwoord gevraagd. Hij besloot een gokje te wagen en klikte op het icoon voor internet. De startpagina van Google kwam in beeld. Hij pakte de muis en keek welke pagina's Dietz zoal had bekeken. De laatste was de site van American Airlines. Internationale vluchten. Verder allerlei pagina's van bedrijven. Ergens onderaan zag hij IAIM staan. Hij klikte erop – de Internationale Associatie van Investment Managers.

De site van Harbor Capital, Charles Friedmans bedrijf, was bezocht. Hauck ging op Dietz' stoel zitten en probeerde de zoektocht te volgen. Er kwam een pagina over het bedrijf in beeld. Een beschrijving van het bedrijf, energiegerelateerde portfolio's. Assets under Management, een paar grafieken van bedrijfsresultaten. Een korte geschiedenis van het bedrijf met een biografie van het managementteam. Een foto van Friedman.

Maar dat was niet alles.

Nu begon Haucks bloed sneller te stromen. Hij besefte dat hij op het juiste spoor zat. De IAIM-pagina gaf alleen melding van Falcon. Geen informatie of verslagen. Alleen de naam van een contactpersoon en een adres in Tortola, dat Hauck opschreef. Daarna bestudeerde hij de papieren op Dietz' bureau. Berichten, correspondentie, rekeningen.

Er moest hier iets te vinden zijn.

In een plastic laatje vond hij iets wat zijn antenne deed zoemen. Een fotokopie van een lijst met namen, van de Nationale Associatie voor Obligatie Handelaren, mensen die een vergunning hadden gekregen om in obligaties te handelen voor investeringsdoeleinden. De lijst was pagina's lang, honderden namen en obligatiebedrijven van over de hele wereld. Hauck bestudeerde de lijst. Waar zocht Dietz naar?

Ineens besefte hij wat er uniek was aan de lijst.

De vergunningen waren allemaal in het afgelopen jaar verleend.

Terwijl Hauck erdoorheen bladerde zag hij dat verscheidene namen waren omcirkeld. Andere waren doorgestreept, met handgeschreven notities in de kantlijn. Er waren er honderden. Een lange, nauwgezette zoektocht om de lijst in te perken.

Plotseling drong het tot hem door: Karen Friedman was niet de enige die dacht dat Charlie nog leefde!

Er stond een printer/kopieermachine op een ladekastje naast het bureau en Hauck legde de obligatielijst met Dietz' aantekeningen erin. Hij bleef zoeken. Tussen de papieren vond hij een handgeschreven notitie op briefpapier van Dark Star.

De Barclays Bank. In Tortola.

Er stond een lang nummer onder, wat een rekeningnummer moest zijn, en pijlen die naar andere banken wezen: de First Caribbean Bank. Nevis. Banc Domenica. Namen. Thomas Smith. Ronald Torbor. Die laatste was drie keer onderstreept.

Wie waren die mensen? Waar zocht Dietz naar? Hauck had altijd al vermoed dat er een verband was tussen Charles en Dietz. De hit-and-runs...

En ineens wist hij het. Allemachtig...

Dietz was óók op zoek naar hem.

Hauck pakte een beschreven stuk briefpapier uit het postbakje. Een reisbeschrijving. American Airlines. Tortola. Nevis. Zijn huid begon te prikken.

Dietz was hem voor. Wist hij soms al waar Charles was?

Hij legde een kopie van hetzelfde papier in de papierlade en drukte op de knop. De machine warmde op.

Plotseling hoorde hij buiten geluid. Haucks hart bleef stilstaan.

Banden die over gravel reden, gevolgd door het geluid van een autoportier dat werd dichtgegooid.

Er kwam iemand thuis.

54

HAUCKS BLOED STOLDE IN ZIJN aderen. Hij liep naar het raam en tuurde door de gesloten gordijnen. Dietz' kantoortje lag aan de verkeerde kant; hij kon niet zien wie het was. Hij trok zijn Sig 9 achter zijn broekriem vandaan en controleerde de veiligheidspal. Hij bevond zich op verboden terrein; geen arrestatiebevel, geen back-up.

Hauck bad dat het niet Dietz was.

Hij hoorde dat er aan de deur werd geklopt. Iemand riep: 'Phil?' Na een korte pauze gebeurde er iets waardoor zijn hartslag omhoogschoot: het geluid van een sleutel die in de voordeur werd gestoken, het slot dat openging. De stem van een roepende man.

'Phil?'

Hauck verstopte zich achter de deur van het kantoortje. Hij klemde zijn vingers om het handvat van de Sig en stond tegen de deur aan gedrukt. Vluchten was geen optie meer. Wie het ook was, hij was al binnen.

Hauck hoorde het geluid van naderende voetstappen, het gekraak van de vloerplanken. 'Phil? Ben je daar?'

Haucks hart begon wild te bonken. In paniek vroeg hij zich af of zijn Bronco misschien was gezien. Hij besefte dat de man, als hij verder door het huis zou lopen, vroeg of laat zou ontdekken dat het ruitje aan de achterzijde was ingeslagen. En dat hij zijn weg naar het kantoortje zou vinden. De man had in elk geval toegang tot het huis. Hauck hoorde hier niet te zijn. Hij had geen bevelschrift en de lokale politie was niet gewaarschuwd. Hij zou gedagvaard worden, al was het alleen al voor het meenemen van zijn dienstwapen. De voetstappen kwamen dichterbij. Hij wist niet wat hij moest doen. Het enige wat hij wist, was dat hij zwaar in de problemen zat en dat die problemen met de seconde groter werden. De man liep door het huis. Zou hij het erop wagen en vluchten?

Toen gebeurde er iets waardoor Haucks hartslag als een razende tekeer ging.

Die rottige printer begon te ratelen.

De pagina's die Hauck in de lade had gelegd, trokken er ineens doorheen. Het geratel van de machine was als een alarmbel.

'Phil!'

De voetstappen kwamen nog dichterbij. Achter de deur greep Hauck zijn Sig vast; hij hield de loop tegen zijn wang. De machine bleef door ratelen. Denk na, denk na! Wat nu?

Hauck verstijfde toen hij vlakbij een vloerplank hoorde kraken en de man de hoek om kwam. Hij tuurde in het kantoortje. Hauck hield zich zo stijf als een plank.

'Phil, ik wist niet dat je thuis was...'

De man zweeg en bleef in de deuropening staan. De pagina's bleven een voor een uit het apparaat rollen.

Hauck hield zijn adem in. Shit...

Een seconde later sloeg de zware kantoordeur tegen zijn borst. Hij werd erdoor verrast en de Sig vloog uit zijn hand.

Haucks ogen schoten naar het pistool, de deur sloeg weer tegen hem aan en raakte hem aan de zijkant van zijn hoofd, verdoofde hem, terwijl het pistool op de grond kletterde.

De man drukte de deur nog een keer tegen hem aan en liep de kamer in. Hauck bezeerde zijn rechterhand. Uiteindelijk gooide hij zijn volle gewicht tegen de deur en ramde hem terug met alle kracht die hij in zich had. De man wankelde de kamer in.

Hij had dik haar en een grote neus; zijn wang bloedde van de klap. Dreigend keek hij Hauck aan. 'Wat doe jij hier, verdomme? Wie ben jij?'

Hauck staarde terug. Hij besefte dat hij de man eerder had gezien.

De tweede getuige. De man in het dikke jack bij AJ Raymonds ongeval. Hodges.

Hun ogen ontmoetten elkaar in een verbijsterde, dreigende blik.

Hodges' ogen werden even groot. 'Jij!'

Haucks blik schoot naar het pistool op de grond, terwijl Hodges een decoratieve hoorn vastgreep die op een bijzettafeltje stond. Daarmee haalde hij uit naar Hauck. De scherpe punt van de hoorn stak door Haucks sweatshirt en haalde zijn huid open.

Hauck schreeuwde het uit. De hoorn had de huid van zijn borstkas doorkliefd en zijn ribben stonden in brand.

Weer haalde Hodges naar hem uit. Hauck graaide wild naar de arm van de man om de klap af te weren en diens arm terug te duwen, terwijl Hodges met al zijn kracht zijn andere hand om Haucks hals klemde.

Hij schopte hard met zijn knie tegen de zijkant van zijn borstkas, zijn wond.

'Aaagh!'

'Wat moet je hier?' schreeuwde Hodges weer.

'Ik weet alles,' gromde Hauck terug. 'Ik weet wat er is gebeurd.' Bloed sijpelde door de gescheurde, natte stof van zijn sweatshirt. 'Het is over, Hodges. Ik weet van de hit-and-runs.'

Hauck spande zich tot het uiterste in en duwde de hand van zijn aanvaller weg, terwijl hij naar de hoorn reikte. De hoorn viel en stuiterde weg.

Hauck keek Hodges aan terwijl hij naar zijn zij greep. 'Ik weet dat er opzet in het spel was. Ik weet dat die mensen zijn vermoord om Charles Friedman en Dolphin Oil te beschermen. De politie is al onderweg.' Hij was nog steeds verdoofd door de eerste klappen en buiten adem. Zijn hals voelde rauw en klopte waar Hodges hem had geknepen. 'Je bent erbij, man.'

'De politie...' herhaalde Hodges sceptisch. 'En wat ben jij dan? Een verkenner?'

Met gloeiende ogen keek hij naar de open haard en greep naar een ijzeren pook, waarmee hij zo hard mogelijk in Haucks richting zwaaide. Hij miste zijn hoofd op een haar na en de pook sloeg in de muur achter hem. Schilfers pleisterwerk dwarrelden op de grond.

Hauck dook met zijn hoofd naar voren op hem af. Hij duwde Hodges tegen het bureau, zware boeken en foto's vielen over hen heen, de printer vloog van het kastje.

Ze rolden over de grond. Hodges eindigde bovenop. Hij was sterk. Een paar jaar geleden zou Hauck hem nog hebben aangekund, maar hij was nog steeds verdoofd door de klap van de deur en de jaap in zijn zij. Hodges vocht alsof hij niets te verliezen had. Hij schopte Hauck hard in het kruis, waardoor hij geen adem meer kreeg. Hij pakte de pook met beide handen over de lengte vast, zette hem als een bankschroef op Haucks borstkas en duwde hem naar zijn hals.

Hauck kokhalsde en hapte wanhopig naar adem.

'Dus jij denkt dat we het deden om hem te beschermen?' zei Hodges. 'Je weet er verdomme niets van.' Hij bleef de pook in de holte van Haucks hals drukken. Hauck merkte dat zijn luchtpijp werd dichtgeknepen; hij voelde een klemmende benauwdheid in zijn longen. Het werd steeds erger. Hij probeerde zijn aanvaller van zich af te rollen, hem een knietje te geven, maar hij was vastgeklemd en de ijzeren staaf perste het leven uit hem. Hij voelde dat het bloed naar zijn gezicht stroomde, dat zijn kracht afnam en dat zijn longen op het punt stonden te barsten.

Hodges zou hem vermoorden.

Met alles wat hij nog in zich had probeerde hij de pook weg te duwen. Zijn ademhaling was haperend, zijn longen verlangden wanhopig naar lucht. Het bloed perste zich bijna door zijn hoofd.

Toen voelde hij dat hij met zijn rug op zijn pistool lag. Hodges had hem vastgeklemd, maar op een of andere manier wist Hauck één schouder op te richten. Hij reikte met één arm achter zijn rug, terwijl hij met de andere vergeefs probeerde de druk op zijn hals te verlichten. Hauck voelde het warme staal van de loop en draaide het pistool onder zijn lichaam om.

'Stop,' bracht hij haperend uit. 'Ik wil iets zeggen. Stop.'

'Hoe ben je hier gekomen?' schreeuwde Hodges. 'Hoe ben je erachter gekomen?' Het was alsof er een ijzeren schoffel in Haucks hals werd geduwd. Uiteindelijk slaagde Hauck erin om zijn vingers om het handvat van de Sig te leggen. Met het pistool nog steeds onder zijn lichaam probeerde hij het te manoeuvreren.

'Nou?' vroeg Hodges dwingend, terwijl hij Haucks benen tussen zijn dijen klemde en de laatste lucht uit zijn borst perste.

Het enige wat Hauck kon doen, was zich een klein stukje oprichten, waarmee hij een piepkleine ruimte creëerde om zijn hand vanachter zijn rug vandaan te zwaaien. Maar Hodges had intussen in de gaten waar hij mee bezig was. Hij oefende nu nog meer druk uit en duwde Haucks arm met zijn knie terug. De pook drukte hard op zijn strottenhoofd.

Haucks longen stonden op het punt te exploderen.

Hodges had zijn schouder zo hard teruggeduwd dat hij niet kon richten. Hij wist zijn vinger nog net om de trekker te leggen, maar de loop zat tegen zijn lichaam gedrukt. Hij had geen idee waarop het pistool gericht was, alleen dat zijn kracht afnam, zijn lucht verdween... Geen tijd meer.

Hij zette zich schrap voor de explosie in zijn zij.

En vuurde – een gedempte, korte knal.

Hauck voelde een schok die in hun beide lichamen weergalmde. Hij spande zich, in afwachting van de pijnscheut.

Maar die kwam niet.

Boven op hem trok Hodges een grimas. De ijzeren staaf drukte nog steeds in Haucks hals.

Hauck rook de indringende geur van cordiet. Langzaam werd de druk op zijn keel minder.

Hodges' ogen dwaalden af naar zijn zij. Hauck zag dat er bloed van onder zijn shirt sijpelde. Hodges greep naar zijn zij. Toen hij zijn hand terugtrok zat die onder het bloed.

'Verdomde klootzak...' kreunde hij.

Hauck duwde tegen zijn benen, en met een glazige blik rolde Hodges van hem af. Hauck kokhalsde en hapte naar adem. Het voelde alsof zijn zij in brand stond. Hij zat onder het bloed, van wie precies wist hij niet. Hodges kroop naar de deur.

'Het is over,' bracht Hauck hijgend uit terwijl hij naar hem omkeek, nauwelijks in staat om zijn pistool te richten.

Hodges kwam onhandig overeind. Een natte, rode vlek verspreidde zich over zijn shirt. Hij legde zijn hand erop. 'Je hebt verdomme geen flauw idee,' zei hij, terwijl hij lachte en hoestte tegelijk.

Hij huiverde en wachtte tot Hauck de trekker zou overhalen. Maar Hauck was zo uitgeput dat hij zijn pistool bijna niet omhoog kon brengen.

'Je bent er geweest! Je weet het nog niet, maar je bent er geweest.' Hodges keek hem dreigend aan. 'Je hebt geen idee met wie je hier te maken hebt!'

Voorovergebogen strompelde hij de kamer uit. Hauck kon niets doen om hem tegen te houden. Het kostte uiterste inspanning om zelf overeind te komen en lucht in zijn gemangelde luchtpijp terug te hoesten. Zijn kleren waren doorweekt van het zweet. Hij zwalkte achter Hodges aan naar buiten en greep naar zijn ribben. Alles was fout gegaan. Hij hoorde dat Hodges zijn auto startte en zag dat er een spoor van bloed van de veranda naar de oprit liep.

'Hodges!' Hauck strompelde de trap af en richtte zijn pistool. De man verliet de oprit en scheurde weg. Hauck richtte zijn pistool op de achterwielen. Zijn vinger klopte om de trekker. 'Stop!' riep hij hem achterna. Stop. Hij hoorde zijn eigen stem niet eens.

Hij bleef staan en keek toe terwijl de auto over de weg ratelde. Zijn pistool was nog steeds gericht op de neerdalende zandwolk.

Hauck moest zijn uiterste best doen om zich op één gedachte te concentreren.

Dat hij ergens bij betrokken was – iets wat in zijn gezicht was ontploft.

En dat hij niet langer iets of iemand vertegenwoordigde. Geen verklaringen onder ede, geen waarheid, zelfs niet Karen.

Alleen zijn eigen verlangen om te weten waar dit toe leidde.

55

ZIJN ZIJ STOND IN BRAND.

Zijn nek was gezwollen, tot twee keer zo groot. Hij kon nauwelijks slikken.

Bij elke ademhaling deden zijn ribben pijn, alsof hij tien ronden met een zwaargewicht had gebokst. Over zijn borstkas lag een helderrode striem.

Hij wist niet wat hij had gedaan.

Hij was teruggegaan en had de papieren gepakt die hij had gekopieerd. Daarna was hij naar zijn auto gelopen.

Dom, Ty. Gewoon oliedom. Hij probeerde de situatie te taxeren. Alles wat hij had gedaan, was buiten zijn jurisdictie geweest. Inbreken in Dietz' huis. Zijn dienstpistool meenemen. Verzuimen de lokale autoriteiten in te lichten. En Hodges... Hij zou het overleven. Maar, besefte Hauck, dat was nog niet alles. Dietz zou het weten... en iedereen die voor hem werkte. Het zou volledig uit de hand lopen. Natuurlijk konden ze niet weten dat hij op eigen houtje opereerde. Of, en die gedachte stelde hem enigszins gerust, dat Karen erbij betrokken was.

Dat was verdorie het enige wat er goed aan was.

Hij deed er ruim drie uur over om naar huis te rijden. Vroeg in de ochtend kwam hij aan. Uitgeput plofte hij neer op de bank en inspecteerde zijn zij. Hij gooide zijn hoofd in zijn nek en overdacht zijn daden. Hij had wetten overtreden. Een heleboel. Hij had Karen in gevaar gebracht. De verklaringen die hij onder ede had afgelegd, dat hij de wet zou handhaven, dat hij zou doen wat juist was, waren allemaal aan gruzelementen.

Hauck trok zijn bebloede kleding uit en gooide die in een prop in de provisiekast. Alleen al zijn armen optillen deed vreselijk pijn. De jaap in zijn zij was bedekt met opgedroogd bloed, waar Hodges hem had geslagen was zijn huid gescheurd. Over zijn hele hals en borst zaten vuurrode striemen. Hij keek in de spiegel en huiverde. Hij wist niet of hij medische hulp nodig had. Zijn hoofd was zwaar. Eigenlijk wilde hij alleen maar slapen. Hij voelde zich alleen en voor het eerst van zijn leven wist hij niet wat hij moest doen.

Voorzichtig ging hij weer op de bank liggen. Er was maar een persoon die hij kon bellen.

'Ty?'

'Karen, luister. Ik heb je nodig,' kreunde hij. 'Hier bij me thuis.' Het was eerder een smeekbede dan een mededeling. Hij zoog lucht in zijn longen.

'Ty, is alles goed?' Karens stem klonk angstig. 'Ik maakte me zorgen. Ik heb je geprobeerd te bellen, maar je nam niet op.'

'Karen, er is iets gebeurd... Kom naar me toe. Alsjeblieft.' In een waas vertelde hij haar waar hij woonde.

'Ik ben al onderweg. Je klinkt niet goed, Ty. Je maakt me bang. Moet ik nog iets meenemen?'

'Ja.' Hij ademde uit en zijn hoofd viel achterover. 'Ontsmettingsmiddel en heel veel verbandgaas.'

Hauck strompelde naar de voordeur toen hij haar hoorde kloppen. Om zijn wonden te verhullen had hij een trainingsbroek en een badjas aangetrokken. Hij grijnsde en zijn bleke gezichtsuitdrukking leek iets uit te drukken als: 'Het spijt me verschrikkelijk dat ik je hierbij betrek.' Hij boog zich een beetje naar haar toe.

Geschokt keek ze hem aan. 'Wat is er in vredesnaam gebeurd, Ty?'

'Ik heb Dietz' huis gevonden. De hele nacht heb ik het geobserveerd. Ik dacht dat er niemand was. Vanochtend ben ik naar binnen gegaan.'

'Was hij thuis?'

'Nee.' Hauck pakte de EHBO-tas uit haar handen die hij haar had gevraagd om mee te nemen. Ontsmettingsmiddel, tape, gaas. Hij strompelde terug naar de bank en ging voorzichtig zitten. 'Maar Hodges was er wel.'

Ze kneep haar ogen samen. 'Hodges?'

'De andere getuige van AJ Raymonds hit-and-run. Ik denk dat ze het samen hebben bekokstoofd. Partners.'

'Wat samen hebben bekokstoofd?'

Toen viel Karens blik op de striemen in Haucks' hals en ze hapte naar adem. 'Mijn hemel, Ty. Wat is er gebeurd?' Ze duwde de kraag van zijn badjas naar beneden en liet met grote ogen haar vingers over de gekneusde huid glijden. Ontzet inspecteerde ze zijn ontvelde knokkels en voorzichtig nam ze zijn handen in de hare.

'Deze kant is er erger aan toe.' Hauck bewoog zijn schouders en liet zijn badjas openvallen om het opgedroogde bloed en de sporen van gescheurd vlees onder zijn arm te onthullen.

'O, mijn hemel!'

'Het was allemaal opzet,' zei hij in een poging het uit te leggen. 'Abel Raymond. Lauer. De ongelukken waren aanslagen. Dietz en Hodges hebben hen allebei vermoord. Om iets geheim te houden.'

'Wát?' Er lag een sluier van verwarring op Karens gezicht, maar ook van iets anders: angst, de wetenschap dat wat hij achterhield op een of andere manier met haar te maken had. Dat Charlie erbij betrokken was.

'Hoe is het met Hodges afgelopen?' vroeg ze, terwijl ze het ontsmettingsmiddel pakte en de doos met gaas openscheurde.

Zijn gezichtsuitdrukking was hardvochtig. 'Ik heb hem neergeschoten, Karen.'

'Neergeschoten?' Ze legde de spullen weer neer, en alle kleur trok uit haar gezicht. 'Dood?'

'Nee. Dat denk ik in elk geval niet.'

Hij vertelde haar alles. Dat hij het huis was binnengegaan in de veronderstelling dat het veilig was, en dat Hodges was binnengekomen, hem had verrast, in Dietz' kantoortje. Dat ze hadden gevochten. Dat Hodges hem met de hoorn had geslagen en de ijzeren pook op zijn keel had gedrukt. Dat Hauck ervan overtuigd was geweest dat hij zou sterven. Dat hij Hodges had beschoten.

'O, mijn hemel. Ty...' Karens ogen waren groot en er stond medelijden in. De ontzetting op haar gezicht had plaatsgemaakt voor oprechte angst. 'Wat zei de politie? Het was toch zeker zelfverdediging? Hij probeerde je te vermoorden, Ty.'

Hauck hield zijn blik op haar gericht. 'Ik heb de politie niet gebeld, Karen.'

Ze knipperde met haar ogen. 'Wat?'

'Ik had daar helemaal niet mogen zijn, Karen. Het was vanaf het begin al verkeerd wat ik deed. Ik had geen bevelschrift. Er is geen lopende zaak tegen hen. Ik ben verdomme niet eens in functie, Karen.'

'Ty...' Karens hand vloog naar haar mond, terwijl de situatie tot haar doordrong. 'Je kunt niet doen alsof het nooit is gebeurd. Je hebt iemand neergeschoten.'

'Die man probeerde me te vermoorden, Karen! Wil je dat ik de politie bel? Begrijp je het dan niet? Jouw man had nauwe banden met deze mensen, Karen. Dietz, Hodges. Toen Charlie die ochtend bij het Grand Central vertrok, ging hij naar Greenwich. Hij stal de creditcard van iemand die daar was gestorven. Iemand belde AJ Raymond, vanuit het wegrestaurant aan de overkant van de straat. Het was Charlie, Karen. Jouw man. Hij was direct bij de moord op AJ Raymond betrokken óf hij heeft geholpen bij de voorbereidingen.'

'Charlie?' Karen schudde haar hoofd. 'Je kunt niet denken dat Charlie een of andere moordenaar is, Ty. Nee. Waarom?'

'Om geheim te houden wat Raymonds vader in Pensacola had ontdekt. Namelijk dat ze in een van Charlies bedrijven olietransporten vervalsten.'

Weer schudde Karen opstandig haar hoofd.

'Het is de waarheid. Heb je ooit van Dolphin Oil gehoord, Karen? Of Falcon Partners?'

'Nee.'

'Het zijn dochterondernemingen van zíjn bedrijf. Van Harbor. In het buitenland. Wil je dat ik de politie bel, Karen? Ze zullen meteen een arrestatiebevel tegen hem uitvaardigen. Er is voldoende aanleiding: fraude, geldwitwasserij, samenzwering tot moord. Wil je dat ik je dat aandoe, Karen? Jou en je gezin? De politie erbij halen? Want dat gaat er dan gebeuren.'

Karen legde haar hand op haar voorhoofd en schudde haar hoofd. 'Ik weet het niet.'

'Charlie had banden met hen. Via zijn investeringsmaatschappijen. Via Dietz. Hij is betrokken bij beide moorden, Karen –'

'Ik geloof het niet! Je kunt niet van mij verwachten dat ik geloof dat mijn man een moordenaar is, Ty!'

'Kijk dan!' Hauck pakte de papieren die hij uit Dietz' kantoor had meegenomen en legde die voor haar neus. 'Zijn naam staat overal. Er zijn twee mensen dood, Karen. Je moet naar me luisteren en een beslissing nemen, want er is nog meer. Die Dietz is ook op zoek naar Charlie. Ik heb geen flauw idee wie hij is en voor wie hij werkt, maar op een of andere manier weet hij dat Charlie nog leeft, net zoals wij. Hij zoekt hem ook – ik heb het spoor gevonden! Misschien willen ze hem de mond snoeren, ik weet het niet. Maar als Hodges hem vindt voordat wij hem vinden, kan ik je verzekeren dat hij Charlie niet met tranen in de ogen zal vragen hoe hij jou dit alles in vredesnaam had kunnen aandoen.'

Karen knikte aarzelend. Er trok een huivering van verwarring door haar lichaam. Hauck pakte haar hand vast en legde zijn vingers om haar strakke vuist.

'Dus vertel me, Karen, is dat wat je wilt? De politie erbij halen? Want de politie ís erbij betrokken, ík ben erbij betrokken. En na vandaag, met alles wat er is gebeurd, kan ik de klok niet meer terugdraaien en me terugtrekken.'

In haar ogen glinsterden tranen. 'Hij is de vader van mijn kinderen. Je hebt geen idee hoe vaak ik hem zelf heb willen wurgen, maar wat je me vertelt... een moordenaar? Nee, dat geloof ik niet, totdat hij het me zelf vertelt.'

'Ik zal hem voor je vinden, Karen. Dat beloof ik. Maar besef wel dat die mensen intussen weten dat ik achter hen aanzit. We kunnen niet meer terug. Als je denkt dat je het niet aankunt – en dat zou ik best begrijpen – is dit het moment om het te zeggen.'

Karen keek omlaag. Hauck voelde dat ze aarzelend en rillend haar pink om een van zijn vingers sloeg en kneep. In haar ogen stond een angstige blik, maar daarachter lag nog iets, een twinkeling van vastberadenheid. Ze keek hem aan en schudde haar hoofd weer.

'Ik wil dat je hem vindt, Ty.'

Ze liet haar hoofd een beetje hangen, vlak bij hem, haar haren gleden tegen zijn wang. Haar ademhaling was dichtbij en haperend. Hun knieën raakten elkaar. Hauck voelde dat zijn bloed sneller door zijn lijf joeg toen de zijkant van haar borst rakelings langs zijn arm scheerde. Hun lippen hadden elkaar kunnen raken. Eén duwtje en ze zou tegen hem aanleunen – een deel van hem wilde dat ze dat deed, een sterk deel, maar een ander deel zei nee. Het haar op zijn armen stond recht overeind terwijl hij naar haar ademhaling luisterde.

'Je hebt het al die tijd geweten,' zei ze tegen hem. 'Van Charlie. Dat dit naar hem zou leiden. Je hield het voor me achter.'

'Ik wilde je niet nog meer verdriet bezorgen, voordat ik het zeker wist.'

Ze knikte en vouwde haar vingers in zijn hand. 'Hij zou nooit iemand vermoorden, Ty. Hoe dom ik nu ook mag klinken. Ik heb bijna twintig jaar met hem samengeleefd. Hij is de vader van mijn kinderen. Ik weet het zeker.'

'Wat wil je nu doen?'

Voorzichtig trok Karen Haucks badjas los. Hij spande zich. Ze liet haar vingers over zijn borst glijden. Daarna reikte ze naar de tas met verband die ze had meegenomen. 'Ik wil nu die wond bekijken.'

'Nee,' zei hij terwijl hij haar hand vastpakte. 'Je weet wat ik bedoel.'

Ze bleef even stil terwijl ze elkaars hand nog steeds vasthielden.

'Ik wil van hem zelf horen wat hij heeft gedaan, waarom hij bij ons, zijn gezin, is weggelopen na een huwelijk van bijna twintig jaar. Ik wil hem vinden, Ty. Ik heb iets ontdekt toen je daar was. Ik denk dat ik weet hoe we hem kunnen traceren.'

56

HET WAS DE AUTO.

Ze had alles al twee keer doorzocht, zoals Ty had gevraagd. Maar toen hij in Jersey was voelde ze dat ze iets moest doen, om even verlost te zijn van het gepieker.

Dus doorzocht ze Charlies spullen nog een keer – de oude rekeningen, de stapels bonnen die nog in zijn kast lagen, de papieren op zijn bureau. Zelfs de sites die hij op zijn computer had bezocht voordat hij 'stierf'.

Een vruchteloze onderneming, zei ze tegen zichzelf. Net zoals de vorige keer.

Maar deze keer ontdekte ze een aantal dingen. Een dossier onder in zijn bureaulade, verborgen onder een stapel juridische documenten. Een dossier dat Karen nooit eerder had opgemerkt. Van voordat Charlie stierf. Dingen die ze niet begreep.

Een klein kaartje dat nog in de envelop zat, geadresseerd aan Charles. Zo'n kaartje dat altijd bij een boeket bloemen zat. Aarzelend maakte Karen de envelop open. Ze zag een handschrift dat ze niet herkende.

En ze bevroor.

SORRY VAN FIKKIE, CHARLES. ZIJN JE KINDEREN HIERNA AAN DE BEURT?

Sorry van Fikkie. Karen merkte dat haar handen trilden. Degene die het briefje had geschreven, had het kennelijk over Sasha. En wat bedoelde hij met: 'Zijn je kinderen hierna aan de beurt?'

Ineens voelde Karen een benauwdheid op de borst. Wat hadden die mensen gedaan?

En toen vond ze in datzelfde verborgen dossier een van de kerstkaarten die ze hadden verstuurd. Met z'n vieren op een houten hek bij een veld vlak bij hun vakantiehuisje in Vermont. Een gelukkige tijd.

Ze vouwde het kaartje open.

Ze moest bijna overgeven.

De gezichten van de kinderen, Samantha en Alexander, waren eruit geknipt.

Karen bedekte haar gezicht met haar handen en voelde dat het bloed naar haar wangen steeg.

Wat gebeurt hier, Charlie? Ze staarde naar het kaartje. Waar was je in vredesnaam bij betrokken? Wat heb je ons aangedaan? Plotseling dacht ze terug aan het incident in Samantha's auto. Karens hart begon wild te kloppen. Beschuldigend. Ze stond op van het bureau en voelde de behoefte om ergens op te slaan. Ze bracht haar hand naar haar gezicht en keek rond in de kamer.

Zijn kamer.

'Praat tegen me, Charlie. Klootzak, praat tegen me!'

En toen viel haar blik ergens op.

Tussen de papieren, brochures en sportmagazines die ze nog steeds niet had weggegooid.

De stapel. De keurige stapel die Charlie op de boekenplank bewaarde. Alle uitgaven. Een bron van potentieel brandgevaar, noemde Karen hem altijd. Zijn droomcollectie, die hij had opgebouwd sinds hij het speeltje acht jaar geleden had gekocht.

Mustang World.

Ze liep ernaar toe. Het was een hoge stapel. Ze pakte een paar exemplaren op, en de gedachte kreeg vorm in haar hoofd.

Dat was het! Het enige aan hem wat hij nooit zou veranderen. Welke naam hij ook gebruikte. Of wie hij nu ook was.

Of waar hij nu ook was.

Zijn stomme auto. Charlies kindje. In zijn vrije tijd las hij over die auto's, controleerde de prijzen, chatte erover op internet. Ze grapte altijd dat die auto een deel van hem was. Een minnares die Karen maar gewoon moest dulden. Ze noemde de auto Camilla, naar de geliefde van prins Charles. Beter dan Camilla, grapte Charlie altijd. 'En veel aantrekkelijker.'

Mustang World.

Hij zette de auto geregeld te koop, maar deed hem uiteindelijk nooit van de hand. In de zomer reed hij er rally's mee. Hij bestudeerde de internetsites. Ze begreep niet waar die kaarten die ze had gevonden over gingen en werd er bang van. Ze wist niet zeker wat hij had gedaan.

'Maar dat is de manier,' zei Karen tegen Hauck, terwijl ze zijn wonden verzorgde.

Ze reikte in haar tas en legde een exemplaar van het tijdschrift op tafel. *Mustang World.*

'Zo vinden we hem, Ty. Via Charlies kindje.'

57

OP ONE POLICE PLAZA IN Lower Manhattan was het bestuurskantoor van de politie van New York gevestigd en ook dat van de Joint Inter-Agency Task Force, die de veiligheid in de stad garandeerde.

Hauck wachtte op de binnenhof voor het gebouw en keek uit over Frankfort Street, die naar de Brooklyn Bridge leidde. Het was een warme middag in mei. Wandelaars en fietsers verplaatsten zich over de stalen brug, kantoormensen in overhemden met korte mouwen en luchtige jurkjes maakten lunchwandelingen. Hij was hier jaren niet meer geweest.

Een tengere, kale man in een marineblauwe politietrui zwaaide naar een collega en liep naar hem toe. Zijn politiepenning zat aan zijn borstzakje.

'Het mooiste stukje van New York.' De man die voor hem stond knipoogde naar Hauck. Hij ging naast hem zitten en gaf hem een stoot met zijn vuist.

'Go, blue!' Hauck grijnsde terug.

Inspecteur Joe Velko was een jong recherchehoofd in het 105th district geweest en had aan de universiteit van New York een mastertitel in de ICT behaald. Jarenlang hadden hij en Hauck samen in het hockeyteam van de afdeling gezeten, Hauck als lijnverdediger met gammele knieën, Joe als moedige aanvaller. Hij had leren hockeyen in de straten van Elmhurst, Queens. Joe's vrouw Marilyn had als secretaresse bij Cantor Fitzgerald gewerkt en was bij de aanslagen van 11 september omgekomen. Indertijd had Hauck een benefietwedstrijd voor Joes kinderen georganiseerd. Aanvoerder Joe Velko stond nu aan het hoofd van de belangrijkste afdeling van het hele politiekorps van New York.

Watchdog was een geavanceerd computersoftwareprogramma, ontwikkeld door de NCSA, dat werd gevoed door negen supercomputers in een ondergronds commandocentrum aan de overkant van de rivier in Brooklyn. Watchdog controleerde op internet miljarden bits aan data op willekeurige verbanden die nuttig zouden kunnen zijn voor beveiligingsdoeleinden. Blogs, e-mailberichten, websites, MySpace-pagina's. Het programma zocht naar ongewone verbanden tussen namen, data, publieke evenementen, zelfs alledaagse zinsneden, die in het commandocentrum werden uitgespuugd in dagelijkse 'alerts'. Een groep analisten stortte zich er vervolgens op en besloot of een alert belangrijk genoeg was om actie te ondernemen of om door te geven aan andere beveiligingsteams. Een aantal jaren terug werd door Watchdog een samenzwering van een antiglobaliseringsgroepering onderschept, die van plan was het Citigroup Center te bombarderen. Het programma had de op het oog onschuldige, maar steeds herhaalde zinsnede 'ons rijbewijs verlengen' in verband gebracht met een willekeurige datum, 24 juni, de dag waarop het hoofd van de Wereldbank er een bezoek zou brengen. Uiteindelijk werd ontdekt dat er een medeplichtige bij de catering werkte.

'Waar heb ik dit bezoek aan te danken?' Velko richtte zich tot Hauck. 'Ik weet dat dit niet bepaald je favoriete plek is.'

'Ik wil je om een gunst vragen, Joe.'

Velko was een doorgewinterde agent en zag iets in Haucks gezicht wat hem het zwijgen oplegde.

'Ik probeer iemand op te sporen,' legde Hauck uit. Hij haalde een bruine envelop van onder zijn jas vandaan. 'Ik heb geen idee waar hij is. Of welke naam hij nu gebruikt. Hij bevindt zich waarschijnlijk in het buitenland.' Hij legde de envelop op Velko's schoot.

'Ik dacht dat je me een uitdaging zou geven.' De beveiligingsman gniffelde en maakte de envelop open.

Hij liet de inhoud eruit glijden: een kopie van Charlie Friedmans pasfoto, samen met dingen die Karen hem had gegeven. De zinsnede 'Emberglow Mustang uit 1966. GT. Pony interieur. Greenwich, Connecticut.' Een plaats die Ragtops heette, in Florida, waar Charlie hem had gekocht. De Greenwich Concours Rallye, waar hij zijn auto soms tentoonstelde. Een aantal van Charlies favoriete autowebsites. En uiteindelijk een paar uitdrukkingen die hij zou kunnen gebruiken, zoals 'Lichten uit.' Of 'Het is een homerun, baby.'

'Dus jij vindt dat ik zwaar bij je in het krijt sta voor die keer dat je me hebt gered van een paar brandweerlieden die me verrot wilden slaan?'

'Het waren er meer dan "een paar", Joe.' Hauck glimlachte.

'Een Mustang uit '66. Pony interieur. Kun je niet op eBay kijken voor dit soort dingen, Ty?' Velko grijnsde.

'Ja, maar dit is veel sexyer,' antwoordde Hauck. 'Luister, die vent kan in het Caribisch gebied of misschien in Midden-Amerika zitten. En Joe... dit zal in je onderzoek naar boven komen, dus ik kan het je net zo goed nu alvast vertellen – de persoon naar wie ik zoek is zogenaamd dood. Omgekomen tijdens de bomaanslag in het Grand Central.'

'Zogenaamd dood? In tegenstelling tot echt dood?'

'Ik kan er niet verder op ingaan, makker. Ik probeer hem voor een vriend te traceren.'

Velko stak de papieren terug in de envelop. 'Driehonderd miljard bits aan data gaan dagelijks over het internet, de veiligheid van de stad is in onze handen, en ik moet op zoek naar een Mustang uit '66 van een dode vent?'

'Dank je, kerel. Ik ben blij met alles wat je kunt vinden.'

'Een reusachtig gat in de Patriot Act' – Velko schraapte zijn keel – 'dát is wat er boven tafel zal komen. We zijn geen zoekmachine voor vermiste personen.' Hij keek naar Hauck en bestudeerde de littekens in zijn gezicht en nek en zijn algehele stijfheid.

'Schaats je nog?'

Hauck knikte. 'Met een lokaal team. Een groep veertigplussers. Voornamelijk Wall Street-typen en hypotheekverstrekkers. Jij?'

'Nee.' Velko tikte tegen zijn hoofd. 'Het mag niet meer. Ze vinden dat mijn hersens een nuttiger doel dienen dan verbrijzeld worden. Te riskant met mijn werk. Michelle wel. Je zou haar moeten zien. Dat is me toch een rouwdouwer. Ze speelt in het jongensteam van haar school.'

'Ik zou graag eens komen kijken,' zei Hauck met een tedere glimlach. Toen Marilyn stierf, was Michelle negen en Bonnie zes. Hauck had een benefietwedstrijd voor hen georganiseerd tegen een team van lokale beroemdheden. Na afloop werd Joe's gezin op het ijs uitgenodigd om een sporttrui in ontvangst te nemen die door de Rangers en de Islanders was gesigneerd.

'Ik weet dat ik het al eerder heb gezegd, Ty, maar wat je toen voor ons hebt gedaan, waardeer ik nog steeds zeer.'

Hauck knipoogde naar Joe.

'Nou, ik kan maar beter aan de slag gaan, hè? Topgeheim – gepreciseerd en geheim.' Joe stond op. 'Alles goed verder?'

Hauck knikte. Hij had nog steeds veel pijn in zijn zij. 'Ja hoor, prima.'

'Mocht ik iets ontdekken,' zei Joe, 'kan ik je dan nog steeds in je kantoor in Greenwich vinden?'

Hauck schudde zijn hoofd. 'Ik heb een poosje verlof opgenomen. Mijn mobiele nummer zit in de envelop. En Joe... Ik zou het waarderen als dit onder ons blijft.'

'O, maak je daar maar geen zorgen over.' Joe hield de envelop omhoog en rolde met zijn ogen. 'Een poosje verlof...' Terwijl Velko in de richting van het politiegebouw liep, wierp hij Ty een bedachtzame glimlach toe.

'Waar laat je je in vredesnaam mee in, Ty?'

58

NA ZIJN ONTMOETING MET VELKO ging Hauck naar het kantoor van Media Publishing op de twaalfde verdieping van een hoog, glazen gebouw op de kruising van Forty-sixth Street en Third Avenue.

De uitgevers van *Mustang World*.

Hauck moest eerst met zijn politiepenning naar de receptioniste zwaaien en daarna naar een paar junior marketeers om uiteindelijk bij de juiste persoon terecht te komen. Hij had hier geen autoriteit Het laatste wat hij wilde was nog een oude vriend bij de politie van New York bellen. Gelukkig bleek de marketingman die hem uiteindelijk te woord stond zeer bereid om te helpen. Hij vroeg niet eens om een bevelschrift.

'We hebben ruim tweehonderddertigduizend abonnees,' zei de manager, alsof hij overweldigd was. 'Kunt u iets specifieker zijn?'

'Ik hoef alleen maar een lijst van de mensen die het afgelopen jaar abonnee zijn geworden,' zei Hauck.

Hij gaf de man zijn visitekaartje. De manager beloofde dat hij er zo snel mogelijk mee aan de slag zou gaan en de resultaten zou mailen.

Onderweg naar huis bedacht Hauck wat hij zou gaan doen. Hopelijk zou de Mustang-zoektocht iets opleveren. Zo niet, dan had hij nog de aanwijzingen die hij in Dietz' kantoortje had gevonden.

Het was druk op de Major Deegan Expressway en Hauck kwam vlak bij het Yankee-stadion in een file terecht.

Hij graaide in zijn jaszak naar het telefoonnummer van de Caribbean Bank dat hij in Dietz' huis had gevonden. Op Saint Kitts. Terwijl hij het overzeese nummer op zijn mobiele telefoon intoetste, bedacht hij dat het misschien niet zo'n slimme zet was. Voor hetzelfde geld stond de man bij Dietz op de loonlijst. Maar nu hij toch bezig was met risico's nemen...

'First Caribbean.' Een vrouw met een zwaar eilandaccent nam op.

'Thomas Smith graag,' zei Hauck.

'Blijft u aan de lijn.'

Na een korte pauze nam een mannenstem op. 'Met Thomas Smith.'

'Mijn naam is Hauck,' zei Hauck. 'Ik ben politierechercheur in Greenwich, Connecticut. In de Verenigde Staten.'

'Ik ken Greenwich,' antwoordde de man opgewekt. 'Ik heb aan de universiteit van Bridgeport gestudeerd, er vlakbij. Wat kan ik voor u doen, rechercheur?'

'Ik ben op zoek naar iemand,' legde Hauck uit. 'Een Amerikaanse staatsburger. De enige naam die ik van hem heb is Charles Friedman. Hij heeft mogelijk een rekening bij u.'

'Er is hier niemand met een rekening op naam van Charles Friedman,' antwoordde de bankmanager.

'Luister, ik weet dat het een beetje onorthodox is. Hij is ongeveer één meter vijfenzeventig. Bruin haar. Normaal postuur. Brildragend. Mogelijk heeft hij geld naar uw bank overgemaakt vanuit een bank in Tortola. Het kan zijn dat hij de naam Friedman momenteel niet eens gebruikt.'

'Zoals ik al zei, is hier geen rekeninghouder met die naam. En ik heb niemand gezien die aan uw beschrijving voldoet. Nevis is een klein eiland. U begrijpt natuurlijk wel dat ik u die informatie niet zomaar kan geven, zelfs al hád ik de man gezien.'

'Dat begrijp ik heel goed, meneer Smith. Maar het is een politiezaak. Misschien kunt u eens rondvragen en nakijken...'

'Ik hoef het niet na te kijken,' antwoordde de manager. 'Dat heb ik al gedaan.' Wat hij Hauck daar vertelde joeg hem de stuipen op het lijf. 'U bent al de tweede persoon uit de Verenigde Staten die naar deze man vraagt.'

59

MICHEL ISSA TUURDE DOOR DE lens naar de glinsterende steen. Het was een juweeltje. Een prachtige kanariegele diamant, schitterende luminescentie, gemakkelijk een C-notering. Hij had verschillende stenen tegelijkertijd gekocht, maar deze was de crème de la crème. Terwijl hij over de loep gebogen zat, wist hij dat hij er van de juiste koper een goede prijs voor zou krijgen.

Zijn specialiteit.

Issa's familie zat al ruim vijftig jaar in de diamantbusiness. Ze waren vanuit België naar het Caribisch gebied geëmigreerd en hadden een zaak geopend aan Mast Street, op het Nederlandse deel van Sint-Maarten, toen Michel nog klein was. Tientallen jaren lang hadden Issa et Fils stenen van hoge kwaliteit rechtstreeks uit Antwerpen gekocht en op een paar 'grijze' markten. Van over de hele wereld kwamen mensen naar hen toe – en niet alleen cruisegangers die zich wilden verloven, hoewel ze die mensen ook bedienden om de winkelpui te behouden. Maar belangrijke mensen, mensen die dingen te verbergen hadden. In de handel stond Michel Issa, zoals zijn vader en grootvader vóór hem, bekend als het type *négociant* dat zijn mond hield, iemand die discreet genoeg was om een privétransactie af te handelen, ongeacht de omvang.

Nu de geldstromen tussen banken na 11 september zo transparant waren geworden, nam het omzetten van valuta in concrete, transporteerbare goederen tegenwoordig een hoge vlucht. Vooral als men iets te verbergen had.

Michel legde de lens neer en plaatste de steen terug bij de andere stenen op het plateau. Vervolgens legde hij het plateau in de lade en draaide het slot om. De klok gaf aan dat het zeven uur was. Tijd om af te sluiten. Zijn vrouw Marte had een ouderwets Belgische maaltijd van worst en kool voor hem klaargemaakt. Later zouden ze, zoals op elke dinsdagavond, met een paar Engelse vrienden het kaartspel *euchre* spelen.

Michel hoorde het belletje van de buitendeur. Hij zuchtte. Te laat. Hij had zijn verkopers net naar huis gestuurd. Niet dat hij het eng vond. Het eiland kende geen criminaliteit. Niet van die soort. Iedereen kende hem en bovendien waren ze op een eiland. Er waren geen vluchtmogelijkheden. Toch vond hij het vervelend dat hij nu onbeleefd moest zijn. Hij had de deur op slot moeten doen.

'*Monsieur Issa?*'

'Ik kom zo bij u,' riep Michel. Hij keek door het raam in de showroom en zag een kleine, dikke man met een snor en zonnebril bij de deur staan.

Hij draaide de sleutel van de lade nog een tweede keer om. Toen hij de zaak binnenliep stonden er twee mannen. De man die had geroepen, liep met een behoedzame glimlach in zijn donkere gelaatstrekken naar de toonbank. De andere, een lange man in een poloshirt en met een honkbalpetje op, bleef bij de deur staan.

'Ik ben Issa,' zei Michel. 'Wat kan ik voor u doen?' Hij plaatste zijn linkervoet vlak bij de alarmknop achter de toonbank en zag dat de langere man nog steeds verdacht bij de deur bleef hangen.

'Ik zou graag willen dat u iets bekeek, monsieur Issa,' zei de man met de snor. Hij reikte in zijn borstzakje.

'Stenen?' Issa zuchtte. 'Zo laat nog? Ik wilde net afsluiten. Kunnen we misschien voor morgen afspreken?'

'Geen stenen.' De man met de snor schudde zijn hoofd. 'Foto's.'

Foto's. Issa keek hem met samengeknepen ogen aan. De man met de snor legde een plaatje van een man in pak op de toonbank. Klein. Grijzend haar. Een bril. Het leek alsof de afbeelding uit een of andere bedrijfsbrochure was geknipt.

Issa zette zijn leesbril op en keek ernaar. 'Nee.'

De man boog zich naar voren. 'De foto is van enige tijd geleden. Hij kan er nu anders uitzien. Zijn haar zou korter kunnen zijn. Misschien draagt hij geen bril meer. Ik heb zo het vermoeden dat hij hier wel eens is geweest met het verzoek een transactie af te handelen. Een transactie die u zich zeker zou herinneren, monsieur Issa. Het ging om een grote som geld.'

Michel antwoordde niet meteen. Hij probeerde te peilen wie zijn ondervragers waren. Met een bescheiden glimlach probeerde hij hen af te schepen.

De man met de snor glimlachte veelbetekenend naar hem. Maar er was iets in zijn ogen wat Issa niet beviel.

'Politie?' informeerde hij. Met de meeste van hen had hij regelingen getroffen. Lokale mensen, zelfs Interpol. Ze lieten hem met rust. Maar dit leken hem geen agenten.

'Nee, geen politie.' De man glimlachte bedaard. 'Een privékwestie. Een persoonlijke aangelegenheid.'

'Het spijt me.' Michel haalde zijn schouders op. 'Ik heb hem hier niet gezien.'

'Weet u het zeker? Hij zou contant hebben betaald. Of misschien via een overboeking vanaf de First Caribbean Bank of de Maartensbank hier op het eiland. Vijf of zes maanden geleden. Misschien is hij zelfs wel een keer teruggekomen.'

'Het spijt me,' zei Michel weer. De details alarmeerden hem nu. 'Ik herken hem niet. En ik zou hem zeker hebben herkend als hij hier was geweest. Goed, als u het niet erg vindt, ik moet –'

'Ik laat u nog een foto zien,' zei de man met de snor nu stelliger. 'Misschien dat die uw geheugen weet op te frissen.'

De man haalde een tweede foto uit zijn borstzakje en legde die op de toonbank naast de eerste.

Michel verstijfde. Zijn mond werd droog.

Deze tweede foto was van zijn eigen dochter, Juliette, die in de Verenigde Staten woonde. In Washington DC. Ze was getrouwd met een professor die verbonden was aan de George Washington Universiteit. Ze hadden net een baby gekregen, Danielle. Issa's eerste kleindochter.

De man zag dat Issa onrustig werd. Hij leek ervan te genieten.

'Ik vroeg me af of deze uw geheugen opfriste.' Hij grijnsde. 'Of u de man nu misschien wel herkent. Ze is een mooie vrouw, die dochter van u. Volgens mijn vrienden is er pas een baby geboren. Dat is reden voor een feestje, monsieur Issa. Het zou toch vervelend zijn als ze ooit bij smerige zaken als deze betrokken zouden raken, als u begrijpt wat ik bedoel.'

Issa voelde een knoop in zijn maag. Hij wist precies wat de man bedoelde. Hun ogen ontmoetten elkaar en Michel liet zich op zijn kruk zakken. Alle kleur was uit zijn gezicht verdwenen.

Hij knikte.

'Hij is een Amerikaan.' Michel keek naar beneden en bevochtigde zijn lippen. 'Hij ziet er nu inderdaad anders uit. Zijn haar is kortgeschoren. U weet wel, zoals jongelui het tegenwoordig dragen. Hij droeg een zonnebril, geen gewone bril, en hij is hier twee keer geweest – beide keren met lokale bankgegevens. Zoals u al zei, ongeveer vijf of zes maanden geleden.'

'En wat kwam hij hier doen, monsieur Issa?' vroeg de man met de snor.

'Hij kocht stenen – van hoogwaardige kwaliteit, beide keren. Hij leek geïnteresseerd in het omzetten van valuta in iets wat beter te vervoeren is.

Grote hoeveelheden, zoals u zei. Ik weet niet waar hij nu is. Of hoe ik hem kan bereiken. Hij belde me een keer met zijn mobiele telefoon. Ik heb geen adres opgeschreven. Volgens mij zei hij dat hij op een boot woonde. Ik heb hem maar twee keer ontmoet.' Michel keek hem aan. 'Ik heb hem nooit meer gezien.'

'Naam?' vroeg de man met de snor. Zijn donkere pupillen stonden dwingend en glimlachend tegelijkertijd.

'Ik vraag nooit naar namen,' antwoordde Michel.

'Zijn naam?' vroeg de man weer. Deze keer oefende hij met zijn hand druk uit op Michels onderarm. 'Hij had een bankcheque. Die moet op iemands naam hebben gestaan. U hebt een grote transactie afgehandeld. Daar moeten nog gegevens van zijn.'

Michel Issa sloot zijn ogen. Hij vond dit niet prettig. Het druiste tegen al zijn principes in. Hij wist wie deze mensen waren en wat ze wilden. En hij zag aan de felheid in de blik van de man waar dit toe zou leiden. Wat voor keuze had hij?

'Hanson.' Issa bevochtigde zijn lippen weer en zuchtte. 'Steven Hanson of zoiets.'

'Of zoiets?' De man legde nu zijn vlezige vingers om Issa's vuist en kneep erin. Hij deed hem pijn. Voor het eerst was Michel echt bang.

'Zo heet hij.' Michel keek hem aan. 'Hanson. Ik weet niet hoe ik met hem in contact moet komen, dat zweer ik. Volgens mij woonde hij op een boot. Ik kan de datum opzoeken. In de haven zullen wel gegevens bekend zijn.'

De man met de snor blikte achterom naar zijn kameraad. Hij knipoogde, alsof hij tevreden was. 'Dat zou mooi zijn,' zei hij.

'Dus dan is het nu afgerond, hè?' vroeg Michel nerveus. 'Geen reden om ons nog een keer lastig te vallen. Of mijn dochter.'

'Waarom zouden we?' De man met de snor grijnsde naar zijn partner. 'We wilden alleen een naam weten.'

Michel sloot de zaak af en maakte zich klaar om naar huis te gaan. Hij trilde nog steeds op zijn benen toen hij de achterdeur van de zaak op slot draaide. Daar stond zijn kleine Renault, op een klein privéparkeerterrein.

Hij trok het autoportier open. Het zat hem niet lekker wat hij zojuist had gedaan. Hij had de regels overtreden die zijn familie generaties lang in het bedrijf hadden gehanteerd. Als het bekend werd, zou alles waar ze al die jaren voor gewerkt hadden in rook opgaan.

Terwijl hij in zijn auto stapte en het portier dichttrok, voelde Michel een krachtige duw van achteren. Hij werd in de passagiersstoel geduwd. Een sterke hand duwde zijn gezicht hard in het leer.

'Ik heb u zijn naam gegeven,' jammerde Michel met bonkend hart. 'Ik heb verteld wat u wilde weten. U zei dat u me niet meer zou lastigvallen.'

Een hard metalen object drukte tegen de achterkant van Issa's hoofd. De handelaar hoorde de dubbele klik van een pistool dat werd doorgeladen, en volledig in paniek dacht hij aan Marte, die thuis met het avondeten op hem zat te wachten. Hij sloot zijn ogen.

'Alstublieft, ik smeek u, nee...'

'Sorry, ouwe.' De knal van het pistool werd gedempt door de ronkende motor van de Renault. 'We hebben ons bedacht.'

60

HET EERSTE RESULTAAT DAT BINNENKWAM was de lijst van *Mustang World*.
De lijst van nieuwe abonnees die Hauck had opgevraagd.

Thuis bestudeerde hij de lange lijst met namen. Zestienhonderdvijfen-
zeventig stuks, diverse pagina's lang. De namen waren gerangschikt op
postcode, te beginnen met de staat Alabama. Mustang-liefhebbers van over
de hele wereld.

Naar aanleiding van de bankgegevens die hij bij Dietz had gevonden,
was het aannemelijk dat Charles zich in het Caribisch gebied of in Midden-Amerika bevond.

Karen had verteld dat ze daar wel eens hadden gezeild. De bankmanager op Saint Kitts had Hauck verteld dat er nog iemand naar Charles
op zoek was. Hij zou op een gegeven moment ook toegang tot die bank
hebben.

Maar terwijl hij de lange lijst doornam, besefte Hauck dat Charles overal kon zijn. Áls hij al op deze lijst stond...

Het volgende resultaat was een telefoontje van Joe Velko.

De Joint Inter-Agency Task Force-agent belde Hauck op een zaterdagochtend toen hij net pannenkoeken aan het bakken was voor Jessie, die dat
weekend bij hem was. Toen Jessie naar de rode plekken in zijn nek en zijn
stijve manier van lopen vroeg, had hij geantwoord dat hij was uitgegleden
op zijn boot.

'Ik heb wat treffers naar aanleiding van die zoektocht van je,' informeerde Joe hem. 'Niets bijzonders. Zal ik de resultaten faxen?'

Hauck liep naar zijn bureau. Hij droeg een korte broek en een T-shirt
en had een spatel in zijn hand, terwijl er twaalf pagina's met gegevens uit
de fax rolden.

'Luister,' zei Joe tegen hem. 'Ik kan niets beloven. Over het algemeen
krijgen we zo'n duizend positieve treffers die ergens toe kunnen leiden; die
schuiven we dan door naar onze analisten. We noemen alle correlaties met
namen of termen die we hebben ingevoerd "alerts" en rangschikken die op
grond van prioriteit: laag, middelmatig en hoog. De meeste treffers vallen

binnen de lage categorie. Ik zal je de clichés en methodologie besparen. Kijk eens op de derde pagina.'

Hauck pakte een pen en zag een gearceerde treffer: zoekbewerking AF12987543. ALERT.

Joe legde uit: 'Dit zijn willekeurige treffers uit een online nieuwsbrief die de computer heeft gevonden. Van de Carlyle Antieke Automobielenveiling in Pennsylvanië.' Hij gniffelde. 'Echt melodramatisch gezever, Ty. Lees maar: "Emberglow Mustang uit '66. Conditie: uitstekend. Laag toerental. 81.5. Glimt! Frank Bottomly, Westport, Connecticut."'

'Ik zie het.'

'De computer vond de nieuwsbrief aan de hand van twee zoektermen die je gaf: de auto en Connecticut. Dit bericht is van vorig jaar – een willekeurige advertentie voor geïnteresseerden. Je ziet dat ons programma de treffer de prioriteit "laag" heeft gegeven. Zo zijn er nog veel meer. Loze kletspraat. Lees maar verder.'

Hauck bladerde door de volgende pagina's. Verscheidene e-mails. Het programma controleerde privécorrespondentie. Massa's heen en weer gebrief over sites met klassieke wagens, blogs, eBay, Yahoo.com. Wat de computer ook maar oppikte aan de hand van de zoektermen die Hauck had opgegeven. Een paar treffers op de website van de Concours d'Elegance in Greenwich. Alle met prioriteit 'laag'. Er was zelfs een rockband in Texas die Ember Glow heette, en de naam van de zanger was Kinky Friedman. De prioriteit die daaraan was gegeven, was 'nul'.

Zo ging het twaalf pagina's door. Eén e-mail was van een man die letterlijk over een meisje sprak dat Amber heette, met de opmerking: 'Ze glimt als een engel.'

Geen Charles Friedman. Niets uit de Cariben.

Hauck voelde zich gefrustreerd. Niets om toe te voegen aan de lijst van *Mustang World*.

'Pap?' Een scherpe geur drong Haucks neusgaten binnen. Jessie stond bij het gasfornuis in de open keuken, haar pannenkoeken waren zwart geblakerd.

'O, shit. Joe, blijf even hangen.'

Hauck rende terug naar de keuken en schepte de pannenkoek uit de pan op een bord. Teleurgesteld haalde zijn dochter haar neus op. 'Bedankt.'

'Ik maak er meer.'

'Noodgeval?' informeerde Joe aan de lijn.

'Ja, een elfjarig noodgeval. Papa heeft het ontbijt verpest.'

'Dat gaat voor. Luister, neem de lijst rustig door. Het is maar een eerste uitdraai. Ik wilde je alleen even laten weten dat ik ermee bezig was. Ik bel je zodra er iets nieuws binnenkomt.'

'Dat waardeer ik, Joe.'

61

KAREN REED HAAR LEXUS DE oprit op. Ze stopte bij de brievenbus en deed haar raampje naar beneden om de post te pakken. Samantha was thuis. Haar Acura MPV stond voor de garage.

Sam hoefde nog maar een paar dagen naar school; over een week was haar examenuitreiking. Daarna zouden zij en Alex met Karens ouders op safari naar Afrika gaan. Karen had graag meegewild, maar toen de plannen werden gesmeed, maanden geleden, was ze net begonnen bij het makelaarskantoor. En nu, met alles wat er gebeurde, vond ze dat ze niet zomaar weg kon gaan en Ty in de steek laten. Nou ja, rationaliseerde ze, wat was er nu beter dan dat de kinderen een avontuurlijke reis gingen maken met hun grootouders?

Zoals de reclamespotjes zeiden: 'Niet in geld uit te drukken!'

Karen reikte door het raampje van haar portier en pakte de post. De gewoonlijke stapel reclamefolders, rekeningen en brieven van creditcard-aanbieders. Een paar mailings van liefdadigheidsinstellingen, waaronder een uitnodiging van het Bruce Museum. Het museum bezat een fantastische verzameling Amerikaanse en Europese schilderijen en bevond zich midden in Greenwich. Het jaar ervoor was Charlie tot bestuurslid benoemd. Terwijl ze naar de envelop staarde, dwaalden Karens gedachten af naar een diner in het museum vorig jaar. Ze besefte dat dat slechts twee maanden voor Charlies verdwijning was geweest. Het was een galadiner, met een circusthema, en Charlie had een tafel toegewezen gekregen. Ze hadden Rick en Paula uitgenodigd. Charlies moeder, die uit Pennsylvania overkwam. Saul en Mimi Lennick. (Charlie had Saul tot een aanzienlijke donatie bewogen.) Karen herinnerde zich dat hij die avond in smoking moest opdraven en een toespraak moest houden. Ze was ontzettend trots op hem geweest.

Ook iemand anders drong haar gedachten over die avond binnen. Een of andere Rus uit de stad die ze nooit eerder had ontmoet, maar Charlie scheen hem goed te kennen. Charlie had hem zover gekregen dat hij vijftigduizend dollar doneerde.

Een echte charmeur, herinnerde Karen zich, duister en krachtpatserig met dik donker haar. Hij kneep in Charlies wang alsof ze oude vrienden waren, maar Karen had zijn naam nooit eerder gehoord. De man had opgemerkt dat hij nog meer had gedoneerd als hij had geweten dat Charles zo'n aantrekkelijke vrouw had. Op de dansvloer vertelde Charlie dat de man de grootste privézeilboot ter wereld bezat. Hij kwam natuurlijk uit de financiële wereld, zei hij – een belangrijk iemand – een vriend van Saul. De vrouw van de Rus droeg een diamant ter grootte van Karens horloge. Hij had hen allemaal uitgenodigd bij hem thuis, in een afgelegen bergstreek. Een paleisje, zei Charlie, wat Karen vreemd voorkwam. 'Ben je daar geweest?' vroeg ze. 'Ik heb het van horen zeggen.' Hij haalde zijn schouders op en danste door. Karen herinnerde zich nog dat ze toen dacht dat ze niet eens wist waar hij de man van kende.

Eenmaal thuis wandelden ze rond middernacht naar het strand, nog steeds gekleed in hun feestkleding. Ze namen een halflege fles champagne mee die ze van tafel hadden geplukt. Terwijl ze als tieners om beurten een slok uit de fles namen, trokken ze hun schoenen uit en Charles rolde zijn broekspijpen op. Ze gingen op de rotsen zitten en tuurden naar de lichten op Long Island, aan de overkant van de baai.

'Schat, ik ben zo trots op je,' had Karen gezegd, een beetje aangeschoten van alle champagne en wijn. Maar ze was er met haar volle verstand bij. Ze legde haar arm om zijn nek en gaf hem een tedere, liefdevolle kus, terwijl hun blote voeten elkaar op het strand raakten.

'Nog een jaartje of twee en dan stap ik eruit,' antwoordde hij met loshangende das. 'Dan gaan we reizen.'

'Dat moet ik nog zien,' zei Karen lachend. 'Kom op, Charlie. Je bent dol op je werk. Bovendien –'

'Nee, ik meen het,' zei hij. Zijn gezicht stond ineens vertrokken en gekweld. Er lag een nederigheid in zijn ogen die ze nooit eerder had gezien. 'Je begrijpt het niet...'

Ze schoof dichter naar hem toe en streek zijn haar van zijn voorhoofd. 'Wat begrijp ik niet, Charlie?' Ze kuste hem opnieuw.

Een paar maanden later verdween hij bij de bomaanslag.

Karen zette de auto in parkeerstand en bleef voor het huis zitten, terwijl ze een onverklaarbare stroom tranen probeerde binnen te houden.

Wat begrijp ik niet, Charlie?

Dat je ons hele leven samen dingen voor ons hebt achtergehouden, wie je werkelijk was? Dat je altijd van plan was geweest om te vertrekken, terwijl je dagelijks naar kantoor reed, in de weekenden boodschappen met me

deed en Alex en Sam aanmoedigde bij het sporten? Dat je misschien betrokken bent bij de dood van onschuldige mensen? Waarom, Charlie?
Wanneer begon het? Wanneer veranderde de persoon aan wie ik mezelf
wijdde, naast wie ik al die jaren sliep, met wie ik vrijde en van wie ik met
heel mijn hart hield – wanneer veranderde die persoon in iemand voor wie
ik bang moest zijn, Charlie? Wanneer?

Wat begrijp ik niet, Charlie?

Terwijl ze haar tranen met de muis van haar hand wegveegde, verzamelde ze de stapel brieven en tijdschriften in haar schoot. Ze zette de auto weer in de versnelling en reed door naar de garage. Pas toen zag ze in
de stapel de grote grijze envelop die aan haar geadresseerd was. Ze bleef
voor de garage staan en maakte hem open voordat ze uitstapte.

Het was post van Tufts, Samantha's school, waar ze in augustus naartoe
zou gaan. Geen logo op de envelop, alleen een brochure, net zo een als ze
eerder in de aanmeldingsprocedure hadden ontvangen, met informatie over
de school.

Er waren een paar woorden op de voorkant geschreven. Met pen.

Terwijl ze die las bleef Karens hart abrupt stilstaan.

62

EEN DAG LATER HADDEN HAUCK en Karen afgesproken in het Arcadia Coffee House in een zijstraat van het centrum, niet ver weg. Hauck zat al aan een van de tafels toen ze binnenkwam. Karen wuifde en bestelde een café latte bij de toonbank. Daarna ging ze bij hem zitten, aan het raam achterin.

'Hoe gaat het met je zij?'

Hij tilde zijn arm op. 'Pico bello. Je hebt goed werk verricht.'

Ze glimlachte vanwege het compliment, maar keek hem tegelijkertijd afkeurend aan. 'Je moet er toch naar laten kijken, Ty.'

'Ik heb wat dingen teruggekregen,' zei hij om van onderwerp te veranderen. Hij schoof een kopie van de lijst met abonnees op *Mustang World* naar haar toe. Karen nam een paar bladzijden door en bolde haar wangen, overweldigd door de hoeveelheid.

'Ik heb de lijst kunnen inperken. We mogen gerust aannemen dat Charlie het land uit is. Als hij nog fondsen in het Caribisch gebied heeft, moet hij op een gegeven moment contact met die banken opnemen. Vijfenzestig namen op de lijst zijn van nieuwe abonnees in Florida. Dertig abonnees zitten in Canada, vier in Europa, twee in Azië, vier in Zuid-Amerika. Die kunnen we vergeten. Achtentwintig abonnees wonen in Mexico, het Caribisch gebied of Midden-Amerika.'

Hauck had de namen van die abonnees met een gele stift gearceerd.

Karen vouwde haar handen om haar beker koffie. 'Oké.'

'Een vriend van me is privédetective. Van hem kreeg ik de informatie die ik je liet zien over Charles' buitenlandse bedrijf in Tortola. Vier namen konden we meteen wegstrepen. Spanjaarden. Zes andere betroffen bedrijven – autodealers, leveranciers van onderdelen. Ik heb hem gevraagd snel een onderzoek naar de financiën van de rest te doen.'

'En wat ben je te weten gekomen?'

'We konden er nog eens zes wegstrepen, op grond van zaken als verblijfsduur in het gebied en dingen die we via creditcards konden achterhalen. Vijf anderen stonden als getrouwd geregistreerd, dus tenzij Charles het in het afgelopen jaar extréém druk heeft gehad, kunnen we die ook wegstrepen.'

Karen knikte en glimlachte.

'Toen bleven er nog elf over.' Hij had de abonnees pagina voor pagina geel gemarkeerd. Robert Hopewell, woonachtig aan Shady Lane in de Bahama's. Een zekere F. March, in Costa Rica. Karen bleef even bij hem hangen. Ze was er ooit met Charles, Paula en Rick geweest. Ene Dennis Camp, die in Caracas in Venezuela woonde. Een zekere Steven Hanson, die via een postbus geregistreerd stond in Saint Kitts. Alan O'Shea, uit Honduras.

Nog vijf anderen.

'Zitten er namen bij die je bekend voorkomen?' vroeg Hauck.

Karen nam de hele lijst door en schudde haar hoofd. 'Nee.'

'Een aantal abonnees had ook zijn telefoonnummer opgegeven. Ik kan me niet voorstellen dat iemand die probeert onzichtbaar te zijn dat zou doen. De meeste van hen hebben een postbus.'

'En dan gaan we er even van uit dat hij ertussen zit?'

'Inderdaad.' Hauck knikte met een zucht. 'Het enige voordeel dat we hebben, is dat hij niet weet dat er reden is om aan te nemen dat hij nog leeft.' Hij keek haar aan. 'Maar ik heb nog meer ijzers in het vuur, dus voorlopig hoef je nog geen telefoontjes te plegen.'

'Dat is het niet.' Karen knikte geïrriteerd en wreef over haar voorhoofd.

'Wat is er?'

'Ik moet je iets laten zien, Ty.'

Ze graaide in haar tas. 'Ik heb vorige week wat dingen in Charlies bureaulade gevonden. Je had me toch gevraagd om zijn spullen te doorzoeken? Natuurlijk had ik je meteen moeten laten zien wat ik had gevonden, maar het waren oude spullen die me angst aanjoegen. Ik wist niet wat ik ermee moest. Ze zijn van vóór de bomaanslag.'

'Laat eens zien.'

Karen haalde de papieren uit haar tas. Het eerste was een kleine envelop, geadresseerd aan Charles. Hauck maakte de envelop open. Er zat zo'n kaartje in dat wel eens bij een bos bloemen zit.

Sorry van Fikkie, Charles. Zijn je kinderen hierna aan de beurt?

Hij keek omhoog naar Karen. 'Ik begrijp het niet helemaal.'

'Voordat hij stierf' – Karen bevochtigde haar lippen – 'ik bedoel wegging... hadden we nóg een Westie. Sasha. Ze is in onze straat overreden. Recht voor onze deur. Het was vreselijk. Charlie vond haar. Een paar weken voor de bomaanslag...'

Hauck keek weer naar het kaartje. Charles werd bedreigd.

'En dit...' Karen schoof het andere voorwerp naar hem toe. Ze wreef over haar voorhoofd, haar ogen stonden gespannen.

Het was een kerstkaart. Een afbeelding van het hele gezin. Een gelukkigere tijd. Van de familie Friedman. Charlie, in een blauw fleecevest en een gebreide trui, zijn arm om Karen heen, die gekleed was in een windjack en spijkerbroek, op een hek ergens op het platteland. Ze zag er stralend uit en oogden trots. Mooi. De allerbeste wensen voor het nieuwe jaar...

Hauck huiverde, alsof hij met een stomp voorwerp in zijn buik was geslagen.

De gezichten van Samantha en Alex waren er uitgesneden. Hij keek haar aan.

'Iemand bedreigde Charles, Ty. Een jaar geleden. Voordat hij vertrok. Charlie hield dingen achter. Ik weet niet wát hij heeft gedaan, maar wel dat het te maken heeft met de mensen van Archer en al dat geld in het buitenland.'

Iemand had hem inderdaad bedreigd, dacht Hauck, terwijl hij de kaartjes op elkaar legde en aan Karen teruggaf.

'En gisteren vond ik dit.'

Karen reikte opnieuw in haar tas en haalde weer iets anders tevoorschijn: een grote grijze envelop. 'Bij de post.'

Haar ogen stonden bezorgd. Hauck liet de inhoud uit de envelop glijden. Het was een brochure van Tufts. Waar Sam in de herfst naartoe zou gaan, herinnerde hij zich.

Er stond iets op de voorkant geschreven. Hetzelfde handschrift als op het kleine kaartje.

Je bent ons nog steeds antwoorden verschuldigd, Karen. We zijn niet weg. We zijn er nog steeds.

'Ze bedreigen mijn kinderen, Ty. Dat kan ik niet laten gebeuren.'

Hij legde zijn handpalm op haar hand. 'Nee, dat staan we ook niet toe.'

63

HET MOBIELE TELEFOONTJE KWAM OP het moment dat Hauck net bij hoofdcommissaris Fitzpatrick wilde langsgaan, om te regelen dat er weer een patrouillewagen voor Karens huis zou komen te staan.

'Joe?'

'Luister,' zei de man van de JIATF. 'Ik heb hier iets belangrijks. Ik fax het nu naar je toe.'

De pagina's rolden uit de fax nog voordat Hauck weer achter zijn bureau stond. 'Het is een transcriptie van een reeks chatgesprekken op een website voor autoliefhebbers,' legde Velko uit. 'De eerste uitwisseling is van februari.' Drie maanden geleden. Joe klonk opgewonden. 'Volgens mij hebben we hier iets.'

Hauck las het transcript zo snel als hij de pagina's uit de machine kon plukken. Op de eerste pagina stond ALERT. In het gearceerde vak stond een transcriptienummer en een datum: 24 februari. Er stond ook een lijst van zoektermen die Hauck Joe had gegeven: 'Ford Mustang uit 1966, Emberglow. Greenwich, Ct. Concours d'Elegance. Charlies kindje.' Een paar van zijn favoriete frasen. De prioriteit van de treffer was aangeduid als 'hoog'.

Hauck ging achter zijn bureau zitten lezen. Zijn bloed pompte verwachtingsvol door zijn aderen.

KlassicKarMania.com:

Mal784: Hé, ik wil een Emberglow 'Stang uit '66 inruilen voor een Merc 230 Cabriolet uit '69. Iemand interesse?

DragsterB: Zag er vorig jaar een in een film. Sandra Bullock. Zag er goed uit.

Xpgma: De auto of het meisje?

DragsterB: Heel grappig, vriend.

Mal784: Lake House. Ja, maar de mijne is een cabriolet, GT. 99.750 kilometer op de teller. 280 pk. Kleur: mint. Iemand interesse? $38.5.

DragsterB: Ik ken wel iemand.

SunDog: Waar?

Mal784: Florida. Boynton Beach. Staat zelden buiten.

SunDog: Misschien. Heb er een gehad. In het noorden. Wat is de VIN-code? C of K?

Mal784: K. Topprestaties, in alle opzichten.

SunDog: Interieur?

Mal784: Orig. ponyleer. Orig. radio. Geen krasje. Echt verslavend zo'n auto.

SunDog: Moest verkopen. Verhuisd. Ging er shows mee af.

Mal784: Waar?

DragsterB: Is dit soms een privégesprek? Weet iemand waar ik 16 inch Crager-velgen kan kopen?

SunDog: Verschillende plekken. Stockbridge, Mass. Het concours in Greenwich. Een keer bij jou in de buurt. Palm Beach.

Mal784: Hé, was jij hier een tijdje terug ook niet? Andere naam. Char-lieBoy of zo, toch?

SunDog: Een nieuw leven, man. Laat die wagen eens zien. Stuur een foto.

Mal784: Wat is je adres?

SunDog: Zet maar op deze site, Mal. Ik kijk wel.

Dat was alles. Hauck las de uitwisseling nog een keer door. Zijn intuïtie fluisterde hem in dat hij iets op het spoor was. Hij sloeg de pagina om. Er was nog een uitwisseling. Deze was van twee weken later, op 10 maart.

Mal784: Jij weet niets van Mustangs, maat. Kijk naar het VIN-nummer. K's hebben meer pk's. Eis hogere prijs. De jouwe is een J. Hoogstens 27-28 pk.

Opie$: Oké, ik kijk 't na.

Mal784: Daar leer je van. Sommige mensen weten niet wat ze hebben.

SunDog: En, Mal. Heb je die Emberglow nog???

Mal784: Hé!!! Wie hebben we daar. Waar zat je? Ik heb een foto geplaatst, zoals je vroeg. Hoorde niets meer.

SunDog: Zag het. Topwagen. Nog geen koper? Op dit moment lukt het me niet.

Mal784: Er valt te onderhandelen.

SunDog: Nee, ik ben meer op water dan op land. En ik zit met de douane hier.

Mal784: Waar is hier?

SunDog: Caribisch gebied. Laat maar. Hij zou hier in de zon wegbranden. Misschien kom ik er nog op terug. Bedankt.

Mal784: Kan te laat zijn. Ga hem veilen.

SunDog: Succes. Van een ouwe shortseller. Volgende keer beter. Ik blijf site checken.

Opie$: Hé, heb 't opgezocht. Hoe zit 't met VIN's die beginnen met N?

'Ty, heb je het al gelezen?' vroeg Joe Velko.

Hauck verzamelde de pagina's. 'Ja. Volgens mij hebben we de jackpot. Hoe sporen we die vent op, die SunDog?'

'Ik heb zijn IP-adres al via de server van de website achterhaald, Ty. Begrijp je dat ik dit nooit zou doen als het niet voor jou was?'

'Dat weet ik, Joe.'

'Toen ben ik op de blogsite gegaan. Ze boden weinig weerstand. Het is toch verbazingwekkend wat een overheidsinstantie kan doen, na 11 september, zelfs zonder dagvaarding. Heb je een pen?'

Hauck zocht zijn bureau af. 'Ik voel me nu al veiliger, Joe. Vertel.'

'SunDog is gewoon een gebruikersnaam. We hebben hem weten terug te voeren naar een e-mailadres dat ze ons hebben gegeven. Oilman0716@hotmail.com.'

64

HAUCK CONCENTREERDE ZICH OP DE naam. Oilman. Hij wist dat ze hem hadden gevonden. Alles in hem zei hem dat dit Charles was.

'Is het traceerbaar, Joe?'

'Ja... en nee. Zoals je weet, is Hotmail gratis. Je hebt alleen maar een naam nodig om je te registreren en dat hoeft nog niet eens je echte naam te zijn. Of zelfs geen echt adres. Maar we kunnen nog bij hen navragen wat er op het registratieformulier stond. En we kunnen een communicatiegeschiedenis nagaan. Maar ik kan je geen specifiek adres geven van waaruit die communicatie is gevoerd.'

Haucks bloed bruiste van optimisme. 'Oké...'

'De activiteit lijkt uit het Caribisch gebied te komen. Geen specifieke locatie, maar via een draadloze LAN-verbinding. Er is activiteit opgepikt rond Sint-Maarten, de Virgineilanden, zelfs Panama.'

'Dus hij reist rond?'

'Misschien, of hij zit op een boot.'

Een boot. Dat klonk logisch voor Hauck. 'Kunnen we dát inperken?'

'Dat kost tijd,' legde de JIATF-man uit. 'We kunnen een surveillance opzetten, toekomstige activiteit monitoren en berekenen waar die plaatsvindt. Maar dat vergt mankracht. En papierwerk. En betrokkenheid van andere landen. Je begrijpt wat ik bedoel. En ik neem aan dat je dat niet graag doet, toch Ty?'

'Nee,' gaf hij toe. 'Als het even kan niet, Joe.'

'Dat dacht ik al. Dit is dan de op een na beste stap. We hebben het registratieformulier bij Hotmail opgevraagd. Verder kan ik echt niet gaan. Je staat er verder alleen voor.'

'Dat is geweldig!'

'Het opgegeven adres is een postbus in het centrale postkantoor op het eiland Sint-Maarten in het Caribisch gebied. Hij staat op naam van ene Steven Hanson, Ty. Zegt die naam je iets?'

'Hanson?' In eerste instantie niet, maar ineens flitste er iets door zijn hoofd. 'Wacht even, Joe...'

Hij rommelde door de papieren op zijn bureau. En vond hem.

De lijst van nieuwe abonnees van *Mustang World*.

Hij had hem ingeperkt tot een handjevol namen. Van over de hele regio: Panama, Honduras, de Bahama's, de Virgineilanden... Hauck nam de lijst vluchtig door. Hopewell, March, Camp, O'Shea.

Maar daar was hij!

S. Hanson. Inschrijvingsdatum: 17/1. Dit jaar! Het enige opgegeven adres was een postbus op Saint Kitts.

Steven Hanson.

Een golf van bevestiging stroomde door Haucks lichaam.

Steven Hanson was Oilman0716. En Oilman0716 moest Charles zijn. Er was te veel dat klopte.

De auto. Het Concours. De zinnetjes. Karen had gelijk gehad. Dit was het deel van hem dat niet kon veranderen. Zijn kindje. Ze hadden hem gevonden!

65

DE DEURBEL GING. TOEN KAREN de voordeur opentrok bleef ze verbaasd staan. 'Ty...'

Samantha zat in de keuken een bekertje yoghurt te eten en naar de televisie te kijken. Alex lag met zijn benen over de bank in de woonkamer en gromde en juichte afwisselend; hij was verdiept in het nieuwste Wii-spelletje.

Haucks gezicht straalde van verwachting. 'Ik moet je iets laten zien, Karen.'

'Kom binnen.'

Karen had geprobeerd haar kinderen af te schermen van alles wat er speelde: haar stemmingswisselingen, de bezorgdheid die permanent op haar gezicht geëtst leek te staan. Het gefrustreerde gerommel door Charles' oude spullen laat op de avond.

Maar het was een verloren strijd. Ze waren niet bepaald dom. Natuurlijk zagen ze haar ongewone behoedzaamheid, haar gespannenheid en haar opvliegendheid; net iets feller dan ooit tevoren. Ty's onverwachtse bezoek zou hun achterdocht alleen maar nog meer aanwakkeren.

'Deze kant op,' zei Karen, terwijl ze hem voorging naar de keuken. 'Sam, herinner je je inspecteur Hauck nog?'

Haar dochter keek op. Ze zat in kleermakerszit op de kruk, gekleed in een joggingbroek en een Greenwich Huskies T-shirt. Haar gezicht stond verward en verbaasd. 'Hoi.'

'Leuk je weer te zien,' zei Hauck. 'Ik hoor dat je bijna je diploma-uitreiking hebt?'

'Ja, volgende week.' Ze knikte en wierp een blik naar Karen. 'Tufts toch?'

'Ja,' zei ze weer. 'Kan niet wachten. Wat is er?'

'Ik moet even met inspecteur Hauck praten, schat. We gaan wel even...'

'Goed hoor.' Ze stond op. 'Ik ben al weg.' Ze gooide haar yoghurtbekertje in de vuilnisbak en de lepel in de gootsteen. 'Leuk u weer te hebben gezien,' zei ze tegen Hauck, terwijl ze haar hoofd schuin hield, haar ogen strak op Karen gericht, alsof ze wilde zeggen: wat is hier aan de hand?

Hauck zwaaide. 'Insgelijks.'

Karen zette de televisie uit en ging hem voor naar de serre. 'Kom, we gaan hier even zitten.'

Ze ging in de hoek van de bebloemde bank zitten. Ty nam plaats in de gestoffeerde stoel naast haar. Ze had haar haren in een paardenstaart gedaan en droeg een oud grijs Texas Longhorns T-shirt. Geen make-up. Ze wist dat ze er niet uitzag. En ze besefte dat hij niet zomaar 's avonds langs zou komen. Hij moest iets belangrijks te vertellen hebben.

Hij vroeg haar: 'Weten ze het?'

'Wat ik bij de post heb gevonden?' Karen schudde haar hoofd. 'Nee, ik wil niet dat ze zich zorgen maken. Volgende week komen mijn ouders over voor de diploma-uitreiking. Charlies moeder komt over uit PA. Ze gaan een paar dagen daarna op safari in Afrika. Een cadeautje voor Sam omdat ze geslaagd is. Ik zal me veel beter voelen zodra ze in dat vliegtuig zitten.'

Ty knikte. 'Begrijpelijk. Luister...' Hij haalde een paar papieren uit zijn jaszak. 'Het spijt me dat ik je hier kom lastigvallen.' Hij legde de papieren op de tafel voor haar. 'Lees zelf maar even.'

Behoedzaam pakte Karen de papieren op. 'Wat is dit?'

'Een transcriptie. Van twee chatsessies op een van de autosites van je man. Ze vonden in februari en maart plaats. Een van de mensen die ik de informatie gaf die jij had gevonden, is erop gestuit.'

De haartjes op Karens armen gingen overeind staan.

Ze las de transcripties door. Emberglow. Concours. Greenwich. Haar hart begon bij elke bekende frase sneller te kloppen. Plotseling drong tot Karen door wat dit was. SunDog. Het noemen van een nieuw leven, in het Caribisch gebied. Een verwijzing naar Charlies oude inlognaam, Charlie-Boy.

Een onzichtbare hand leek haar hart in zijn ijzige greep te houden. Ze concentreerde zich lange tijd op de naam. Daarna keek ze op. 'Je denkt dat dit Charlie is, hè?'

'Ik denk dat er ontzettend veel is dat behoorlijk bekend klinkt,' antwoordde hij.

Karen stond op. Er ging een schok door haar heen. Tot nu had ze het eigenlijk allemaal als een of andere abstracte puzzel beschouwd. Zijn gezicht op televisie; de kluis in New York. Zelfs de gruwelijke dood van dat personeelslid, Jonathan... Het leidde allemaal naar iets wazigs, iets waarvan ze nooit had gedacht dat het haar zou kunnen overkomen.

Maar nu... Haar hart ging wild tekeer. SunDog. Karen kon zich voorstellen dat hij zo'n naam zou verzinnen. Nu was er de mogelijkheid dat alles écht gebeurd was. Nu kon ze woorden en frasen lezen die hij kon hebben gezegd en ze kon zijn stem bijna horen – vertrouwd, in leven. Daar – hij deed dezelfde dingen en voerde dezelfde gesprekken die hij eens met haar had gevoerd.

Karen voelde druk in haar voorhoofd. 'Ik weet niet wat ik hiermee moet, Ty.'

'Ik heb mijn contactpersonen de naam laten traceren,' zei hij. 'Het is een gratis website, Karen. Hotmail. Er is geen naam opgegeven, alleen een postbus op Sint-Maarten. In het Caribisch gebied.'

Karen hield haar adem in en knikte.

'De postbus stond op naam van Steven Hanson.'

'Hanson?' Karen keek bezorgd.

'Zegt die naam je iets?'

'Nee.'

Hauck haalde zijn schouders op. 'Dat kan, maar hij kwam mij vaag bekend voor. Dus pakte ik de lijst van *Mustang World* erbij.' Hij gaf haar nog een vel papier. 'Kijk, daar staat een S. Hanson. Geen adres, alleen een postbus. Deze is geregistreerd op Saint Kitts.'

'Dat is nog geen bewijs dat hij het is,' zei Karen. 'Gewoon iemand die in hetzelfde type auto's is geïnteresseerd en die daar woont. Dat zouden er zoveel kunnen zijn.'

'Maar deze houdt zich verdacht schuil, Karen. Postbussen, valse namen. Ik heb de financiële gegevens opgevraagd die bij die naam horen, en weet je wat er boven kwam? Niets.'

'Dat betekent nog steeds niet dat het Charles is!' Haar stem had nu iets wanhopigs. 'Waarom? Waarom doe je dit, Ty? Waarom heb je verlof opgenomen?' Ze ging op de armleuning van de bank zitten en staarde hem aan. 'Wat voor voordeel heb jij hierbij? Waarom confronteer je mij hier in vredesnaam mee?'

'Karen...' Hij legde zijn hand op haar knie en kneep er zachtjes in.

'Nee!' Ze trok zich terug.

Zijn diepliggende ogen waren onwrikbaar en heel even dacht ze dat ze zou gaan huilen. Ze wilde dat hij haar vasthield.

'Je zei dat er een e-mailadres was?'

'Ja. Dat klopt.' Hij overhandigde haar een papiertje. Karen nam het aan. Haar vingers trilden.

Oilman0716@hotmail.com.

Ze las het adres een paar keer en de waarheid drong langzaam tot haar door. Ze keek hem met een halve glimlach aan, alsof ze gestoken was, gewond.

'Oilman...' Ze snoof, voelde zich even opgetogen en daarna weer teleurgesteld.

Een vochtig vlies brandde op haar oog.

'Dat is hem.' Ze knikte. 'Dat is Charlie.'

'Weet je het zeker?'

'Ja, zeker weten.' Ze ademde uit, alsof ze zich schrap zette tegen de tranenstroom die op het punt stond te vloeien. 'Dat getal, 0716... dat gebruikten we altijd voor onze wachtwoorden. Het is onze trouwdatum, 16 juli... De dag dat we in het huwelijk traden. In 1989. Dat is Charlie, Ty.'

66

HET HUIS WAS DONKER. KAREN zat in Charlies kantoor. De kinderen hadden hun slaapkamerdeur allang dichtgedaan en lagen te slapen.

Karen staarde naar het e-mailadres. Oilmano716.

Golven van woede en onzekerheid kolkten door haar aderen. Woede vermengd met beschuldiging, onzekerheid over wat ze moest doen. Eigenlijk wist ze niet eens wat ze vanbinnen voelde, maar hoe langer ze naar het bekende getal staarde, hoe meer alle twijfel verdween. Ze wist dat het Charlie moest zijn.

En dat beroofde haar van iets. Het laatste stukje vertrouwen dat ze nog in hem had. In het leven dat ze hadden geleid. Haar laatste hoop.

Wat ben je toch een klootzak, Charlie...

Contact met hem opnemen? Ze had zelfs geen flauw idee wat ze tegen hem moest zeggen.

Hoe kon je dat doen, Charlie? Hoe kon je ons zo achterlaten? We waren een team. We waren toch zielsverwanten? Zeiden we niet altijd dat we elkaar zo goed aanvulden? Hoe kon je die gruwelijke dingen doen?

Haar hoofd voelde loodzwaar. Ze dacht aan AJ Raymond en Jonathan Lauer. Sterfgevallen waarbij haar man betrokken was. Ze walgde ervan, het maakte haar misselijk.

Is het allemaal waar?

Het afgelopen jaar had ze geleerd vrede te hebben met het feit dat haar man was gestorven. Ze had alles gedaan wat daarvoor nodig was. En nu was hij terug. In leven, net zoals zij.

Ze zou hem kunnen confronteren.

Oilmano716.

Wat zou ze zeggen?

Leef je nog, Charlie? Lees je dit? Weet je hoe ik me voel? Weet je hoe de kinderen zich zouden voelen als ze het wisten? Hoe erg je me gekwetst hebt? Hoe je afbreuk hebt gedaan aan al die jaren samen? Charlie, hoe...?

Ze logde in op haar eigen mailaccount. KFried111. Twee keer verzamelde ze zelfs voldoende moed om zijn adres in te typen. Oilman...

En dan stopte ze weer.

Wat won ze ermee als ze alles weer oprakelde? Als hij zou zeggen dat het hem speet. Als hij zou toegeven dat hij iemand anders was dan de persoon die ze kende. Dat hij die dingen had gedaan... terwijl hij met haar samenleefde, met haar sliep. Zijn uitweg had gepland. Als ze zou moeten aanhoren dat hij eens van haar had gehouden, van hén had gehouden...

Waarom? Wat won ze ermee als ze haar gezin het allemaal opnieuw liet doormaken? Deze keer zou het nog veel erger zijn.

Er brandde een traan op Karens wang. Een traan gevuld met twijfel en beschuldiging. Ze staarde naar het adres op het scherm en begon te huilen.

'Mam?'

Karen keek op. Samantha stond in de deuropening, in haar oversized Michigan T-shirt en onderbroekje. 'Mam, wat is er? Waarom zit je hier in het donker?'

Karen veegde de traan weg. 'Ik weet niet, lieverd...'

'Mam, wat is er aan de hand?' Sam liep naar het bureau en knielde naast haar neer. 'Wat doe je achter papa's bureau? En zeg nou niet dat er niets is. Er is iets wat je al meer dan twee weken bezighoudt.' Ze legde haar hand op Karens schouder. 'Het heeft met papa te maken, hè? Ik weet het zeker. Die rechercheur was hier weer. Nu staat er buiten een auto voor het huis. Wat is er in vredesnaam aan de hand, mam? Kijk jezelf nou. Je zit hier te huilen. Die mensen vallen ons weer lastig, hè?'

Karen knikte en ademde diep in. 'Ze hebben weer een briefje gestuurd,' zei ze, terwijl ze haar ogen droog veegde. 'Ik wil gewoon zo graag dat jij straks de dag van je leven hebt, een dag waar we allemaal trots op zullen zijn, lieverd. Dat verdien je. En daarna op reis.'

'En dan, mam? Wat heeft papa in vredesnaam gedaan? Je kunt het me vertellen, mam. Ik ben geen kind meer.'

Maar hoe? Hoe kon ze het haar vertellen? Ze zou in zekere zin haar dochters onschuld wegnemen, de warme herinnering aan haar vader. Ze hadden om hem gerouwd, hem de laatste eer bewezen. Ze hadden geleerd om zonder hem te leven. Verdomme, Charlie. Karen kolkte van woede. Waarom dwing je me hier nu toe?

Ze pakte Sam rond haar middel vast, trok haar naar zich toe en haalde diep adem. 'Papa heeft dingen gedaan, Sam. Hij heeft geld van anderen mensen beheerd. Slechte mensen, lieverd. In het buitenland. Illegaal. Ik weet niet wie die mensen zijn, maar ze willen het terug.'

'Wat willen ze terug, mam?'

'Geld dat is verdwenen, lieverd. Geld dat papa waarschijnlijk heeft verloren. Dat was de boodschap die jij van hen aan mij moest doorgeven.'

'Maar hoezo willen ze het terug, mam? Hij is dood.'

Karen trok haar dochter op schoot en drukte haar tegen zich aan, zoals ze altijd had gedaan toen ze nog klein was. Ze snoof zelfs Sams bekende fris gescrubde geur op. Ze rilde bij de gedachte aan wat ze nu ging zeggen.

'Ja, schat. Hij is dood.' Karen knikte tegen haar.

'Er zijn dingen die je me niet vertelt, hè? Ik weet het, mam. De laatste tijd zit je steeds tussen zijn oude spullen te rommelen. Nu zit je hier, midden in de nacht, in zijn kantoor, achter zijn computer. Papa zou nooit iets verkeerds doen. Hij was de goedheid zelve. Ik heb gezien hoe hard hij werkte en hoe jullie met elkaar omgingen. Hij kan zichzelf niet meer verdedigen, dus het is aan ons. Hij zou nooit iets doen wat ons zou kunnen schaden. Hij is jouw man geweest, mam, maar hij was ook onze vader. Ik ken hem ook.'

'Ja, lieverd. Je hebt gelijk.' Karen omhelsde haar. 'Het is aan ons.' Ze streek over Sams haar en haar dochter vlijde zich tegen haar aan.

Het is aan ons om hier een einde aan te maken. Wat die mensen ook van haar wilden. Sam had recht op een normaal leven. Zij allemaal. Deze nachtmerrie zou hen toch zeker niet eeuwig achtervolgen?

Zou je echt willen weten, schat, wat hij heeft gedaan? Zou je echt willen dat je herinneringen en liefde worden verwoest? Zoals de mijne. Zou het niet beter zijn om gewoon van hem te houden, je hem te herinneren zoals je nu doet? Dat hij met je naar schaatsles ging en je hielp met je wiskunde. Dat hij in je hart is, zoals nu?

'Ik word er een beetje bang van, mam,' zei Sam, terwijl ze nog dichter tegen haar moeder aankroop.

'Dat moet je niet toestaan, lieverd.' Karen drukte een kus op haar haren. Maar vanbinnen zei ze tegen zichzelf: het maakt mij ook bang.

Verdomme, Charlie. Waarom moest ik jouw gezicht nu op de televisie zien?

Kijk nou wat je hebt gedaan.

67

EINDELIJK KWAM DE DAG DAT de kinderen vertrokken. Karen hielp hen hun koffers inpakken en bracht hen naar de luchthaven, waar ze haar ouders zouden ontmoeten. Die waren een dag eerder met British Air aangekomen.

Ze parkeerde de auto en liep met hen naar binnen om in te checken. Bij de incheckbalie troffen ze Sid en Joan. Iedereen was opgewonden. Karen gaf Sam een dikke knuffel en zei dat ze goed op haar broertje moest passen. 'Ik wil niet dat hij door een groep leeuwen wordt gegrepen omdat hij de hele tijd naar zijn iPod zit te luisteren.'

'Het is een draagbare dvr, mam. En volgens mij wordt hij eerder door een groep bavianen gegrepen.'

'Grappig.' Alex trok een gezicht en gaf haar een duw met zijn elleboog. Er was veel overredingskracht voor nodig geweest om hem zover te krijgen dat hij meeging, want hij klaagde altijd over grote insecten en het risico van malaria.

Kom, jongens...' Karen omhelsde hen allebei stevig. 'Ik hou van jullie. Dat weten jullie. Heel veel plezier en hou contact.'

'We kunnen geen contact houden, mam,' bracht Alex haar in herinnering. 'We zitten in de wildernis. We zijn op safari.'

'Nou, maak dan foto's,' zei ze. 'Ik verwacht heel veel foto's. Begrepen?'

'Ja, oké.' Alex glimlachte schaapachtig.

De kinderen sloegen hun armen om haar heen en omhelsden haar stevig. Karen kon het niet helpen: er welden tranen in haar ogen op.

Alex snoof. 'Daar heb je mama weer.'

Karen veegde haar tranen weg. 'Schei uit.'

Ze omhelsde haar ouders ook en wuifde hen na toen ze door de paspoortcontrole gingen. Alex met een Syracuse-honkbalpetje op en een rugzak vol met autotijdschriften, Sam in een joggingbroek en met haar iPod op. Ze zwaaide nog een laatste keer. Karen had moeite om zichzelf onder controle te houden.

Ze dacht aan de waarschuwing die ze onlangs had ontvangen en aan Charles' mailadres. En dat ze wilde dat haar kinderen veilig waren – dus wat bezielde haar om ze naar Afrika te sturen? Terug in haar auto bleef ze even in de garage zitten voordat ze de motor startte. Ze drukte haar gezicht tegen het stuur en huilde, blij dat haar kinderen weg waren. Maar tegelijkertijd voelde ze zich heel alleen; ze wist dat de tijd uiteindelijk was gekomen.

De tijd om hem te confronteren.

Het is aan ons, toch?

Die avond zat Karen achter Charles' computer.

Er was geen angst meer, geen twijfel meer over wat ze moest doen. Alleen de vastberadenheid die ze nu voelde, om het onder ogen te zien.

Even kwam de gedachte bij haar op om Ty te bellen. De afgelopen weken was ze naar hem toe gegroeid. Er waren gevoelens bij haar naar boven geborreld, gevoelens gemengd met de verwarring van wat er met Charles gebeurde, die ze beter kon ontkennen. En ze had Ty nooit antwoord gegeven op zijn vraag wat ze bereid was te doen met wat hij had ontdekt.

Ze logde in op haar eigen mailaccount.

KFriediii. Een naam die Charlie meteen zou herkennen.

Ze gaf hem haar antwoord.

Het komt nu aan op ons tweeën, Charlie. En de waarheid.

Wat kon ze in vredesnaam zeggen? Elke keer dat ze eraan dacht kwam alles weer boven. Het verdriet van het verlies. De schok toen ze hem op televisie zag. Het vinden van het paspoort, het geld. Het besef dat hij niet dood was, maar haar had verlaten. Haar dochters angst nadat ze in haar auto was lastiggevallen.

Er waren mensen gestorven.

Aarzelend typte ze het adres in. Oilman0716. Karen had het diverse keren eerder gedaan, maar deze keer kon ze niet meer terug. Met een vage glimlach vroeg ze zich af wat hij zou denken, hoe zijn wereld zou veranderen, welke deur ze opende, een deur die misschien beter gesloten had kunnen blijven.

Niet meer, Charlie.

Karen typte twee woorden. Ze las die over en slikte. Twee woorden die haar leven voor de tweede keer zouden veranderen, wonden zouden openrijten die nauwelijks waren geheeld.

Ze klikte op VERZENDEN.

Hallo, Charlie.

68

IN DE NABIJHEID VAN EEN plaats die Little Water Cay heette, vlak bij de Turks- en Caicoseilanden, zette Charles Friedman zijn laptop aan. De breedbandsatellietverbinding werd tot stand gebracht.

Een verontrustende angst nam steeds grotere vormen aan.

Eerst een voorval op Dominica, een week geleden. Een bankbediende met wie hij wel eens flirtte, had hem verteld dat iemand een week ervoor de bank had bezocht. Een kleine man met een snor had bij een van de managers geïnformeerd naar een Amerikaan die fondsen had overgeboekt. Hij had een persoon beschreven die erg op hem leek. De man had zelfs een foto laten zien.

Daarna het artikel dat hij nu in zijn schoot openvouwde.

Uit de *Caribbean Times*. Sectie regionaal nieuws. Over een moord op het eiland Sint-Maarten. Een gevestigde diamanthandelaar was in zijn auto doodgeschoten. Er was niet ingebroken en er was niets gestolen. De man heette Issa. Hij woonde al vijftig jaar op het eiland.

Zíjn diamanthandelaar. *Zíjn* contact. Het afgelopen jaar had hij twee transacties bij Issa gedaan. Charles' ogen richtten zich op de kop. Een dergelijke misdaad had daar al tien jaar niet meer plaatsgevonden.

Op een of andere manier wisten ze het. Het kwam te dichtbij. Hij zou weer moeten verkassen. Ze hadden hem vast via zijn netwerk van banken gevolgd, ontdekt dat zijn transferrekening van Falcon was leeggehaald. Nu de dood van de diamanthandelaar. Het stemde Charles droevig dat hij misschien verantwoordelijk was geweest voor het lot van de oude man. Hij had Issa graag gemogen. Charles zou snel geld nodig hebben. Maar het werd te gevaarlijk om zijn gezicht nu te laten zien. Zelfs hier.

Hij had altijd geweten dat ze ooit het spoor van het geld zouden kunnen volgen.

Het had die nacht flink geregend. Een paar dikke wolken hingen nog steeds in de helderblauwe lucht. Charles zat met een mok koffie op het dek van zijn boot en logde in op zijn Bloomberg-rekening, een ochtendritueel.

Hij controleerde zijn posities van de vorige avond, zoals hij al twintig jaar deed, hoewel hij nu alleen voor zichzelf handelde. Weldra zou hij daar ook mee moeten stoppen. Misschien konden ze zijn activiteiten traceren – zijn investeringshandtekening stond onder elke handel. Voor hem was dit eigenlijk de enige manier om gezond van geest te blijven. Nu zou hij ook dat verliezen.

Zijn laptop kwam tot leven en kondigde aan dat hij vier nieuwe berichten had.

Hij ontving niet veel e-mails op zijn nieuwe account. Voornamelijk spam: hypotheekaanbieders en Viagra-reclame. Af en toe een update van elektronische handel. Hij durfde geen aandacht naar zijn nieuwe identiteit te trekken. Het kon nu eenmaal niet anders.

En dus was hij ervan overtuigd dat het om spam ging toen hij de lijst met berichten bekeek.

En toen bleven zijn ogen steken. Ze werden als een magneet naar het scherm getrokken. Zijn maag speelde op terwijl hij naar de afzender van het op een na laatste bericht keek.

KFried111.

Charles liet zijn voeten van het dolboord vallen. Zijn ruggengraat kromde zich, alsof er een stoot van hoog voltage door was geschoten. Hij concentreerde zich weer op de naam en knipperde met zijn ogen, alsof die hem op een of andere manier voor de gek hielden.

Karen.

Met bonkend hart controleerde hij alles nog een keer om zich ervan te vergewissen dat hij niet op zijn oude e-mailadres had ingelogd, maar hij wist dat dat onmogelijk was. Maar wat kon het anders zijn?

Nee, alles klopte. Oilman.

Zijn mond werd droog. In een flits besefte hij dat alles hem had ingehaald. Zijn verleden. Zijn listen. Wat hij had gedaan. Hoe was dit mogelijk? Hoe had ze zijn naam gevonden? Zijn adres? Nee, hij besefte dat het niet de juiste vragen waren.

Hoe was het mogelijk dat ze zelfs wist dat hij nog leefde?

Er was een jaar verstreken. Hij had zijn sporen perfect uitgewist. Met zijn oude leven had hij geen enkele connectie meer. Nooit was hij bekenden tegen het lijf gelopen – altijd zijn grootste angst. Charles' vingers trilden. KFried111. Karen. Hoe had ze hem hier gevonden?

Een mengeling van emoties overviel hem: paniek, angst, verlangen. Herinnering. Hij zag hun gezichten voor zich en miste hen op dit moment net zo erg als tijdens die eerste maanden.

Uiteindelijk schraapte Charles al zijn moed bij elkaar. Hij klikte op de naam. Er stonden maar twee woorden. Terwijl hij die las trok alle kleur uit zijn gezicht. Zijn ogen vulden zich met tranen en prikten van schuldgevoel en schaamte.

Hallo, Charlie.

69

TOEN HET TELEFOONTJE KWAM WAS Saul Lennick net in zijn zijden Sulka-pyjama in bed gestapt. Hij bestudeerde een financiële brochure voor een bijeenkomst die hij de volgende ochtend had. Zijn aandacht werd afgeleid door het late nieuws op de televisie.

Mimi, die naast hem een roman van Alan Furst lag te lezen, zuchtte geïrriteerd en blikte naar de mobiele telefoon. 'Saul, het is al elf uur geweest.'

Lennick graaide naar zijn mobiele telefoon op het nachtkastje. Hij herkende het nummer niet, maar het was in elk geval buitenlands. Barbados. Zijn hart begon sneller te kloppen. 'Sorry, schat.'

Hij zette zijn leesbril af en klapte het mobieltje open. 'Kan het niet tot morgen wachten?'

'Als dat kon zou ik je nu niet bellen,' was het antwoord. Dietz. 'Rustig maar, ik bel vanuit een telefooncel. Het telefoontje kan niet worden getraceerd.'

Lennick ging rechtop zitten en trok zijn slippers aan. Hij zuchtte schuldbewust naar zijn vrouw en deed alsof het een zakelijk telefoontje was. Daarna liep hij met de telefoon naar de badkamer en sloot de deur. 'Oké, vertel.'

'We hebben problemen,' kondigde Dietz aan. 'In Greenwich is een rechercheur Moordzaken die onze zaak daar heeft afgehandeld. Degene die me heeft verhoord. Misschien heb ik hem al eerder genoemd.'

'Ja, en?'

'Hij weet het.'

'Wát weet hij?' Lennick stond voor de spiegel en krabde aan een pukkeltje op de zijkant van zijn gezicht.

'Hij weet van het ongeluk en ook van die andere kwestie, in Jersey. Hij heeft bij me thuis ingebroken en heeft me in verband gebracht met een van de andere getuigen. Krijg je al een idee van waar ik het hier over heb?'

Fluisterend stamelde Lennick: 'Jezuschristus!' Hij staarde niet meer naar het pukkeltje, maar naar zijn hele gezicht, dat lijkbleek was geworden.

'Ga zitten. Het wordt nog erger.'

'Hoe kan het in vredesnaam nog erger worden, Dietz?'

'Herinner je je Hodges? Een van mijn mannen?'

'Ga verder.'

'Hij is neergeschoten.'

Lennick kreeg het gevoel alsof hij een hartaanval had. Dietz vertelde hem dat Hodges naar Dietz' huis was gegaan en de agent daar had aangetroffen. Binnen. Dat ze hadden gevochten.

'Luister, voordat er een ader bij je knapt, Saul, er is ook goed nieuws.'

'Wat kan hier nu goed aan zijn?' Lennick ging zitten.

'Hij heeft geen poot om op te staan, die rechercheur uit Greenwich. Hij opereert op eigen houtje. Er loopt geen officieel onderzoek. Hij heeft bij me ingebroken, zijn wapen meegenomen en geschoten. Geen moment heeft hij aanstalten gemaakt om Hodges te arresteren. Weet je wat dat betekent?'

'Nee,' zei Lennick in paniek. 'Dat weet ik niet.'

'Het betekent dat hij volledig buiten zijn boekje is gegaan, Saul. Hij was gewoon aan het rondsnuffelen. Ik heb zojuist zijn bureau in Greenwich gebeld. De man heeft verdomme verlof! Hij is gewoon een beetje aan het freelancen, Saul, hij is niet eens in actieve dienst. Als bekend wordt wat hij heeft gedaan, nemen ze hem zijn penning af. Ze zouden hém arresteren, niet mij.'

Lennick voelde een doffe pijn op zijn borst. Hij streek met zijn hand door zijn witte haar, en er vormde zich zweet onder zijn pyjamajasje. Meteen ging hij na wat iemand had kúnnen weten en wat naar hem zou kunnen hebben teruggeleid.

Hij zuchtte. Alleen Dietz.

'Nu komt het,' ging Dietz verder. 'Een kennis van me heeft hem geschaduwd. Onze agent bewaakt 's avonds een huis in Greenwich, in zijn eigen auto.'

'Wiens huis?'

'Het huis van een vrouw. Iemand die je goed kent, Saul.'

Lennick verbleekte. 'Karen?'

Hij probeerde de puzzelstukjes in elkaar te passen. Was Karen er op een of andere manier van op de hoogte? Zelfs al was ze achter de waarheid omtrent het ongeluk van Lauer gekomen, hoe had ze dat dan in vredesnaam in verband kunnen brengen met het andere? Een jaar geleden. Ze had de kluis, het paspoort en het geld gevonden.

Wist Karen soms dat Charles nog leefde?

Lennick bevochtigde zijn lippen. Ze moesten snel actie ondernemen. 'Hoe gaat het daar verder?'

'We boeken vooruitgang. Ik heb wat duistere dingen moeten doen, als je begrijpt wat ik bedoel. Maar daar heb je nooit mee gezeten. Ik denk dat hij ergens op een boot zit. Ergens in de buurt. Ik ben hem via drie van zijn banken op het spoor gekomen. Hij zal geld nodig hebben. Ik heb hem nu snel te pakken. Ik kom steeds dichterbij.'

'Maar luister,' zei Dietz. 'Wat die rechercheur betreft, die kan bepaalde dingen in mijn kantoor hebben gevonden... die te maken hebben met wat ik hier doe. Misschien zelfs dingen over jou. Ik weet het niet.'

Een politierechercheur? Lennick voelde zich er allang niet meer prettig bij. Ze gingen nu echt te ver. Maar had hij keuze?

'Je weet hoe je deze dingen moet afhandelen, Phil. Ik moet ophangen.'

'Nog één ding,' zei Dietz. 'Als de rechercheur het weet, is de kans groot dat zij het ook weet. Ik weet dat jullie bevriend zijn. Dat je iets met haar kinderen hebt.'

'Ja,' mompelde Lennick uitdrukkingsloos. Hij was op Karen gesteld. En aangezien hij altijd als een oom voor de kinderen was geweest en hun fondsen beheerde, kon je inderdaad zeggen dat hij iets met haar kinderen had.

Maar dit was business. Lauer was business geweest, die jongen van Raymond was business geweest. De rimpels op zijn gezicht waren diep en hard. Ze maakten hem ouder dan hij zich in jaren had gevoeld.

'Doe wat je moet doen.'

Lennick verbrak de verbinding. Hij gooide wat water in zijn gezicht en streek zijn haar naar achteren. Daarna schoof hij weer in zijn slippers en liep terug naar bed.

Het avondnieuws was afgelopen. Mimi had het licht uitgeknipt. David Letterman was begonnen. Lennick draaide zich naar haar om om te kijken of ze al sliep. 'Kijken we nog even het begin van de show, schat?'

70

KAREN WACHTTE TWEE DAGEN. CHARLES antwoordde niet.

Ze wist ook niet of hij dat ooit zou doen.

Ze kende Charles en probeerde zich de schok en ontzetting voor te stellen die haar mail moest hebben veroorzaakt.

Dezelfde schok die hij had veroorzaakt toen ze zijn gezicht op de televisie zag.

Karen controleerde haar mail diverse keren per dag. Ze wist wat er nu door hem heen moest gaan. Zoals hij daar in een afgelegen deel van de wereld zat en de zorgvuldige constructie van zijn nieuwe leven instortte. Hij was er vast kapot van – hij zou al zijn gangen nagaan, duizenden mogelijkheden overwegen.

Hoe kon ze het in vredesnaam weten?

Karen stelde zich voor dat hij de twee woorden talloze keren had gelezen, dat hij alles is zijn gedachten opnieuw beleefde, zijn hersens kraakte, alle voorbereidingen die hij had getroffen. Zijn maag zou opspelen. Hij zou niet kunnen slapen. Dingen hadden altijd zo'n uitwerking op Charles gehad. Je bent het me verschuldigd, zei ze in stilte tegen hem, terwijl ze genoot van het beeld van hem, in paniek, heen en weer geslingerd. Je bent het me verschuldigd voor het intense verdriet dat je me hebt aangedaan. De leugens...

Toch kon ze hem niet vergeven, wat hij haar en de kinderen had aangedaan. Ze wist niet eens of er nog liefde tussen hen was. Of er überhaupt nog iets tussen hen was, behalve de herinnering aan een leven samen. Het maakte ook niet uit. Ze wilde gewoon van hem horen. Ze wilde hem zien – in eigen persoon.

Antwoord me, Charlie...

Uiteindelijk, na drie dagen, typte Karen nog een bericht in. Ze sloot haar ogen en smeekte hem.

Alsjeblieft, Charlie, alsjeblieft... Ik weet dat jij het bent. Ik weet dat je ergens bent. Antwoord me, Charlie. Je kunt je niet langer verschuilen. Ik weet wat je hebt gedaan.

71

Ik weet wat je hebt gedaan.

Charles zat in de hoek van een rustig internetcafé in de haven van Mustique waar hij was aangemeerd en staarde verschrikt naar Karens laatste bericht.

Een groep lokale mensen met dreadlocks die Jamaicaans bier dronken en een groepje vakantievierende Duitse surfers met tatoeages en bandana's. Hij voelde de beklemmende angst, zelfs hier, dat alles dichterbij kwam.

Ik weet wat je hebt gedaan.

Wat? Wat weet je dat ik heb gedaan, Karen? En hoe? Verscholen achter zijn zonnebril nam hij een slok Caribe en las de boodschap voor de tiende keer. Hij wist dat ze zou volhouden. Hij kende haar. Dit was niet iets wat hij gewoon kon negeren.

En hoe heb je me in vredesnaam gevonden?

Wat wil je dat ik tegen je zeg, Karen? Dat ik een klootzak ben? Dat ik je heb bedrogen? Charles kon de woede voelen die in haar woorden weerklonk. En hij nam het haar niet kwalijk. Hij verdiende wat ze voelde. Dat hij hen had verlaten op de manier waarop hij dat had gedaan. Dat hij hun zo veel verdriet had bezorgd. Het verlies van een echtgenoot, een vader. En dan, nadat alles eindelijk een beetje was bezonken, ineens ontdekken dat hij nog leefde.

Antwoord me, Charlie.

Wat weet je, Karen?

Als je het wist, écht wist, zou je het begrijpen. In elk geval een beetje. Dat ik je nooit pijn had willen doen. Dat zou het laatste zijn wat ik had gewild.

Maar om je te beschermen, Karen. Om je veilig te houden. Om ook Sam en Alex veilig te houden. Je zou weten waarom ik wel weg móést blijven. Waarom ik, toen de deur openging en de mogelijkheid zich voordeed, ik wel moest 'sterven'.

Alsjeblieft, Charlie, alsjeblieft... Antwoord me, Charlie.

De surfers kakelden luid in het Duits over iets wat ze op YouTube hadden gevonden. Een dikke eilandbewoonster in een kleurrijk jurkje zat tegenover hem met een jonge dochter die Fanta dronk. Charles besefte dat hij een groot deel van het verleden jaar ondergedoken had doorgebracht, in de schaduwen, afgewend van wie hij was, van alles wat hij eens had gekoesterd.

Maar ineens voelde het alsof hij weer leefde. Voor de eerste keer in een jaar! Het was hem duidelijk dat je het nooit volledig het zwijgen kon opleggen. Wat binnen in je leefde. Wie je was.

En nu besefte Charles dat alles heropend zou worden als hij de muisknop indrukte, als hij met één handbeweging dit bericht beantwoordde. De hele wereld zou weer veranderen.

Ik weet wat je hebt gedaan.

Hij nam een slok bier. Misschien was het tijd om weer door te reizen. Naar Vanuatu in de Indische Oceaan. Of terug naar Panama. Niemand zou hem vinden. Hij had daar geld.

Hij duwde zijn zonnebril omhoog en tuurde aandachtig naar de woorden die hij had geschreven. De doos van Pandora stond op het punt weer geopend te worden. Voor haar en voor hem. En deze keer zou hij niet meer worden gesloten. Geen plotselinge bomaanslag, geen mogelijkheid om te schuilen.

Wat kan het ook schelen, zei hij. Hij dronk zijn glas leeg. Ze had hem gevonden. De ijzeren vuist in de fluwelen handschoen... herinnerde hij zich liefdevol.

Ze zou nooit opgeven.

Ja, ik ben hier. Ja, ik ben het, zei hij. Na nog een laatste overpeinzing drukte hij op VERZENDEN, en zijn wereld draaide weer.

Hallo, lieverd...

72

DIE AVOND JOGDE HAUCK EEN rondje om de baai. Hij had een paar dagen
thuisgezeten en nog steeds niets van Karen gehoord. Het was een warme,
zwoele avond. De cicaden tjirpten. Uiteindelijk moest hij de frustratie die
in zijn borst losbarstte gewoon kalmeren.

Hij wist dat het niet juist was om aan te dringen. Hij wist hoe moeilijk
dit voor haar moest zijn, om haar echtgenoot onder ogen te komen. Het
zou zijn alsof hij ineens weer met een deel van Norah geconfronteerd zou
worden. Open wonden zouden worden opengescheurd, wonden die nog
niet waren geheeld. Hij wist niet of hij gewoon moest afwachten of ze
Charles nog steeds wilde vinden. Of dat ze het op zou geven nu ze de
waarheid wist – in elk geval delen ervan – en met wat ze tot dusver hadden ontdekt naar Fitzpatrick wilde gaan.

Hij zou de zaak van AJ Raymonds hit-and-run moeten heropenen.

Die had hem aanvankelijk tot actie aangezet, toch?

Toen hij via Euclid terugrende in de richting van zijn huis, zag hij tot
zijn verrassing de bekende Lexus in de straat geparkeerd staan. Karen zat
op het trapje voor zijn huis. Toen hij voor haar tot stilstand kwam stond
ze op.

Een ietwat verlegen glimlach. 'Hoi...'

Ze droeg een strakke zwarte blouse boven een mooie spijkerbroek. Haar
karamelkleurige haar was een beetje in de war, en om haar pols hing een
grove, kwartsachtige armband. Het was een warme zomeravond. Hij vond
dat ze er geweldig uitzag.

'Sorry dat ik je lastigval,' zei ze met een blik die bijna wanhopig, klei-
nemeisjesachtig was. 'Ik móét gewoon met iemand praten, dus heb ik de
gok maar gewaagd.'

Hauck schudde zijn hoofd. 'Je valt me helemaal niet lastig.'

Hij liep met haar de trap op en draaide de deur van het slot. Binnen
griste hij een handdoek van het aanrecht in de keuken en veegde zijn gezicht af. Hij vroeg of ze een biertje uit de koelkast wilde.

'Nee, bedankt.'

Karen stond strak van de zenuwen, en ze liep rond alsof ze een groot geheim met zich meesleepte. Hij volgde haar naar de schildersezel bij het raam en ging op een krukje zitten.

'Ik wist niet dat je schilderde.'

Hauck haalde zijn schouders op. 'Ik zou iets beter kijken voordat je het woord "schilderen" in de mond neemt.'

Ze liep dichter naar de ezel toe. Zo dichtbij dat Hauck haar geur rook – zoet, bloemachtig. Zijn hartslag versnelde. Hij verzette zich tegen de neiging om haar aan te raken.

'Het is mooi,' zei ze. 'Je zit altijd vol verrassingen hè, inspecteur?'

'Dat is het liefste wat iemand er ooit over heeft gezegd.' Hij glimlachte.

'Koken doe je zeker ook? Ik durf te wedden dat je –'

'Karen...' Nog nooit had hij haar zo opgewonden gezien. Hij draaide zijn kruk naar haar toe en pakte haar arm vast.

Ze trok zich los.

'Hij was het inderdaad,' zei ze. Haar ogen waren vochtig, stonden boos en keken hem bijna dreigend aan. 'Hij heeft geantwoord. Het heeft drie dagen geduurd. Ik moest hem twee keer mailen.' Ze legde een hand in haar nek. 'Ik wist niet wat ik tegen hem moest zeggen, Ty. Wat kon ik in vredesnaam zeggen? "Ik weet dat jij het bent, Charles. Antwoord alsjeblieft?" Uiteindelijk deed hij dat dus.'

'Wat schreef hij?'

'Wat hij schreef?' Ze snoof en blies spottend lucht uit. 'Hallo, lieverd.'

'Meer niet?'

'Nee.' Ze glimlachte gekwetst. 'Dat was alles.' Ze liep wat rond, alsof ze een krachtige uitbarsting probeerde te voorkomen, en keek naar het uitzicht vanaf de veranda. Daarna liep ze naar het televisiemeubel tegen de muur. Er stonden een paar ingelijste foto's op. Een voor een pakte ze die op. Een foto van de twee meisjes toen ze nog klein waren. Hij zag dat ze ernaar staarde. Een andere van Haucks boot, de *Merrily*.

'Van jou?'

'Van mij.' Hauck knikte en kwam overeind. 'Hij lijkt in de verste verte niet op die van de sultan van Brunei, maar Jessie vindt hem mooi. In de zomer varen we ermee naar Newton of naar Shelter Island. Om te vissen. Als het mooi weer is. Ik sta erom bekend dat ik –'

'Je doet het allemaal hè, Ty?' Haar ogen schitterden en flitsten langs hem heen. 'Jij bent wat ze de perfecte man noemen.'

Hauck wist niet of het een compliment was. Karen perste haar lippen op elkaar en streek met haar hand door haar verwarde haren. Het was alsof ze er klaar voor was om uit te barsten.

Hij stapte naar voren. 'Karen...'

'"Hallo, lieverd",' zei ze weer terwijl haar stem oversloeg. 'Dat is verdomme alles wat hij te zeggen had, Ty. Zo van: "Hoe gaat-ie, schat? Nog nieuws over de kinderen?" Het was Charles! De man die ik heb begraven. De man naast wie ik achttien jaar heb geslapen! "Hallo, lieverd." Wat moet ik nu in vredesnaam tegen hem zeggen, Ty? Hoe moet het nu in vredesnaam verder?'

Hauck liep naar haar toe en nam haar in zijn armen. Deze keer zoals hij er altijd van had gedroomd. Hij drukte haar stevig tegen zijn borst. Zijn bloed barstte bijna uit zijn aderen.

In eerste instantie probeerde ze zich woedend los te wurmen. Daarna liet ze hem begaan. Haar tranen maakten zijn overhemd nat. Haar haren, die naar honing roken, zaten in de war, haar borsten drukten tegen zijn borstkas.

Hij kuste haar. Karen verzette zich niet. Ze deed haar lippen van elkaar en haar tong leek net zo verlangend om de zijne te verkennen. Iets wat boven hun controle uitging nam bezit van hen, haar geur diep in zijn neusgaten – een bedwelming, iets zoets, jasmijn, maakte hem gek.

Zijn hand gleed over haar rug, zijn vingers kropen onder de rand van haar riem. Het wond hem op. Hij trok haar blouse los en ontdekte de warmte van de blootgelegde huid van haar buik. Hij duwde de blouse omhoog, langs de ademloze aanblik van haar borsten en nam haar gezicht in zijn handen.

'Je hoeft helemaal niets te doen,' zei hij.

'Ik kan het niet aan.' Ze keek hem aan. De tranen stroomden over haar wangen. 'Ik kan het niet meer alleen aan.'

Hij kuste haar weer. Deze keer bewogen hun tongen zich in een tedere, langzame dans. 'Ik kan het gewoon niet...'

Hauck veegde haar tranen weg. 'Dat hoeft ook niet,' zei hij. 'Je hoeft helemaal niets te doen.'

Daarna tilde hij haar op.

In de slaapkamer bedreven ze de liefde. Langzaam knoopte hij haar blouse los en liet zijn handen over het zwarte kant van haar beha glijden, daarna naar haar onderbuik, terwijl ze een beetje angstig terugdeinsde; het waren delen die al een jaar niet waren aangeraakt.

Ze ademde zwaar. Karen hield haar hoofd schuin omhoog tegen zijn blote borst. 'Ty, ik heb dit heel lang niet gedaan.'

'Dat weet ik,' zei hij, terwijl hij voorzichtig haar armen uit haar mouwen trok en met zijn hand langs haar bovenbeen, onder haar spijkerbroek, gleed.

Ze verstrakte van verwachting.

'Ik bedoel met iemand anders,' zei ze. 'Ik ben twintig jaar met Charles geweest.'

'Het is goed,' zei hij. 'Ik weet het.'

Hij legde haar terug op het bed en trok haar spijkerbroek langs haar strakke dijen naar beneden, broekspijp voor broekspijp. Daarna liet hij zijn hand onder haar slipje glijden, voelde daar de rilling van verwachting. Het kloppen in haar onderbuik maakte Karen helemaal gek. Ze keek op naar hem. Hij was er steeds voor haar geweest, hoe krankzinnig de situatie ook was, en hij had haar gesteund. Hij was de enige geweest in wie ze kon geloven. Voorzichtig liet ze haar vingers over de littekens in zijn zij glijden en kuste die. Zijn zweet smaakte zoet. Hauck spande zich en knoopte zijn korte broek los. Dankzij hem was ze nog niet volledig ingestort. Ze wist niet wat ze gedaan zou hebben als ze hem niet had gehad.

Ze bracht haar gezicht vlak bij het zijne. 'Ty...'

Hij bewoog zijn lichaam krachtig over het hare, zijn billen strak, zijn armen sterk en atletisch. Hun lichamen kwamen samen als een warme golf en een elektrische schok ging door Karens ruggengraat. Ze kromde haar rug. Haar borsten rustten op zijn borstkas.

Plotseling was er niets meer wat hen tegenhield. Ze voelde diep vanbinnen een verlangen oprijzen. Karen gooide haar hoofd naar achteren en schudde het heen en weer terwijl hij bij haar naar binnenging. Een rilling schoot door haar lichaam, van haar vingertoppen naar haar tenen, als een elektrische stroom, een langverwachte prijs. Ze pakte zijn billen vast en duwde hem diep in zich. Ze liet zich nu helemaal gaan en klampte zich aan hem vast. Deze man had alles voor haar geriskeerd. Ze wilde zich niet inhouden en was bereid hem alles te geven, zelfs een deel van haar dat ze nooit aan iemand anders had gegeven. Ook niet aan Charles. Een deel van haar dat ze altijd had ingehouden.

Alles.

73

NADIEN LAGEN ZE UITGEPUT OP het bed. Karens lichaam was nat van heer-
lijk zweet en straalde nog steeds hitte uit. Hauck blies op haar borst en in
haar nek om haar te koelen. Haar haren zaten helemaal in de war.

'Kennelijk was het je geluksdag,' mijmerde ze, terwijl ze ironisch met
haar ogen rolde. 'Normaal gesproken ga ik pas na drie afspraakjes met iemand naar bed. Dat is een gouden regel bij Match.com.'

Hauck lachte en liet zijn been op zijn gebogen knie rusten. 'Luister, ik
beloof dat ik je nog op een paar etentjes trakteer.'

'Pfff!' Karen ademde uit. 'Een pak van mijn hart.'

Ze keek om zich heen in de kleine slaapkamer, op zoek naar dingen over
hem die ze nog niet wist. Een eenvoudig houten bedframe, een nachtkastje met een paar boeken erop – een biografie van Einstein, een roman van
Dennis Lehane – een spijkerbroek over een stoel in de hoek. Een kleine
televisie.

'Wat is dát in vredesnaam?' riep Karen, terwijl ze naar iets wees wat tegen de muur stond.

'Een hockeystick,' antwoordde Hauck en hij liet zich achterover vallen.

Karen steunde op één elleboog. 'Je gaat me toch niet vertellen dat ik
naar bed ben geweest met een man die een hockeystick in zijn slaapkamer
bewaart?'

Hauck haalde zijn schouders op. 'Winterleague. Ik heb hem nooit opgeborgen.'

'Ty, het is verdorie juni!'

Hij knikte als een jongetje dat met een stapel koekjes onder zijn bed is
betrapt. 'Wees blij dat je hier vorige week niet was. Toen lagen mijn schaat-
sen hier ook nog.'

Karen streelde zijn wang. 'Het is goed om je te zien lachen, inspecteur.'

'Volgens mij waren we daar allebei hard aan toe.'

Een poosje lagen ze daar als twee zeesterren op het grote bed, nauwelijks bedekt, terwijl alleen hun vingertoppen elkaar raakten.

'Ty...' Karen duwde zichzelf overeind. 'Ik moet je iets vragen. Ik zag iets
toen ik die dag bij je op kantoor kwam. Je had een foto op een kastje staan.

Twéé jonge meisjes. Toen ik je die keer bij de wedstrijd zag, ontmoette ik je dochter, en je zei dat zij je enige was. Maar vanavond zag ik weer een foto van haar. In de woonkamer.' Ze boog zich dicht naar hem toe. 'Ik wil geen oude wonden openmaken –'

Hij schudde zijn hoofd. 'Dat doe je ook niet.' Terwijl hij naar het plafond keek, vertelde hij over Norah. Eindelijk. 'Ze zou nu negen geweest zijn.'

Karen voelde een golf van verdriet door haar lichaam trekken.

Hij vertelde haar dat ze net terug waren gekomen van de supermarkt, maar iets waren vergeten. Dat hij heel snel terug was gegaan. Hij had die avond dienst en was al laat. Beth was boos op hem. Ze woonden toen in Queens. Hij had het verkeerde toetje gekocht. 'Pudding Snacks...'

Dat hij de auto op een of andere manier gehaast had verlaten, zijn dienst zou over een halfuur beginnen, en dat hij snel naar binnen was gerend om het bonnetje te pakken.

'Pudding Snacks,' zei Hauck weer, terwijl hij met een lege glimlach zijn schouders naar Karen ophaalde.

'Ze waren op het trottoir aan het spelen. Tugboat Annie, vertelde Jessie ons later. Je kent het liedje vast wel – "*Merrily, merrily, merrily...*".' Hij ademde in. 'De auto rolde achteruit. Ik had hem niet in de parkeerstand gezet. Het enige wat we hoorden was Jessie. En Beth. Ik herinner me de blik die ze me toewierp. "O, Ty. O, hemel!" Het gebeurde allemaal zo snel.' Hij keek naar haar en likte langs zijn lippen. 'Ze was vier jaar.'

Karen ging rechtop zitten en streelde met haar hand over zijn gladde gezicht. 'Je draagt het nog steeds met je mee, hè? Ik zag het in je ogen. Ik zag het de eerste keer dat we elkaar ontmoetten.'

'Jij was toen degene die gedwongen was iets onder ogen te zien.'

'Ja, maar toch zag ik het. Ik denk dat ik je daarom bedankte. Voor wat je had gezegd. Je gaf me het gevoel dat je me begreep. Volgens mij heb je het nooit losgelaten.'

'Hoe kun je zoiets loslaten, Karen?'

'Ik weet het.' Karen knikte. 'Ik weet het... En je vrouw? Beth, toch?'

Hauck steunde op zijn zij en kromde ietwat hulpeloos zijn schouders. 'Volgens mij heeft ze het me nooit vergeven, terwijl zij nota bene de reden was geweest dat ik zo gehaast naar de winkel wilde teruggegaan.' Hij keek haar aan. 'Je vraagt mij toch altijd waarom ik dit doe, Karen?'

Ze knikte weer. 'Ja.'

'Eén reden is dat ik me tot je aangetrokken voelde vanaf het allereerste moment dat ik je zag. Ik kon je niet uit mijn hoofd zetten.'

Karen pakte zijn hand vast.

'Maar de andere reden,' zei hij terwijl hij zijn hoofd schudde, 'was die jongen van Raymond, zoals hij daar op het asfalt lag. Ik wist vanaf het begin dat er iets mee was. Er was iets aan hem wat me aan Norah deed denken. Ik kon het niet wegstoppen... zijn beeld. Ik kan het nog steeds niet.'

'Hun haren,' zei Karen terwijl ze Haucks gekromde hand tegen haar borst drukte. 'Ze hebben hetzelfde rode haar. Je hebt al die tijd geprobeerd het ongeluk goed te maken. Door deze hit-and-run op te lossen. Door voor mij de held te spelen.'

'Nee, dat laatste was alleen maar om je in bed te krijgen,' plaagde hij met een stalen gezicht.

'Ty.' Ze keek in zijn droevige ogen. 'Je bent een goede vent. Dat wist ik meteen toen ik je voor het eerst zag. Iedereen die je kent ziet dat. We doen elke dag bepaalde dingen – we lopen de weg over zonder te kijken, rijden in een auto terwijl we eigenlijk te veel hebben gedronken, vergeten de kaars uit te blazen als we gaan slapen. En het leven gaat gewoon door, zoals altijd. Totdat het een keer misgaat. Je kunt jezelf niet blijven veroordelen. Het is lang geleden gebeurd. Het was een ongeluk. Je hield van je dochter. Nog steeds. Je hoeft niets meer goed te maken.'

Hauck glimlachte. Hij drukte zijn hand tegen haar wang en streelde haar gezicht. 'En dat zegt een vrouw die vandaag net heeft ontdekt dat haar zogenaamd overleden man haar nieuwste e-mailvriendje is.'

'Vanavond ja.' Karen lachte. 'Morgen... Wie zal het zeggen?'

Ze liet zich weer op het bed vallen. Plotseling herinnerde ze zich waarom ze hier was gekomen. De frustratie die in haar bloed kolkte. Hallo, lieverd... Het overweldigde haar allemaal een beetje. Ze pakte zijn hand vast.

'Wat gaan we nu in hemelsnaam doen, Ty?'

'We houden erover op,' zei hij, terwijl hij zijn vingers over haar rug naar haar billen liet glijden. 'Erg bevorderlijk is het namelijk niet, Karen.'

'Bevorderlijk? Bevorderlijk waarvoor?' vroeg ze, zich bewust van de hernieuwde opwinding in haar onderbuik.

Hij draaide zich naar haar toe en haalde zijn schouders op. 'Als we het nog een keer willen doen.'

'Het nog een keer doen?' Hij trok Karen boven op zich, hun lichamen sprongen tot leven. Ze wreef met haar neus tegen de zijne, haar haren vielen als een waterval over zijn gezicht, en toen lachte ze. 'Weet je hoe lang het is geleden dat ik die woorden heb gehoord?'

74

's OCHTENDS ZETTE HAUCK KOFFIE. Hij zat al op de veranda toen Karen na negenen tevoorschijn kwam in een oversized Fairfield University T-shirt dat ze uit een van zijn laden had gepakt. Ze veegde de slaap uit haar ogen.

'Mogge.' Hij keek op en liet zijn hand over haar bovenbeen glijden.

Ze leunde tegen hem aan en drukte haar hoofd op zijn schouder. 'Hoi.'

Het was een heldere, warme vroegezomerochtend. Karen keek over de rij bescheiden huizen naar de baai. Schippers maakten hun boten klaar in de haven. De vroege veerboot naar Cove Island voer weg. Een paar grijze meeuwen vlogen in de lucht.

Ze liep naar de balustrade. 'Het is mooi hier.' Ze knikte naar het schilderij dat nog steeds op de ezel stond. 'Volgens mij heb ik dat al eerder gezien.'

Hauck wees naar een stapel doeken tegen de muur. 'Allemaal hetzelfde uitzicht.'

Karen keek omhoog naar de zon en streek met haar hand door haar verwarde haar dat bewoog in de bries. Daarna ging ze naast hem zitten terwijl ze haar handen om haar mok legde.

Hij zei: 'Luister, over gisteravond...'

Ze stak haar hand uit en hield hem tegen. 'Ik eerst. Het was niet mijn bedoeling om mezelf zo op te dringen. Ik kon gewoon niet tegen de gedachte om alleen te zijn. Ik –'

'Ik wilde zeggen dat gisteravond als een droom was,' zei hij met een knipoog.

'Zoiets wilde ik ook net zeggen.' Karen glimlachte schaapachtig terug. 'Ik ben bijna twintig jaar niet met iemand anders geweest.'

'Het was waanzinnig. Al die ingehouden energie...'

'Ja, hoor.' Ze rolde met haar ogen.

Hij schoof naar haar toe. 'Weet je, die yogaoefening, waarbij je je ruggengraat zo kromt en –'

Karen sloeg berispend op zijn pols. 'Wat ben je toch een geile beer!'

Ty pakte haar hand vast en keek haar nu recht aan. 'Ik meende het, Karen. Wat ik je vertelde over de reden waarom ik deze zaak wil oplossen. Om jou. Maar dat wist je. Ik ben nooit echt een pokerspeler geweest.'

Karen legde haar hoofd weer op zijn schouder. 'Ty, luister. Ik weet niet of dit op dit moment wel zo'n slim idee voor ons is.'

'Het is een risico dat ik graag neem.'

'Er gebeurt momenteel gewoon te veel wat ik moet uitzoeken. Wat doen we nu met Charlie, mijn kinderen? Mijn man leeft verdomme nog, Ty!'

'Heb je al een besluit genomen?'

'Waarover? Help me. Er zijn zo veel opties waaruit ik kan kiezen.'

'Over Charles,' zei Hauck. 'Over wat je wilt dat ik doe.'

Karen ademde diep in. Een stelligheid in haar blik had de verwarde bezorgdheid van gisteravond vervangen. Ze knikte. 'Ik heb een besluit genomen. Hij is me antwoorden verschuldigd, Ty, en ik wíl antwoorden. Wannéér hij tegen me begon te liegen. Wanneer waarmee hij bezig was belangrijker voor hem werd dan ik en de kinderen. En ik kan het laatste hoofdstuk van de eerste helft van mijn leven niet afsluiten zonder antwoorden te horen. Van hem. Door hem te laten ontsnappen. Ik wil die vent vinden, Ty.'

Nadat ze was thuisgekomen, had gedoucht en haar haren had uitgekamd, ging Karen weer achter de computer zitten. Alle bezorgdheid die ze gisteravond had gevoeld, was verhard tot een nieuwe vastberadenheid.

Ze opende haar mail en zocht Charlies berichtje op. Ze las het nog een keer door.

Hallo, lieverd...

Ze begon te typen.

Ik ben je 'lieverd' niet, Charles. Niet meer. Ik ben iemand die je vreselijk hebt gekwetst, erger dan je je ooit had kunnen voorstellen. Iemand die enorm verward is. Maar dat wist je al, Charles, toch?

Dat wist je toen je me terugschreef. Je moet het hebben geweten sinds de dag dat je vertrok. Dit is mijn voorstel: ik wil je zien, Charles. Ik wil van je horen waarom je dit hebt gedaan. Waarom je ons hebt gebruikt, Charlie, de mensen van wie je zogenaamd hield. Niet via het internet. Niet op deze manier. Ik wil het rechtstreeks van jou horen. In een directe confrontatie. Wie je echt bent, Charlie.

Ze moest zich inhouden.

Dus zeg het maar hoe. Vertel me waar ik je kan ontmoeten, Charlie. Maak het mogelijk, zodat ik verder kan met mijn leven als je daar nog iets om geeft. Waag het niet om 'nee' te zeggen. Waag het niet om je te verstoppen, Charlie. Vertel me hoe.

Karen

75

CHARLES WAS IN DE SOUTH Island Bank op Saint Lucia toen Karens bericht binnenkwam op zijn BlackBerry.

Haar woorden troffen hem als een shot adrenaline in zijn hart.

Nee, hij kon dit niet doen. Hij kon haar niet ontmoeten. Het zou niet werken. Hij had de deur geopend, maar dat was in een moment van zwakte en domheid geweest. Nu moest hij hem weer dichtslaan.

Hij had een formulier ingevuld voor het overboeken van geld naar een andere rekening. Had de routinematige getallen en de nieuwe rekeningen ingevuld. Hij maakte hier schoon schip en boekte de fondsen over die hij bij de Banco Nacional de Panama in Panama-Stad en de Seitzenbank in Luxemburg had, naar een veiligere plek.

Het was tijd om te vertrekken.

Charles wachtte tot een fleurig geklede lokale vrouw klaar was, daarna ging hij aan het bureau van de manager zitten. De manager was een vriendelijke eilandbewoner met wie hij eerder had samengewerkt. Hij leek blij om Charles weer te zien.

En hij was teleurgesteld dat Charles zijn rekeningen sloot.

'Meneer Hanson,' zei de manager die plichtsgetrouw zijn aanvraag afhandelde. 'Dus we zien u hier niet meer?'

'Misschien een tijdje niet,' antwoordde Charles en hij stond op. 'Bedankt.' Ze schudden elkaar de hand.

Toen hij wegging en over Karens urgente bericht nadacht – vastbesloten om 'nee' te zeggen, om haar te vragen geen contact meer op te nemen – merkte Charles niet dat de manager naar een stuk papier greep dat hij in zijn bureaulade had opgeborgen. Of dat hij de telefoon opnam voordat Charles de deur uit was gelopen.

Karen zat nog steeds achter haar computer toen Charles' antwoord binnenkwam.

Nee, Karen. Dat is veel te gevaarlijk. Ik kan het niet laten gebeuren. De dingen die ik heb gedaan, waarvan jij denkt dat je ervan weet... Je hebt geen idee. Accepteer dat gewoon. Ik weet hoe je je moet voelen, maar alsjeblieft, ik smeek je, ga verder met je leven. Vertel niemand dat je me hebt gevonden. Niemand, Karen! Ik hield van je. Het was nooit mijn bedoeling om je pijn te doen. Maar nu is het te laat. Ik accepteer dat. Maar alsjeblieft, alsjeblieft, wat je ook mag voelen, schrijf me niet meer.

Woede kookte door Karens bloed. Ze schreef terug:

Ja, Charlie. Je laat het wel gebeuren! Toen ik zei dat ik weet wat je hebt gedaan, bedoelde ik niet alleen dat ik weet dat je nog leeft. Ik weet het... Ik weet van Falcon en al dat geld dat je in het buitenland beheerde, Charlie. Dat je al die jaren voor me verborgen hebt gehouden. En Dolphin. Die lege tankers, Charlie. Die persoon in Pensacola die je fraude ontdekte. Wat heb je hem in vredesnaam proberen aan te doen, Charlie?

Dit keer kwam zijn antwoord seconden later – een paniekerige toon:

Met wie heb je gesproken, Karen?

Wat maakt het uit met wie ik heb gesproken, Charlie?

De berichten gingen nu over en weer tussen Karen en de man van wie ze had gedacht dat hij een geest was.

Je snapt het niet. Het enige wat belangrijk is, is dat ik het weet. Ik weet van die jongen die in Greenwich is overreden. Op de dag dat je verdween. Op de dag dat wij hier om je rouwden, Charlie. En ik weet dat je er was. Is dat voldoende? Ik weet dat je hier bent geweest na de bomaanslag. De bomaanslag waarbij je zogenaamd was omgekomen, Charlie. Ik weet dat je hem onder een valse naam hebt gebeld.

Hoe, Karen. Hoe?

En ik weet wie hij was, Charlie. Ik weet dat hij de zoon was van die man uit Pensacola. Dat had je eigen handelaar, Jonathan Lauer, waarschijnlijk ontdekt en dat probeerde hij me te vertellen. Is dat voldoende, Charlie? Fraude. Moord. Alles verdoezelen.

Seconden later schreef Charlie terug:

Karen, alsjeblieft...

Ze veegde haar tranen weg.

Ik heb niets aan de kinderen verteld. Ze zouden er kapot van zijn, Charlie. Zoals ik er verdomme kapot van ben. Ze zijn nu weg. Op safari met mijn ouders. Een cadeautje voor Sam, omdat ze geslaagd is. Maar ik ben bedreigd, Charlie. Zíj zijn bedreigd. Is dat wat je wilde, Charlie? Is dat wat je wilde achterlaten?

Ze ademde diep in en typte door.

Ik weet dat er risico's zijn. Maar die risico's gaan we gewoon nemen. Anders ga ik hiermee naar de politie. Je zult worden aangeklaagd, Charlie. Het gaat hier om moord. Ze zullen je vinden. Als ik je kon vinden, kunnen zij het ook. En zo zullen de kinderen aan je denken, Charlie. Dat je een moordenaar was. Niet de persoon die ze nu bewonderen.

Karen wilde op VERZENDEN klikken, maar toen aarzelde ze.

Dat is dus de prijs, Charles, de prijs voor mijn stilzwijgen. Om dit allemaal stil te houden. Je hebt altijd van eerlijke uitwisselingen gehouden. Ik wil je niet terug. Ik hou niet meer van je. Ik betwijfel of ik nog gevoelens voor je heb. Maar ik zal je zien, Charlie. Ik zal horen waarom je ons dit hebt aangedaan, uit jouw mond, in eigen persoon. Dus vertel me hoe het gaat gebeuren. Geen excuses, geen berouw. Dan ben je vrij om verder te gaan met je ellendige leven.

Ze klikte weer op VERZENDEN en wachtte. Minutenlang. Er kwam geen antwoord. Karen begon zich zorgen te maken. Stel dat ze te veel had onthuld? Stel dat hij bang was geworden en halsoverkop op de vlucht was geslagen? Voorgoed. Nu ze hem eindelijk had gevonden.

Het wachten leek een eeuwigheid te duren. Ze staarde naar het lege scherm. Doe me dit niet nog een keer aan, Charles. Niet nu. Kom op, Charlie, doe alsof je eens van me hebt gehouden. Laat me dit niet nog een keer meemaken.

Ze sloot haar ogen. Misschien doezelde ze zelfs wel even weg, helemaal futloos, uitgeput.

Ze hoorde een geluid. Toen Karen haar ogen opendeed, zag ze dat er een e-mail was binnengekomen. Ze klikte erop.

Alleen. Dat is de enige manier waarop het gebeurt.

Karen staarde ernaar. Een kleine glimlach van voldoening vormde zich om haar lippen.

Oké, Charles. Alleen.

76

ER GING WEER EEN DAG voorbij terwijl Karen op Charles' instructies wachtte. Deze keer was ze niet zenuwachtig of bang. Of verrast toen ze de instructies eindelijk ontving.

Alleen vastberaden.

Kom naar de St. James's Club in Saint Hubert op de Virgineilanden.

Karen kende de plaats. Ze hadden er een aantal keren in de buurt gezeild.
Het was een schitterende plek aan een hoefijzervormige baai, een verzameling bungalows met strodaken op het strand. Helemaal afgezonderd.

Charles voegde eraan toe:

Binnenkort. Dagen, geen weken, Karen. Ik zal daar contact met je opnemen.

Er waren veel dingen die Karen tegen hem zou willen zeggen. Maar het
enige wat ze terugschreef was:

Ik zal er zijn.

Ronald Torbor worstelde met wat hij moest doen. Die ochtend had hij op-
gekeken en Steven Hanson, de Amerikaan, voor zijn bureau zien staan.

Hij kwam zijn rekeningen sluiten.

De assistent-bankmanager probeerde zijn verrassing te camoufleren.
Sinds die twee Amerikanen naar zijn huis waren gekomen, had hij gebe-
den dat hij de man nooit meer zou zien. Maar daar stond hij. De hele tijd
terwijl ze praatten en zaken afhandelden, bonkte Ronalds hart bijna uit
zijn borstkas. Zodra de man was vertrokken, rende hij naar het toilet en
plensde koud water over zijn warme gezicht.

Wat moest hij doen?

Hij wist dat het verkeerd was – wat die vreselijke mannen hem hadden
gevraagd te doen. Hij wist dat het elke fiduciaire eed schond en dat hij zou

worden ontslagen als iemand erachter kwam. Dat hij alles zou verliezen waar hij al die jaren voor had gewerkt.

En Ronald mocht hem graag, die meneer Steven Hanson. Hij was altijd opgewekt en beleefd en zei altijd iets aardigs over Ezra, wiens foto op zijn bureau stond. Hanson had hem en zijn vrouw Edith zelfs een keer gezien toen ze de bank bezochten.

Maar had hij keuze?

Hij deed dit voor zijn zoon.

De man met de snor had beloofd dat ze terug zouden komen als hij er ooit achter kwam dat Ronald hem had verneukt. En als ze Hanson tot hier hadden weten te traceren, zouden ze hem ook verder weg kunnen opsporen. En als ze zouden ontdekken dat zijn geld was overgeboekt, zou het slecht met hen aflopen. Met Edith en Ezra.

Heel erg slecht.

Ronald besefte dat er veel meer op het spel stond dan alleen zijn baan. Zijn gezin. Ze hadden gedreigd hem te doden. Ezra. Ronald had gezworen dat hij die blik van angst nooit meer in de ogen van zijn vrouw wilde zien.

Meneer Hanson, begrijp het alstublieft. Ik heb geen keuze.

Er stond een telefooncel aan de overkant van het plein. Naast een bankje, met een verkiezingsposter erop, een afbeelding van Nevi's corrupte zittende minister met de slogan: TIME COME FOR DEM TO GO.

Hij stak zijn telefoonkaart in de gleuf en toetste het internationale nummer in dat hij had gekregen. 'Zorg ervoor dat ik van je hoor, Ronald,' had de man met de snor gezegd toen hij bij het vertrek nog even over Ezra's hoofd aaide. 'Leuke jongen.' Hij knipoogde. 'Ik weet zeker dat hij een mooie toekomst tegemoet gaat.'

De verbinding werd tot stand gebracht. Ronald slikte zijn angst weg.

'Hallo?' antwoordde een stem. Ronald herkende hem meteen en er liep een rilling van schaamte en walging over zijn ruggengraat.

'Met Ronald Torbor. Uit Nevis. Ik moest u bellen.'

'Ronald. Fijn je te horen,' antwoordde de man met de snor. 'Hoe gaat het met Ezra? Alles goed?'

'Ik heb hem gezien,' zei Ronald zonder te antwoorden. 'De man die u zoekt. Hij was hier vandaag.'

77

'ik ga alleen,' zei karen tegen Hauck.

Ze dronken weer koffie in Arcadia in de stad. Karen vertelde hem dat Charlie uiteindelijk contact met haar had opgenomen en haar instructies had gegeven. 'Hij zei: Alleen ik. Dat is de deal die ik heb gesloten. Ik moet het doen, Ty.'

'Nee, dat moet je niet.' Hij zette zijn koffiekopje neer en schudde zijn hoofd. 'Het is niet overtuigend, Karen. Je hebt geen idee met wie hij nog meer contacten heeft. Geen sprake van dat ik je gevaar laat lopen.'

'Dat is de deal, Ty. Ik heb erin toegestemd.'

'Karen.' Hauck boog zich naar haar toe en verlaagde zijn stem, zodat de mensen aan de omringende tafels het niet zouden horen. 'Deze man heeft jou en zijn gezin in de steek gelaten. Je weet precies wat hij heeft uitgespookt. Je weet ook wat hij moet beschermen. Dit is gevaarlijk, Karen. Het is geen middelbareschoolstunt. Je hebt Charlie precies verteld wat je over hem te weten bent gekomen. Er zijn mensen gestorven. Ik pieker er niet over om jou daar alleen naartoe te laten gaan.'

'Je hoeft me niet te zeggen wat er op het spel staat, Ty.'

Karens stem was geforceerd en klonk nu luider. Ze keek hem smekend aan. 'Toen ik bij jou aanklopte vertrouwde ik je. Ik vertelde je dingen die ik nooit aan iemand anders kon vertellen.'

'Volgens mij heb ik dat vertrouwen ook verdiend.'

'Ja.' Karen knikte. 'Dat weet ik. Maar nu moet je mij ook een beetje vertrouwen. Ik ga,' zei ze. Haar ogen stonden helder en onwrikbaar. 'Dit is mijn man, Ty. Ik ken hem, hoe het ook lijkt. Hij zou me nooit iets aandoen, dat weet ik zeker. Ik heb "ja" gezegd, Ty. Ik laat deze kans niet lopen.'

Hauck ademde diep uit. Zijn strenge blik reflecteerde zijn verzet. Hij kon haar tegenhouden, wist hij. Hij kon de hele zaak vandaag openbaar maken. Zichzelf uit het gevaar halen waarin hij zichzelf had gebracht. Maar dit had hij haar altijd beloofd. Vanaf het begin. Dat hij Charles zou vinden. En terwijl hij zijn resterende opties doornam besefte hij dat hij er op vele manieren al te diep bij betrokken was.

'Het moet op een publieke plaats gebeuren,' zei hij uiteindelijk. 'Ik moet je kunnen zien. Dat is de enige manier.'

Ze zette grote ogen op. 'Ty...'

'Er valt niet over te onderhandelen, Karen. Als de situatie veilig lijkt en we alle details kennen, mag je hem ontmoeten. Alleen. Erewoord. Maar ik ben in de buurt. Dat is de deal.'

Karens gezicht stond vermanend. 'Je mag mij niet gebruiken om hem te pakken, Ty. Dat moet je beloven.'

'Dacht je dat ik meega om hem te arresteren, Karen? Dat ik Interpol inschakel en een val opzet, zoals in *Miami Vice*?' Hij keek haar recht aan. 'De reden dat ik meega, is dat ik waarschijnlijk van je hou, Karen – begrijp je dat niet? – of iets wat er dicht in de buurt komt. Ik ga mee omdat ik niet wil dat jij je in het ongeluk stort, met mogelijk de dood tot gevolg.'

De blik in haar ogen was vastberaden en resoluut. Het glanzende blauw van haar irissen was veranderd in een eigenzinnige grijze vastbeslotenheid. Een poosje bleven ze zo zitten. Haucks haren stonden recht overeind.

Toen glimlachte Karen langzaam. 'Je zei "waarschijnlijk".'

'Ja, waarschijnlijk.' Hauck knikte. 'En als ik dan toch bezig ben, waarschijnlijk ben ik ook een beetje jaloers.'

'Op Charles?'

'Op achttien jaar, Karen. Hij is de man met wie je een leven hebt opgebouwd, wat hij ook heeft gedaan.'

'Dat deel is over, Ty.'

'Is dat zo?' Hij keek even weg en ademde daarna gefrustreerd in. 'Nou goed, ik heb het gezegd, hoe dom het ook klinkt, wat kan het schelen.'

Karen pakte zijn hand vast. Ze drukte zijn handpalm in haar beide handen en masseerde de zachte kussentjes. Uiteindelijk keek hij haar aan.

'Weet je, waarschijnlijk hou ik ook van jou.' Ze haalde haar schouders op. 'Of iets wat er dicht in de buurt komt.'

'Ik ben overweldigd.'

'Maar als we dit doen, Ty, kan het niet op die manier. Alsjeblieft. Dit is op dit moment het allerbelangrijkste voor me. Daarom ga ik erheen. Daarna...' Karen drukte haar duim in zijn handpalm. 'Daarna zien we wel verder. Hebben we een deal?'

Hij klemde zijn pink om die van haar en stemde schoorvoetend in. 'Ken je de locatie?'

'De St. James's Club? We zijn er één keer geweest. We meerden er aan om te lunchen.' Ze zag zijn bezorgdheid. 'Het is net zoiets als de Condé Nast Traveler, Ty. Geen geschikte locatie voor een hinderlaag.'

'Wanneer vertrek je?'

'Wíj, Ty. Morgen,' zei Karen. 'Ik heb de tickets al geboekt.'

'Tickets?'

Ja, Ty. Tickets.' Karen grijnsde. 'Geloof je nu echt dat ik dacht dat je me daar ooit in mijn eentje naartoe zou laten gaan?'

78

DE HOND WAS BIJ DE buren. Rick en Paula waren weg. Net zoals Karens kinderen. Ze stuurde een e-mail naar de lodge waar Sam en Alex verbleven en vertelde hun dat ze zelf ook een paar dagen weg zou gaan. Ze besefte dat ze iemand moest laten weten waar ze naartoe ging. Ze toetste een telefoonnummer in en een bekende stem nam thuis op.

'Saul?'

'Karen?' Lennick klonk verbaasd, maar verheugd. 'Hoe gaat het met je? Hoe gaat het met de kids?'

'Goed, Saul. Daarom bel ik ook. Ik ga een paar dagen de stad uit. De kinderen zitten in Afrika. Niet te geloven, hè? Ze zijn op safari. Een cadeautje omdat Sam is geslaagd. Met mijn ouders.'

'Ja, ik herinner me dat je het daar over had,' zei hij monter. 'Het heeft zo z'n voordelen om jong te zijn, hè?'

'Ja, Saul,' zei Karen. 'Inderdaad. Luister, ze zijn daar moeilijk te bereiken, dus ik heb jouw werktelefoonnummer aan hun volgende lodge doorgegeven. Je weet wel, voor het geval er iets gebeurt. Ik wist niet wie ik anders moest bellen.'

'Natuurlijk. Ik voel me vereerd, Karen. Je weet dat ik alles zou doen wat in mijn macht ligt. Waar ga je naartoe? Voor het geval ik je moet bereiken,' legde hij uit.

'Naar het Caribisch gebied. De Virgineilanden...'

'Prima keuze. Rond deze tijd van het jaar is het daar heel mooi. Ga je naar een specifieke plek?'

'Ik geef je mijn mobiele nummer, Saul.' Ze besloot de rest achter te houden. 'Als je me nodig hebt, kun je me daarop bereiken.'

Saul was Charlies mentor. Hij had de sluiting van Charlies bedrijf afgehandeld. Hij was dingen over hem te weten gekomen. Archer. De rekeningen in het buitenland. Nooit had hij haar daar iets over verteld. Met een rilling vroeg Karen zich ineens af: ben jij van alles op de hoogte?

'Ik weet dat Charlie met bepaalde zaken bezig was, Saul.'

Hij bleef even stil. 'Wat bedoel je, Karen?'

'Ik weet dat hij veel geld beheerde. Die rekeningen waarover we het hadden, in het buitenland. Daar waren die paspoorten en dat geld voor, hè? Je bent er nooit op teruggekomen, maar ik weet dat jij het weet, Saul. Je kende hem beter dan ik. En je zou hem beschermen, Saul. Ja toch? Als er iets werd ontdekt? Zelfs nu nog?'

'Ik wilde je niet ongerust maken, Karen. Dat hoort bij mijn werk. En ik zou jou ook beschermen.'

'Echt, Saul?' Ineens had Karen het gevoel dat ze iets begreep. 'Zelfs als het een dreiging voor jou inhield?'

'Een dreiging? Hoe zou het een dreiging voor mij kunnen zijn, Karen? Wat bedoel je toch?'

Ze stond op het punt om hem verder onder druk te zetten, hem te vragen wat hij wist. Wist hij dat haar man nog leefde? Was Saul erbij betrokken? Hield Charlie zich onder andere voor hem schuil of was hij misschien de persoon voor wie hij op de vlucht was? Maakte hij deel uit van wat er tussen hen was gekomen? Saul? Hij zou van Jonathan Lauer hebben geweten. Hij had haar er nooit over verteld. Karen voelde zich zenuwachtig, alsof ze een verboden ruimte was binnengeslopen, een gesloten gewelf, kil en volledig afgesloten.

Saul schraapte zijn keel. 'Natuurlijk zou ik dat doen, Karen.'

'Wát zou je natuurlijk doen, Saul?'

'Je beschermen. En de kinderen ook. Dat vroeg je toch?'

Ineens wist Karen het zeker. Hij wist het. Veel, veel meer dan hij haar vertelde. Ze merkte het aan het trillen van zijn stem. Saul was Charlies mentor.

Hij wist het. Hij moest het weten.

En nu wist Saul ook dat zij het wist.

'Je hebt het me nooit verteld.' Karen bevochtigde haar lippen. 'Je wist dat Jonathan Lauer dood was en ook dat hij had geprobeerd contact met me op te nemen. Je wist dat Charlie al dat geld beheerde. Charlie is toch dood, Saul? Hij is dood, en je beschermt hem nog steeds.'

Er viel een stilte.

'Natuurlijk is hij dood, Karen. Charlie hield van je. Dat is het enige waaraan je nu zou moeten denken. Het is beter om het daarbij te laten.'

'Wat heeft mijn man gedaan, Saul? Wat is dat toch met jullie? Waarom hou je dingen voor me achter?'

'Ik wens je een fijne vakantie toe, Karen. Waar je ook naartoe gaat. Je weet dat ik alles zal afhandelen wat hier moet worden gedaan. Ja toch, lieverd?'

'Ja,' zei Karen. Haar mond werd droog. Een rilling van onzekerheid trok door haar lichaam. Een raam naar een wereld die ze eens had vertrouwd. 'Dat weet ik, Saul.'

Deel 4

79

DE TWAALFPERSOONS CESSNA VAN ISLAND Air landde op de landingsbaan van het afgelegen eiland. De wielen hadden moeite met het vinden van het stukje land in de groenblauwe Caribische Zee. Het kleine vliegtuig kwam tot stilstand voor de terminal, die eigenlijk alleen maar bestond uit een barak van golfplaten met een toren en een windmeter.

Hauck knipoogde naar Karen aan de andere kant van het gangpad. 'Klaar?' Twee bagageafhandelaars in T-shirt en korte broek renden het gebouw uit zodra de propellers stilstonden.

De jonge piloot met zonnebril hielp de passagiers op het asfalt onder aan de trap.

'Prima vlucht,' zei Hauck.

'Welkom in het paradijs.' Hij grijnsde terug.

Ze hadden vanaf luchthaven JFK de ochtendvlucht naar San Juan genomen, waren overgestapt op de American Eagle-vlucht naar Tortola, en vervolgens had deze benauwde oude kist hen over de glasachtige zee naar Saint Hubert gebracht. Karen was eigenlijk de hele reis stil geweest. Ze sliep of bladerde door een romannetje dat ze onderweg had gekocht. Voelde zich angstig. Hauck vond dat ze er prachtig uitzag in haar bruine truitje en haar strakke witte damespantalon, met een hanger van een onyxsteen om haar nek en een zonnebril met schildpadmontuur op haar neus.

Hauck hielp haar de trap af en zette zijn eigen zonnebril op. Wat de reden van hun komst ook was, het was hier prachtig. De zon was duizelingwekkend. Er woei een koele passaatwind.

'Friedman? Hauck?'

Een lokale vertegenwoordiger van het vakantieoord, gekleed in een wit overhemd met epauletjes en een klapbord in de hand, riep naar hen.

Hauck wuifde.

'Welkom op Saint Hubert.' De jonge zwarte man grijnsde vriendelijk. 'Ik breng u naar uw vakantiebestemming.'

Ze laadden hun koffers in de Land Cruiser van het hotel. Het eiland was eigenlijk niet meer dan een flinke strook zand en vegetatie midden in de zee. Het was slechts een paar kilometer van de ene kant van het eiland naar het andere. Een kleine berg scheidde het eiland in tweeën, er waren een paar geïmproviseerde kraampjes waarachter eilandbewoners fruit en zelfgemaakte rum verkochten, een paar geiten. Hier en daar stonden kleurrijke reclameborden voor een lokaal autoverhuurbedrijf en Caribe-bier.

De rit naar het hotel duurde iets langer dan vijftien minuten. De Land Cruiser stuiterde over de ongelijkmatige weg. Al snel reden ze het Saint James-vakantieoord binnen.

De omgeving was prachtig, met weelderige vegetatie en hoge palmbomen. Hauck had al snel door dat dit geen vakantieoord was dat hij zich zelf zou kunnen veroorloven. Een week hier kostte waarschijnlijk meer dan een maandsalaris. Bij de openluchtbalie, onder een afdakje van stro, vroeg Karen om de twee kamers naast elkaar die ze in het hotelgedeelte van het vakantieoord had gereserveerd. Ze hadden dat van tevoren besproken. Hauck vond het prima. Het ging niet om een vakantie. Het was belangrijk om te onthouden waarom ze hier precies waren.

'Zijn er nog berichten voor me?' vroeg Karen terwijl ze incheckten.

De knappe baliemedewerkster keek in de computer. 'Het spijt me, mevrouw Friedman. Niets.'

Een piccolo ging hen voor naar hun kamers, die allebei smaakvol waren ingericht met een groot hemelbed en duur rotan meubilair. Een grote marmeren badkamer met een groot bad. Buiten zwaaiden palmbomen tot aan het terras dat uitzicht bood over het parelwitte strand.

Ze zagen elkaar weer op hun naast elkaar gelegen veranda's en staarden naar de zee. Her en der stonden een paar tentvormige strandhuisjes op het strand. En er lag een schitterend wit jacht afgemeerd aan de pier.

'Het is hier prachtig,' zei Hauck, terwijl hij om zich heen keek.

'Ja,' beaamde Karen, en ze ademde de oceaanbries in. 'Inderdaad.'

'Het heeft weinig zin om te gaan zitten wachten totdat je van hem hoort.' Hauck haalde zijn schouders op. 'Zullen we gaan zwemmen?'

'Waarom ook niet?' Karen glimlachte. 'Kom op.'

Even later kwam Karen tevoorschijn in een stijlvol bronskleurig badpak en een sarong. Ze had haar haren boven op haar hoofd vastgezet. Hauck had een 'designer' Colby College-zwembroek aan.

Het water was warm en schuimde. Kleine witte golven sloegen op hun voeten. Het strand was nagenoeg verlaten. Het was juni en het vakantieoord was niet bepaald volgeboekt. Een paar honderd meter van het strand lag een klein rif met daarop een handjevol zonnebaders. Een jong stel gooide met een bal in het water. De zee was zo kalm dat het wel op een glasplaat leek.

'O, het is hier schitterend.' Karen zuchtte, alsof ze in de hemel was, en liep het water in.

'Betoverend,' beaamde Hauck, terwijl hij in de branding dook. Toen hij weer bovenkwam wees hij. 'Zullen we naar dat rif zwemmen?'

'Zwemmen? Wat dacht je van een wedstrijdje?' Karen grijnsde.

'Tegen mij? Weet je wel tegen wie je het hebt, dame?' Hauck lachte. 'Ik behoor nog steeds tot de snelste drie zwemmers aller tijden van Greenwich High.'

'O, nu word ik bang.' Karen rolde met haar ogen. 'Pas op voor de haaien.'

Ze dook sierlijk voor hem het water in. Hauck gaf haar een paar slagen voorsprong en dook haar toen achterna. Hij moest er hard aan trekken, een paar kleine golven sloegen over hem heen. Karen zwom in borstcrawl schijnbaar moeiteloos door het water. Hij kwam niet dichterbij. Hoe hard hij ook zijn best deed, hij leek de afstand niet te kunnen verkleinen. Een of twee keer probeerde hij haar benen vast te pakken. Hij deed er drie minuten over. Karen versloeg hem en was al op het rif toen hij nog zo'n vijfhonderd meter te gaan had. Ze stond al op hem te wachten toen hij naar adem happend uit het water kwam.

'Volgens mij heb je me voor de gek gehouden.'

Ze knipoogde. 'Kampioen freestyle in de categorie tot twaalf jaar van de zwemclub van Atlanta.' Ze schudde het water uit haar haren. 'Waar bleef je nou?'

'Ik kwam een haai tegen,' snoof hij, terwijl hij verlegen naar haar grijnsde.

Karen ging op het fijne zand liggen. Hauck sloeg, nadat hij was gaan zitten, zijn armen om zijn knieën en keek naar de strodaken en zwaaiende palmen op het prachtige tropische eiland.

'Waar ben je nog meer goed in?' vroeg hij, terwijl hij mismoedigheid veinsde. 'Dan weet ik dat alvast.'

'Chili maken. Tennissen. Grote donaties regelen.' Ze grijnsde. 'Ik stond erom bekend dat ik behoorlijk wat geld kon ophalen. Jij?'

'Een hockeydoellijn bewaken. Katten uit bomen redden. Donuts eten,' antwoordde hij. 'Zo nu en dan een blauwvis vangen.'

'Je schildert,' zei Karen bemoedigend.

'Je hebt het gezien.'

'Klopt.' Ze stootte hem speels aan met haar teen. 'En je kunt het echt schilderen noemen!'

Hauck keek naar de druppeltjes water op haar natte huid.

'Wat gaat er gebeuren?' vroeg Karen. Haar toon gaf aan dat ze van onderwerp was veranderd. 'Na afloop?'

'Na afloop?'

'Nadat ik Charles heb gesproken. Wat gebeurt er dan met hem, Ty? Al die dingen die hij heeft gedaan...'

'Ik weet niet...' Hauck zuchtte. Hij beschermde zijn ogen met zijn hand tegen de zon. 'Misschien kun jij hem overhalen om zich vrijwillig aan te geven. Wij hebben hem gevonden, dus kan iemand anders dat ook. Hij kan niet voor eeuwig vluchten.'

'Je bedoelt dat hij naar de gevangenis gaat, toch?'

Hauck haalde zijn schouders op.

'Ik zie dat niet gebeuren, Ty.'

Hauck gooide een kiezel in het water. 'Laten we eerst maar afwachten wat hij te zeggen heeft.'

Ze knikte. Enkele seconden keken ze elkaar aan. Geen van beiden wilden ze hun angst voor een onbekende toekomst in woorden uitdrukken. Daarna stootte Karen hem weer aan met haar teen en glimlachte. 'Dus... eh, wie nu wint, is de winnaar van de dag.'

'Geen sprake van. Besef wel dat ik niet zo goed tegen mijn verlies kan.'

'Dat is dan jammer voor je!' merkte Karen met een samenzweerderige grijns op terwijl ze naar hem omkeek en in de golven dook.

Hij sprong haar achterna. 'Aan de andere kant, ik kan er ook niet tegen om ontmaskerd te worden!'

Later dineerden ze samen. Het terras met uitzicht op de baai was nog niet voor de helft gevuld. Stelletjes die op huwelijksreis waren en enkele Europese gezinnen.

Hauck bestelde een lokale pittige visschotel, Karen nam zeekreeft. Hauck stond erop te betalen en bestelde een dure fles Meursault. Karen, die al een beetje bruin was geworden, droeg een zwart kanten jurkje. Hauck wist wat de afspraak was, maar hij kon zijn ogen nauwelijks van haar af houden.

Na afloop liepen ze terug naar de hotelbalie. Teleurgesteld keek ze op haar BlackBerry. Vervolgens vroeg ze bij de balie of er nog berichten voor haar waren.

Ook daar niet.

'Het was een leuke dag,' zei hij.

Karen glimlachte charmant. 'Inderdaad.'

Boven liep hij mee naar haar deur. Even was er een ongemakkelijk moment toen Karen zich naar voren boog en hem een zachte kus op zijn wang gaf.

Ze glimlachte weer naar hem, met een dankbare knipoog en een beweging met haar vinger terwijl ze de deur achter zich dichtdrukte. Maar Hauck zag de bezorgdheid in haar ogen.

Nog steeds geen woord van Charles.

80

OOK DE VOLGENDE DAG WAS er geen bericht. Karen werd steeds gespannener.

Ook Hauck voelde het. In de ochtend jogde hij in de buurt van het vakantieoord, kwam terug en trainde wat in het fitnesscentrum. Later probeerde hij zichzelf af te leiden met een paar politierapporten die hij had meegenomen.

In haar kamer keek Karen voor de honderdste keer op haar Black-Berry of ze al een bericht had ontvangen.

Stel dat ze hem op de vlucht had gejaagd, vroeg ze zich af. Stel dat Charles zich weer had verscholen? Hij kon wel duizenden kilometers verderop zitten.

Hij zou het haar laten weten, zei ze tegen zichzelf. Hij zou haar niet weer zo martelen.

In de middag zwom Hauck weer naar het rif en dreef naar zijn gevoel wel een uur op zijn rug. Hij dacht na over wat Karen had gezegd, wat hij zou doen wat betreft Charles – na afloop. Thuis.

Hij wist dat hij alles moest rapporteren. Dietz. Hodges. Het geld in het buitenland. De lege tankers. Pappy Raymond. De hit-and-runs.

Alles.

Zelfs als ze hem zou smeken om het niet te doen. Er zou een onderzoek worden gestart. Naar Haucks gedrag. Hij zou beslist worden geschorst. Hij zou zelfs zijn baan kunnen verliezen.

Hij schudde het van zich af, liep terug naar zijn kamer en ging op het bed liggen. Zijn ingewanden voelden alsof er prikkeldraad doorheen was getrokken. Charles' stilte was voor hen beiden om gek van te worden. En ook de gedachte aan 'na afloop'. Plotseling leek de toekomst, en alles wat die te bieden had, niet zo ver weg meer.

Hij gooide de stapel werkpapieren op het bed, trok de schuifdeur open en stapte op de veranda.

Hij zag Karen naast zich op haar terras. Ze stond met haar gezicht naar de oceaan en deed yogaoefeningen in een strakke legging en een kort katoenen topje.

Hij keek toe.

Ze was sierlijk en ging als in een dans van de ene pose over naar de andere. De gebogen lijnen van haar tengere armen, haar vingers die naar de lucht reikten. Het regelmatige ritme van haar ademhalingen, haar borst die uitzette en samentrok, de verfijnde kromming van haar ruggengraat die de beweging van haar armen volgde.

Zijn bloed begon sneller te stromen.

Hij wist dat hij van haar hield. Niet 'waarschijnlijk' zoals hij had gegrapt, maar honderd procent zeker. Hij wist dat ze hem had doen ontwaken uit een diepe slaap, de zoete verlokking van iets in hem wat al heel lang dood was.

Het explodeerde nu binnen in hem.

In eerste instantie zag ze hem niet, zo geconcentreerd was ze op de precisie van haar bewegingen. De buiging van haar been, het naar voren brengen van haar bekken terwijl ze zich rekte. Haar paardenstaart viel naar voren. De glimp van haar ontblote middenrif.

Verdorie, Ty...

Ze bracht haar armen terug in een wijde halve cirkel en leek haar ogen te openen. Hun blikken ontmoetten elkaar.

Aanvankelijk glimlachte Karen alleen, alsof ze bij een privéritueel was betrapt, zoals in bad gaan.

Hauck zag de zweetplek op haar topje, het spaghettibandje dat van haar schouder was gegleden, de honingkleurige haarlok die over haar ogen was gevallen.

Hij kon er niet meer tegen. Het was alsof hij in vuur en vlam stond. Door de urgentie van hun hoofdknik. Ze zeiden niets, maar er werd iets woordeloos en ademloos tussen hen gecommuniceerd.

'Karen...'

Hij stond al voor haar deur op het moment dat zij hem opentrok. Hij sloeg hem wijd open, pakte haar vast en duwde haar terug de kamer in, tegen de muur, voordat ze kon fluisteren: 'Wat wil je in vredesnaam van me, Ty?'

Hij drukte zijn mond op de hare, onderdrukte haar verzet en proefde haar zoete adem. Karen trok met dezelfde behoeftigheid zijn shirt uit en trok aan zijn korte broek. Hij legde zijn ruwe handpalm om de ronding onder haar legging. Hitte straalde uit elke porie, niet in staat om zichzelf tegen te houden.

Haar borstkas zwol op. 'Jezus, Ty...'

Hij trok haar legging naar beneden. Haar huid voelde glad en zweterig. Hij tilde haar op en drukte haar tegen de hoge leuning van een rotanstoel. Hij hoorde haar mompelen, haar armen stevig om zijn nek, en hij tilde haar op totdat hij in haar was, als twee uitgehongerde mensen die zich op voedsel storten. Haar benen waren om zijn heupen geslagen.

Deze keer was er geen zachtheid, geen tederheid. Alleen een hevig verlangen dat diep vanuit hun binnenste oprees. Ze drukte haar gezicht tegen zijn borst en wiegde in zijn armen. Hij klampte zich aan haar vast zoals hij nog nooit iets in zijn leven had vastgehouden. En toen het voorbij was, met een laatste vrijmoedige puf, bleef hij haar vasthouden en drukte haar lichaam tegen het zijne. Daarna liet hij haar voorzichtig in de fauteuil zakken. Zelf zocht hij steun bij de muur en hij liet zich uitgeput naar beneden glijden.

'Daar gaat onze afspraak.' Karen kreunde en veegde haar vochtige haar uit haar gezicht.

'Hij werkte niet echt...' Hauck ademde uit en trok een knie op.

'We kunnen ook gewoon weggaan,' zei hij tegen haar. 'We hoeven niet op hem te wachten, Karen. Ik weet dat er dingen zijn die je van hem wilt horen, maar wat moet je er ook mee? Zijn woorden zullen je alleen maar kwetsen, Karen, wat hij ook te zeggen heeft. We kunnen ook weggaan en Charles laten teruggaan naar waar hij ook maar heen wil.'

Karen knikte. Ze forceerde een glimlach. 'Dat klinkt niet erg politieagentachtig uit jouw mond, Ty.'

'Misschien is dat omdat ik me ook niet echt politieagentachtig voel. Misschien is dat omdat ik me voor het eerst in vijf jaar heel voel. Ik heb verdomme mijn hele leven geprobeerd te doen wat juist is, en ik ben bang – voor een keer ben ik bang – voor de gevolgen als ik hem zie. Wat we hier doen, Karen, kan één grote leugen zijn. Maar hoe dan ook is het een leugen waarvan ik niet wil dat hij eindigt.'

'Ik wil ook niet dat hij eindigt, Ty.'

Een scherp gerinkel onderbrak haar. Het kwam van de tafel waarop Karens tas lag. Allebei richtten ze hun ogen erop. Ze trok haar topje over haar hoofd, rende ernaartoe en graaide naar haar BlackBerry.

Hij vibreerde.

Angstig keek ze op. 'Het is van hem.'

Karen las het bericht voor. 'Er zal om 8 uur een boot in de haven van Saint James zijn,' las ze voor. 'De kapitein heet Neville. Hij brengt je bij me. Alleen jij, Karen. Dat is de enige manier. Niemand anders. Charles.'

Ze liep naar Hauck toe en gaf hem de telefoon. Hij las het bericht zelf nog een keer. Vanbinnen voelde hij alles wegglippen.

'Hij is mijn man,' zei Karen. Ze ging naast hem zitten. 'Het spijt me, Ty. Ik moet gaan.'

81

VIJFENZESTIG KILOMETER VERDEROP NIPTE PHIL Dietz aan een zwarte-cactusmargarita in de Black Hat Bar in Tortola. Een band speelde muziek van Jimmy Buffett en Wyclef Jean, een menigte jonge mensen danste en morste bier. Hun zorgeloze hersens gonsden van de rum. Dietz merkte een mooi meisje op, gekleed in een laag uitgesneden haltertopje, dat aan de andere kant van de bar zat en hij dacht: waarom ook niet? Hij kon best een versierpoging wagen naarmate de avond vorderde, zelfs als hij er, naar het zich liet aanzien, voor zou moeten betalen. Hij had het verdiend. Hij zou het afboeken van Lennicks rekening, besloot hij. Een soort viering, want morgen was de pret over. Dan ging alles weer over op de orde van de dag.

Hij had zijn man gevonden.

Het was een makkie geweest om Karen Friedmans reisschema te achterhalen. Lennick had hem gealarmeerd. Hij wist dat de vis had gehapt. Als ze naar de Virgineilanden ging, was het waarschijnlijk dat ze via San Juan zou vliegen, dus had hij met een vraag over de reservering naar de luchtvaartmaatschappij gebeld. Luchtvaartmaatschappijen gaven nog steeds dergelijke informatie door. Dat maakte zijn werk gemakkelijker. Hij had Lenz, die de auto in Greenwich had bestuurd en wiens gezicht voor hen niet bekend was, gevraagd om naar haar uit te kijken in Tortola. Lenz was op het eenmotorige vliegtuigje van Island Air naar Saint Hubert gestuit. Er was daar maar één plek waar ze naartoe konden.

Maar hij had niet op de agent gerekend. Dietz wist dat dit geen liefdesuitje was. Charles zou snel volgen.

Hij had hen hiernaartoe geleid.

Wat er verder ook zou gebeuren, dat gegeven was een kolfje naar Dietz' hand. Charles zou zich binnenkort laten zien. Hij had Lenz opgedragen om in de club te gaan zitten en hen nauwlettend in de gaten te houden. Dietz had een vliegtuigje gecharterd. De rest was routine. Waar ze hem voor betaalden. De vaardigheden die hij zijn hele leven verder had ontwikkeld.

Dietz nam nog een slokje van zijn drankje. Het meisje met de grote borsten in het haltertopje glimlachte naar hem. Hij raakte opgewonden.

Hij wist dat hij niet bepaald knap was. Hij was klein en gedrongen en zijn dikke armen waren van boven tot onder bedekt met militaire tatoeages. Maar vrouwen merkten hem toch altijd op en voelden zich op een scherpe manier tot hem aangetrokken.

Hij dacht aan de agent. Die vormde een complicatie. Als ze van Dolphin wisten, hadden ze misschien ook die oude vent in Pensacola gevonden. Misschien was het al met al toch niet zo'n gemakkelijke opdracht als hij had gedacht.

Charles wist dingen. Meer dan hij van hen mocht onthullen. Hij was slordig geweest, maar aan die slordigheid moest een einde komen.

Dietz krabde aan zijn snor en drukte zijn sigaar uit. Tijd om te betalen, Charles.

Maar in de tussentijd had hij deze kleine verstrooiing. Hij keek nog één keer naar het meisje en dronk zijn drankje op. Hij klapte zijn mobiele telefoon open. Nog één telefoontje.

Hij toetste het nummer in dat in zijn geheugen stond. Een knarsende stem met een duidelijk accent nam op. Het was altijd verstandig om twee mensen tegen elkaar uit te spelen, dacht Dietz. Er was hem gevraagd om een voortgangsrapport uit te brengen en in contact te blijven.

'Goed nieuws,' zei Dietz, terwijl hij het meisje in de gaten hield. 'Volgens mij hebben we hem gevonden.'

'Fantastisch,' antwoordde de stem. 'Via de bankrekeningen?' De banken, de elektronische overboekingen. De diamanthandelaar die ze zorgvuldig hadden nagetrokken.

'Was niet nodig,' zei Dietz. 'Uiteindelijk vond ik een andere manier. Zijn vrouw leidde ons direct naar hem toe.'

Dietz stond op en gooide een briefje van twintig op de bar. Morgen... Morgen moest er weer gewerkt worden. Hij zou ook met Hodges afrekenen. Maar vanavond... Het meisje praatte met een lange, blonde surfer. Hij liep langs een groepje vissers dat opschepte over hun vangst. Toen hij voor haar ging staan, keek ze op.

'Waar ben je?' vroeg Dietz in de telefoon.

'Maak je geen zorgen,' antwoordde de norse stem. 'Ik ben in de buurt.'

82

DE OCHTEND BEGON NEVELIG EN warm.

Karen was vroeg wakker en at een licht ontbijt in haar kamer. Ze ging op de veranda zitten en nipte van haar koffie, terwijl ze de zon boven de kalme zee zag opkomen.

Ze probeerde haar zenuwen te bedwingen. Een vlucht vogels cirkelde rond bij de klip. Ze snaterden en doken naar beneden voor een vroege maaltijd.

Rond halfacht zag ze dat een witte motorsloep in de haven van Saint James aanmeerde. Een kapitein sprong van boord. Ze ging staan en probeerde haar rusteloze maag te ontspannen. Daar gaan we dan...

Ze trok een zomerjurkje met print aan en linnen schoenen. Ze stak haar haren op en bracht een beetje rouge op haar wangen aan en wat lipgloss op haar lippen, gewoon om er leuk uit te zien. Daarna pakte ze haar tas: zonnebrandcrème, lipbalsem, een paar flesjes water. Ook nam ze een paar foto's van de kinderen mee.

Beneden stond Ty haar al op te wachten op het pad naar het strand. Hij knipoogde bemoedigend naar haar. Wat viel er verder nog te zeggen?

'Ik heb iets voor je,' zei hij, terwijl hij haar via de overdekte galerij meenam naar een rustig plekje waar hij haar in een houten strandstoel liet plaatsnemen. Hij drukte een klein dingetje in haar handpalm. 'Het is een gps-ontvanger. Stop hem in je tas. Op die manier kan ik je vinden. Ik wil dat je me elk uur belt. Elk uur. Zodat ik weet dat je veilig bent. Beloof je dat je dat zult doen, Karen?'

'Ty, ik ben echt wel veilig. Het is Charles.'

'Ik wil dat je het belooft,' zei hij. Dit keer was het geen vraag, eerder een bevel.

'Oké.' Ze gaf toe en glimlachte naar hem. 'Ik beloof het.'

Uit zijn jaszak haalde Hauck nog iets anders – een donker metalen voorwerp, klein genoeg om in de palm van zijn hand te passen – wat haar de rillingen bezorgde. 'Ik wil dat je dit ook meeneemt, Karen.'

'Nee.'

'Ik meen het, Karen.' Hij drukte het pistool in haar hand. 'Voor het geval er iets gebeurt. Het is een Beretta .22. De veiligheidspal is eraf. Misschien is het niet nodig. Maar je weet niet wat je te wachten staat. Je zei het zelf – er zijn mensen gestorven. Dus neem dat ding mee. Alsjeblieft. Voor de veiligheid.'

Karen staarde naar het pistool, haar hartslag versnelde. Ze probeerde het weg te duwen. 'Ty, alsjeblieft. Het is Charles...'

'Het is Charles,' zei hij, 'en je hebt geen idee wat je nog meer te wachten staat. Pak het aan, Karen. Het is geen vraag, maar een bevel. Je kunt het me vanmiddag teruggeven.'

Ze staarde naar het pistool en besefte dat hij gelijk had, hoe ze dit ook speelde. Ze was een beetje bang.

'Ik durf het eigenlijk niet mee te nemen omdat ik bang ben dat ik het tegen hem ga gebruiken,' gniffelde ze zenuwachtig. Maar ze stopte het toch in haar tas.

'Karen, luister.' Ty duwde zijn zonnebril naar zijn voorhoofd. 'Ik hou echt van je. Volgens mij al vanaf de eerste dag dat ik je zag. Dat weet je. Ik heb geen idee wat er hierna gebeurt, tussen jou en mij. Dat zoeken we nog wel uit. Maar nu is het mijn beurt, en ik wil dat je goed naar me luistert. Wees voorzichtig, Karen. Ik wil dat je zoveel mogelijk onder de mensen blijft. Ga nergens met hem naartoe, na afloop. Je neemt geen risico's, begrepen?'

'Ja, meneer.' Karen knikte en glimlachte ondanks haar zenuwen vaag.

'Wat kan ik anders zeggen, Karen? Ik ben politieagent.'

De kapitein van de boot, een zwarte man van rond de dertig in een lange strandbroek en met een honkbalpetje op, sprong van de sloep die Sea Angel heette. Hij keek op zijn horloge.

Karen zei: 'Volgens mij is het tijd om te gaan.'

Ze boog zich naar hem toe en hij omhelsde haar. Ze kuste zijn wang en trok hem dicht tegen zich aan. 'Maak je om mij geen zorgen, Ty.' Ze stond op en deed haar best om te glimlachen. 'Het is Charlie. Tegen tienen zitten we vast ergens samen in een cafeetje een biertje te drinken.'

Ze haastte zich naar de haven, draaide zich nog een keer om en zwaaide, terwijl haar hart bonkte. Ty volgde haar een paar passen over het strand. Daarna rende ze naar de haven, naar de kapitein van de Sea Angel, een vriendelijk ogende man. 'Bent u Neville?'

'Ja, mevrouw,' zei hij. Hij nam haar tas aan. 'Het is tijd om te gaan.' Hij zag Ty die een stap of twee in hun richting deed. 'Hij zei alleen u, mevrouw. Alleen u of we gaan niet weg.'

Karen nam zijn hand aan en sprong aan boord. 'Ik ben alleen. Waar gaan we naartoe?'

Neville stapte aan boord en gooide de lijn terug op de kade. 'Hij zei dat u dat wel zou weten.'

83

ZE WIST HET INDERDAAD. ERGENS diep in haar hart. Het drong tot haar door op het water, de eilanden kwamen haar steeds bekender voor. Met toenemende verwachting in haar bloed.

Ze voeren in westelijke richting. Toen ze voorbij het rif waren, vermeerderde de tweemotorige sloep vaart. Karen liep naar de achterkant van de boot. Ze zwaaide naar Hauck, die nu op de kade stond. Een minuut later maakte de boot een bocht en verdween hij uit zicht.

Ze was nu in Charlies handen.

Het was een schitterende tocht. Veel eilanden met witte stranden, kleine onbewoonde strookjes zand en palmen. Het water was licht groenblauw met hier en daar een schuimkop. De zon scheen op hen neer, helder en warm. De boot gleed snel over de golven en liet een breed kielzog achter, de kapitein was duidelijk thuis in de lokale wateren. Karens haren wapperden in de zilte bries.

'Kent u Charles?' riep ze naar Neville boven de luidruchtige motoren uit.

'U bedoelt meneer Hanson?' vroeg hij. 'Ja, ik beman zijn boot.'

'Deze?'

'Nee, mevrouw.' Neville grijnsde breed, alsof hij geamuseerd was. 'Zeer zeker niet.'

De boot passeerde verlaten stranden. Een paar dorpjes verscholen in de baaien. Plaatsen die ze eens hadden bezocht. Ineens wist ze waarom Charles haar had gevraagd om hier te komen. Af en toe voeren ze langs prachtige jachten op de open zee. Of kleine vissersbootjes, bemand door mannen met ontblote bovenlichamen. Eén keer grijnsde Neville en wees naar de horizon. 'Zeilvissen.'

De opwinding die Karen voelde begon te bedaren.

De tocht duurde vijftig minuten. De sloep voer steeds dichter bij kleine, onbewoonde eilandjes.

Ineens besefte ze dat Neville gelijk had gehad. Een bizarre vorm van herkenning overviel haar. Karen herkende een strandrestaurant waar ze eens waren aangemeerd – eigenlijk alleen maar een grote hut met strodak en een barbecue, waar ze zeekreeft en kip hadden gegeten. Er lagen een paar kleine boten. Verderop herinnerde ze zich een vuurtoren, blauw en wit gestreept. Karen herinnerde zich de naam.

Bertram's Cave.

Nu wist ze waar hij haar naartoe bracht. Een laatste golf van open blauwe zee en ze zag het.

Haar hart zwol op.

De geïsoleerde baai waar ze eens hadden gezeild, waar ze met hun tweeën voor anker waren gegaan. Ze dacht aan Charlie met zijn sluike haar en zijn Ray Ban-zonnebril op aan het roer. Ze waren naar het strand gezwommen, hadden een mand met eten en bier meegenomen en hadden als strandzwervers op het fijne witte zand gelegen, beschut door de zwaaiende palmen.

Hun eigen persoonlijke baai. Hoe hadden ze hem genoemd? De Lagune zonder Zorgen.

Waar zijn Charlie en Karen toch naartoe gegaan, zou iedereen zich afvragen.

Toen de boot snelheid minderde, liep Karen naar de boeg en schermde haar ogen af. Terwijl haar hartslag versnelde, tuurde ze naar het kleine hoefijzervormige strand. Neville bracht de sloep, die door water van slechts negentig centimeter diep moest worden getrokken, tot een paar meter van het strand.

Het zag er nog hetzelfde uit. Precies zoals ze het acht jaar geleden hadden aangetroffen. Er lag een gele rubberboot op het strand. Karens hart begon nog sneller te kloppen. Ze keek om zich heen. Ze zag niemand, hoorde alleen gekras – een paar zeemeeuwen en pelikanen die boven de bomen cirkelden.

Charlie...

Ze wist niet wat ze voelde. Ze wist niet hoe ze zou reageren. Karen deed haar schoenen uit en pakte de reling vast. Ze keek achterom naar Neville en hij gebaarde dat ze nog even moest wachten terwijl hij nog iets dichterbij voer. Daarna knikte hij dat ze mocht gaan. Nu...

Karen sprong met haar tas over haar schouder van de boot. Het water was warm en schuimig en kwam tot halverwege haar bovenbenen. De zoom van haar jurk werd nat. Ze waadde naar het strand en zag niemand. Toen ze zich omdraaide zag ze dat Neville de Sea Angel weer van het strand weg manoeuvreerde. Hij zwaaide naar haar. Karen draaide zich weer om en voor het eerst begon ze zich echt bang te voelen.

Ze was alleen. Op dit totaal verlaten eilandje dat nauwelijks op de kaart te zien was.

Stel dat hij helemaal niet kwam?

Ze besefte dat ze Ty nog niet had gebeld. Ik wil dat je zoveel mogelijk onder de mensen blijft, had hij gezegd. Onder de mensen? Dit was verdorie het meest verlaten plekje ter wereld.

Aarzelend stapte Karen op de lage duin. De ochtendzon had het zand verwarmd en het voelde warm en fijn onder haar blote voeten. Er was geen geluid, behalve getjilp in de bomen en het zachte kabbelen van de golven op het strand.

Ze wilde net de telefoon uit haar tas pakken toen een tinteling van angst over haar huid trok.

Ze hoorde de bosjes bewegen en daarna zijn stem, voordat ze zijn gestalte zag.

Zacht, vreemd genoeg bekend. Het geluid sneed door haar heen.

'Karen.'

Ze voelde benauwdheid op haar borst en draaide zich om.

84

ALS EEN GEESTVERSCHIJNING STAPTE CHARLES uit het dichte struikgewas tevoorschijn. Karens hart bleef stilstaan.

Er lag een vreemde aarzelende glimlach om zijn mond. Hij keek naar haar en zette zijn zonnebril af. 'Hallo, lieverd.'

Karen verkeerde in shock. Het voelde alsof ze met een mes werd gestoken. 'Charles...?'

Hij staarde haar aan en knikte.

Karens hand vloog naar haar mond. In eerste instantie wist ze niet wat ze moest doen. Haar adem stokte. Ze staarde alleen maar. Hij zag er anders uit, was volledig veranderd. Als ze hem op straat was tegengekomen, had ze hem misschien niet eens herkend. Hij droeg een kaki honkbalpetje, maar Karen kon zien dat het haar eronder kortgeschoren was. Hij had stoppeltjes op zijn wangen. Zijn lichaam zag er slanker en gespierder uit. En gebruind. Hij droeg een lange strandbroek met een print van roze en groene bloemen, watersandalen en een wit T-shirt. Ze kon niet zeggen of hij nu ouder of jonger leek. Alleen anders.

'Charles?'

Hij deed een paar passen naar haar toe. 'Hallo, Karen.'

Ze zette een paar stappen naar achteren. Ze wist eigenlijk niet wat ze moest voelen. Een chaos van verwarde emoties overviel haar nu ze ineens oog in oog stond met de man met wie ze elk vreugdevol en belangrijk moment in haar volwassen leven had gedeeld. De man om wie ze had gerouwd omdat hij dood was, een gevoel van walging dat nu door haar lichaam trok om de vreemde die haar en hun kinderen had verlaten. Ze merkte dat ze achteruitdeinsde. Alleen al het horen van zijn stem. De stem van iemand die ze had begraven. Haar man.

En toen bleef hij staan. In een reflex deed ze een paar aarzelende stappen in zijn richting om de afstand te verkleinen. Zijn blik was onzeker, ongemakkelijk. Ze staarde als een laserstraal door hem heen. 'Je ziet er zo anders uit, Charles.'

'Aanpassing aan mijn leefomgeving.' Hij haalde zijn schouders op en glimlachte een beetje.

'Dat zal wel. Leuk gebaar, Charles, deze plek.' Ze bleef op hem af lopen en absorbeerde zijn aanblik als scherp, oncomfortabel licht dat langzaam in schaduw overgaat.

Hij knipoogde. 'Dat dacht ik al.'

'Ja.' Karen stapte dichterbij. 'Je hebt altijd een goede antenne voor ironie gehad hè, Charles? Je hebt jezelf deze keer echt overtroffen.'

'Karen,' – zijn voorkomen veranderde – 'het spijt me zo...'

'Nee!' Ze schudde haar hoofd. 'Waag het niet dat te zeggen, Charles.' Haar bloed kookte nu, de shock was over. De waarheid kwam bij haar terug, waarom ze hier was. 'Waag het niet te zeggen dat je spijt hebt, Charles. Je begrijpt niet eens waar spijt begint.' Een krachtige stroom van woede en ongeloof kolkte door haar aderen. Ze voelde dat ze haar vuisten balde. Charles knikte, accepteerde de klap die zou komen en zette zijn zonnebril af. Karen staarde hem aan, met haar kaken op elkaar geklemd, en ze vernauwde haar blik terwijl ze in zijn bekende grijze ogen keek.

Ze sloeg hem. Hard, in het gezicht. Hij huiverde, deed een pas naar achteren, maar bedekte zijn gezicht niet.

Karen sloeg hem nog een keer – hard, terwijl haar verwarring razendsnel overging in woede. 'Hoe kon je? Verdomme, Charles! Hoe kun je hier voor me staan?' Ze hief haar hand en sloeg hem nog een keer. Deze keer op de borst, met haar vuist, waardoor hij achteruit wankelde. 'Verdomme, Charles! Hoe kon je mij dit aandoen? En Alex en Sam, Charles, je gezin. We zijn er kapot aan gegaan. Je hebt een deel van ons meegenomen, Charles. Dat krijgen we nooit meer terug. Maar jij, jij bent hier... Je zult het nooit weten. We hebben om je gerouwd, Charles, zo diep alsof er een deel van onszelf was gestorven.' Ze sloeg weer op zijn borst, tranen van woede glinsterden in haar ogen. Charles weerde de klappen nu af die op hem neer bleven komen, maar hij liep niet weg. 'We hebben het hele jaar elke dag om je gehuild. We hebben kaarsen in jouw herinnering gebrand. Hoe kun je hier voor me staan, Charles?'

'Ik weet het, Karen,' zei hij met gebogen hoofd. 'Ik weet het.'

'Nee, je weet het niet, Charles.' Ze keek hem dreigend aan. 'Je hebt verdomme geen idee wat je ons hebt ontnomen. Sam en Alex, Charles. En waarvoor? Maar ik weet het wel. Ik weet precies wat je hebt gedaan. Ik weet dat je een leugen hebt geleefd. Ik weet wat je voor me verborgen hebt gehouden. Dolphin. Falcon. Die tankers, Charles. Die oude man in Pensacola...'

Zijn ogen keken haar doordringend aan. 'Met wie heb je gesproken, Karen?'

Ze sloeg hem opnieuw. 'Loop naar de hel, Charles. Is dat wat je van mij wilt? Wil je dat ik je vertel wat ik weet?'

Uiteindelijk greep hij haar arm vast. Hij klemde zijn vingers om haar pols.

'Je zegt dat je het weet. Maar dat is niet zo, Karen. Je moet naar me luisteren en me laten uitpraten. Het is nooit mijn bedoeling geweest om je op deze manier te kwetsen. In nog geen miljoen jaar, dat zweer ik. Het was niet de bedoeling dat je erachter zou komen. Wat ik heb gedaan, deed ik om jou te redden, Karen. Jullie allemaal. Ik besef dat je me moet haten. Ik snap hoe het moet voelen om me hier te zien. Maar je moet één ding voor me doen, Karen. Alsjeblieft, laat me uitpraten. Want wat ik ook heb gedaan en waarom ik hier nu ook sta, ik heb voor jou mijn leven in eigen handen genomen.'

'Voor mij?'

'Ja, voor jou, Karen. En de kinderen.'

'Oké, Charles.' Karen duwde haar tranen weg. Ze gingen uit de zon zitten, vlak bij de bosjes. Ze zaten in het zand, waar het koeler was. 'Je hebt me altijd weten te charmeren hè, Charles? Laat jouw versie van de waarheid dan maar horen.'

Hij slikte. 'Je zegt te weten wat ik heb gedaan. De handel in het buitenland. Falcon, Dolphin Oil... Het is allemaal waar. Ik ben er allemaal schuldig aan. Ik heb jaren geld beheerd waarover ik je nooit heb verteld, Karen. Ik kwam in de problemen. Liquiditeitsproblemen. Grote problemen, Karen. Ik moest mezelf indekken. Ik raakte in paniek en beraamde een uitgebreide fraude.'

'Die lege tankers... Je hebt olie vervalst.'

Charles knikte en ademde diep in. 'Ik moest wel. Mijn reserves waren zo laag, als de banken erachter kwamen zouden ze mijn leningen intrekken. Ik had me acht keer overleend, Karen. Ik moest wel zakelijk onderpand creëren. Ja.'

'Waarom, Charlie? Waarom? Waarom moest je die dingen doen? Hield ik niet genoeg van je, Charlie? Was ik er niet altijd voor je? Hadden we geen goed leven samen? De kinderen...'

'Dat was nooit het punt, Karen. Het had niets met jullie te maken.' Hij schudde zijn hoofd. 'Herinner je je nog dat ik jaren geleden excessief heb geleend?'

Karen knikte.

'We zouden failliet zijn gegaan. Ik zou helemaal niets meer hebben gehad, Karen. Ik zou weer achter een bureau bij een of andere handelsmaatschappij zijn beland, met mijn staart tussen de benen. Ik had me weer omhoog moeten werken en zou er jaren over hebben gedaan om die schuld af te lossen. Maar het had allemaal een prijs, Karen.'

'Een prijs?'

'Ja.' Hij vertelde haar over de fondsen die hij had beheerd. 'Niet de miezerige kleine accounts die ik bij Harbor beheerde.' De private partnerschappen. Falcon. In het buitenland. 'Miljarden, Karen.'

'Maar het was oneerlijk verkregen geld, Charles. Je bent een witwasser. Waarom noem je het niet gewoon bij naam? Wie heeft je dit aangedaan, Charles?'

'Ik ben géén witwasser, Karen. Je begrijpt het niet – je vormt je geen mening over dit soort fondsen. Je beheert die alleen. Je beheert het geld. Dat is mijn werk, Karen. Het was onze uitweg. En ik heb de kans aangegrepen, Karen, de afgelopen tien jaren. Ik had geen idee waar het allemaal vandaan kwam en wie ze ervoor hadden beroofd of bestolen. Alleen dat het er was. En weet je wat? Het kon me niet schelen. Voor mij waren het gewoon accounts. Ik investeerde voor hen. Het was hetzelfde, hetzelfde als de Levinsons en de Coumiers en Smith Barney. Ik heb die mensen zelfs nooit ontmoet, Karen. Saul heeft het allemaal voor me geregeld. En denk je dat er geen anderen zijn? Dat er geen mensen zijn die dit elke dag doen, respectabele mensen die elke avond thuiskomen, met hun kinderen spelen, naar *ER* kijken en met hun vrouwen naar de Met gaan? Mensen zoals ik! Ze bestaan, Karen. Drugsfinanciers, gangsters, mensen die de olieleidingen van hun land aftappen. Dus heb ik de kans aangegrepen. Zoals iedereen zou hebben gedaan. Het was onze uitweg. Ik heb nooit een dubbeltje witgewassen, Karen. Ik heb alleen hun accounts beheerd.'

Karen keek hem aan – als een laser keek ze door hem heen. De waarheid smolt weg, als een nevelsluier in de lucht. 'Je hebt niet alleen maar hun accounts beheerd, Charlie. Het klinkt zo mooi, hè? Maar je hebt het mis. Ik weet alles... Dit is wat Jonathan Lauer me wilde vertellen. Nadat je zo gerieflijk was "gestorven". Maar nu is híj dood, Charlie. Echt dood. Hij duikt niet op een of ander eiland op zoals jij... Hij zou een paar weken geleden bij een of andere hoorzitting getuigen, maar hij werd vermoord, overreden, net zoals die onschuldige knul in Greenwich, Charlie.'

Charles wendde zijn gezicht af.

'Met wie jij had afgesproken, Charlie, na de explosie in het Grand Central, nadat je de identiteit van die man had gestolen. Jij hebt geholpen die jongen te vermoorden, Charlie. Of misschien heb je het zelf wel gedaan. Ik heb geen flauw idee.

'Wat was hij van plan, Charlie? Zou hij je aangeven? Je hele zwendel openbaar maken? Je bent geen onbetekenende witwasser – je bent iets wat nog veel erger is, Charlie. Die mensen komen niet meer terug. En dan heb ik het nog niet eens over al die duizenden die geruïneerd of vermoord zijn in naam van al dat geld dat jij zo eerbiedig investeerde. O, Charlie... Wat heb je in vredesnaam gedaan? Hoe ben je op het verkeerde pad terechtgekomen? Dus dit was je grote uitweg? Nou, kijk eens naar jezelf! Kijk eens wat je verdomme allemaal hebt aangericht.'

Charles staarde haar met smekende ogen aan. Hij schudde zijn hoofd en bevochtigde zijn droge lippen. 'Dat heb ik niet gedaan, Karen, dat wat jij denkt. Ik zweer het. Haat me als je wilt, maar haat me wel om de dingen die ik heb gedaan.' Hij zette zijn pet af en streek met zijn hand over zijn kaalgeschoren schedel. 'Ik heb die jongen niet vermoord, Karen. Wat je ook denkt. Ik ging er naartoe om te proberen hem te redden.'

85

'HEM TE REDDEN?' EEN VLAAG van woede trok door Karen heen. 'Zoals je míj zou redden, Charlie?'

'Ik ging erheen om hem tegen te houden, Karen! Ik wist wat ze dreigden te doen.'

'Wie, Charles?' Gefrustreerd schudde Karen haar hoofd. 'Vertel me, wie?'

'Dat kan ik niet zeggen, Karen. Ik wil verdomme niet eens dat je het weet.' Charles' gezicht versomberde. Hij haalde verontrust adem, blies zijn wangen bol en ademde langzaam uit. 'Ik had hem één keer eerder ontmoet. Vlak bij zijn werk. Ik probeerde hem ertoe te brengen om zijn stijfkoppige vader ervan te overtuigen de dingen los te laten. Als bekend zou worden wat we met de tankers deden, zou alles de mist ingaan. Je hebt geen idee waar het allemaal toe zou leiden. Dus ging ik naar hem toe. In Greenwich. Na de bomaanslag. Ik was helemaal van slag. Een deel van me zag dit als een kans om gewoon te verdwijnen. Ik had sowieso bij de explosie moeten omkomen. Die mensen hadden me bedreigd, Karen. Je hebt geen idee. Een ander deel van me wilde dat het hele gebeuren gewoon wegging.

'Dus belde ik hem. Raymond. Om af te spreken. Ik belde hem vanaf de overkant van de straat en gebruikte de naam van de dode man. En ik zat daar in het restaurant terwijl ik niet wist wat ik zou gaan doen of wat ik zou gaan zeggen. Ik dacht alleen maar: dit moet stoppen. Nú. Die mensen zijn slecht. Ik wil het bloed van die arme knul niet aan mijn handen hebben.

'En toen zag ik hem.' Charles keek dwars door haar heen en staarde wezenloos voor zich uit. 'Ik zag die jongen door het raam naar me toe komen, de straat oversteken, zijn telefoon openklappen... Ik zag de auto, een zwarte SUV op de Post Road parallel aan hem snelheid maken.

'Het voertuig scheurde de hoek om. De jongen, met zijn rode haarlokken in een staart, besefte wat er zou gebeuren. Op dat moment wist ik dat de deur voor mij gesloten was, Karen. Ik had al dat geld verloren. Mijn reserves vervalst. Die rotzakken wilden bloed zien. En nu had ik het bloed van die knul aan mijn handen.' Hij keek haar aan. 'Zie je het dan niet, Karen? Ik was in gevaar, jij was in gevaar, de kinderen... Ik kon de boel niet meer terugdraaien. Ik zou geen tien jaar in de gevangenis zitten. Ik had net zo goed bij de explosie kunnen sterven. Dus deed ik dat.'

'Waarvoor, Charles? Om die monsters te beschermen?'

'Je begrijpt het niet.' Hij schudde zijn hoofd naar haar. 'Ik heb ruim een half miljard dollar verloren, Karen! Elke dag dat ik naar de cijfers keek, moest ik mijn lange contracten dekken en werd de marge van mijn positie groter. Ons leven glipte weg. Ik raakte door mijn reserves heen. Ik kon onze leningen niet meer betalen. Ze zouden me vermoorden, Karen. Ik moest hen op afstand houden. Dus begon ik dingen te veinzen. Ik liet die rottige tankers kriskras over de hele wereld varen – Indonesië, Jamaica, Pensacola... Allemaal leeg! En die verdomde stijfkoppige gek in Pensacola wilde maar niet loslaten...'

Karen raakte zijn arm aan. Hij huiverde licht. 'Je had het me kunnen vertellen, Charles. Ik was je vrouw. We waren een gezin. Je had dit met me kunnen delen.'

'Hoe had ik het met je kunnen delen, Karen? Ze stuurden me kerstkaarten waaruit de gezichten van de kinderen waren geknipt. Had je het fijn gevonden als ik dat met je had gedeeld? Ze hebben Sasha doodgereden. Ze stuurden me een briefje waarop stond dat de kinderen hierna aan de beurt waren. Wat dacht je daarvan, Karen? Dat soort mensen stuur je geen rapport waarin je belooft dat je het in het volgende kwartaal weer goed zult maken. Ons huis, dat luxe leventje van ons – het had allemaal een prijs, Karen. Had ik dát moeten delen? Wie ik was? Wat ik deed? Die mensen zijn moordenaars, Karen. Dat is de deal die ik heb gesloten.'

'De deal die je hebt gesloten? Verdomme, Charlie, kijk nou toch. Kijk naar ons. Ben je er gelukkig mee?'

Charles haalde diep en gepijnigd adem. 'Weet je, ik heb honderden keren overwogen om te vertrekken. Met ons hele gezin. Ik ben zelfs zover gegaan dat ik paspoorten voor ons had geregeld. Valse. Weet je nog dat ik jullie meetroonde om pasfoto's te laten maken? Ik zei dat ze voor visa voor Europa waren, voor een reis die we nooit hebben gemaakt.'

Karen knipperde met haar ogen en vocht tegen de tranen. 'O, Charlie...'

'Dus zeg eens eerlijk,' ging Charlie verder, 'had ik je moeten inlichten, Karen? Is dat het leven dat je zou hebben gewild? Als ik je had verteld wat ik was en wat we moesten doen, de kinderen van de ene op de andere dag uit hun vertrouwde omgeving halen, jou... Hen in het donker van school halen, wegrukken uit alles wat ze kenden. Jullie allemaal in gevaar brengen. Jullie ook allemaal deel hiervan maken. Wat zou je tegen me hebben gezegd, Karen? Vertel me, schat, zou je ermee hebben ingestemd?'

Charles keek haar aan, zijn blik reflecteerde iets van begrip, waarmee hij de vraag voor haar beantwoordde. 'Die mensen hebben de middelen om iedereen op te sporen, Karen. Je zou altijd in gevaar zijn geweest, de kinderen... Toen die bomaanslag plaatsvond kwam dat bijna als een geschenk. Het antwoord leek ineens zo duidelijk. Ik weet dat je het niet zo kunt zien. Ik weet dat je denkt dat er manieren waren waarop ik dit had kunnen afhandelen, en misschien waren die er ook wel. Maar niet een die veiliger was, Karen. Niet voor jullie.'

'Maar het is niet veilig voor ons geweest, Charlie.' Verontrust vertelde ze hem over het bezoek van de mensen van Archer dat haar als eerste angst had aangejaagd, daarna over de man die Sam in haar auto had lastiggevallen. En dat ze recentelijk een brochure van Tufts had ontvangen, waar Sam naartoe zou gaan, met daarop geschreven: WE ZIJN ER NOG STEEDS. 'Ze blijven maar om al dat geld vragen.'

'Met wie heb je gesproken, Karen?'

'Met niemand, Charlie. Alleen met die inspecteur die ons heeft geholpen met Saul. Meer niet.'

Charlie klemde zijn kaken op elkaar. Hij pakte haar hand vast. 'Hoe ben je erachter gekomen dat ik hier zat? Hoe wist je überhaupt dat ik nog leefde?'

'Ik zag je gezicht, Charlie!' Karens ogen glinsterden vochtig en groot, en ze keek hem aan terwijl ze tegen de tranen vocht.

'Mijn gezicht...?'

'Ja.' Ze vertelde hem over de documentaire. Dat ze een jaar lang om hem had gerouwd, spullen had bewaard waarvan ze geen afstand kon doen, had geprobeerd om het gat in haar hart te helen. 'Je weet niet hoe het was, Charlie.' En toen de documentaire, op de dag dat het een jaar geleden was. Dat ze zichzelf had gedwongen om te kijken, maar dat het te veel was, en dat ze de televisie had willen uitzetten.

En toen die bliksemsnelle flits van hem. Op de straat. Na de explosie. Wegkijkend van de camera. 'Ik zag je in de menigte voorbij snellen. De beelden heb ik wel duizend keer bekeken. Maar je was het echt, ook al was het voor mij bijna onmogelijk om het te geloven. Ik wist dat je nog leefde.'

Charles leunde naar achteren met zijn handen uitgestrekt achter zich. Hij gniffelde, aanvankelijk bijna geamuseerd, vol ongeloof. Hun levens, gescheiden door de dood, hadden zich in een vastgelegd moment gekruist, ondanks duizenden voorzorgsmaatregelen. 'Je zag me.'

'Ik wist niet wat ik moest doen. Ik werd gek, Charlie. Ik heb niets aan de kinderen verteld. Hoe kon ik ook, Charles? Ze houden van je. Het zou hun dood worden.'

Terwijl hij zijn lippen bevochtigde, knikte hij.

'Toen vond ik je kluisje.'

Zijn ogen werden groot.

'Die met je andere paspoort, Charlie. Met een andere naam. En al dat geld.'

'Hoe heb je dat gevonden?'

Karen vertelde hem over het ingelijste briefje dat ze had ontvangen. Van na de bomaanslag. Iemand had het in het Grand Central gevonden. Met al die krabbels erop. 'Er stond informatie op over de kluis. Ik had niets anders om op af te gaan, Charlie.'

Charles keek haar aan. Hij leek in shock en zag lijkbleek. Een briefje. Dat had haar naar hem geleid. Iets wat niet bij de explosie was verwoest. Toen verstijfde hij. Zijn ogen half dichtgeknepen en donker. Hij kneep in haar hand, maar deze keer had het iets kils. Hij deed het niet om haar te steunen.

'Wie weet hier nog meer van, Karen?'

86

ANGSTIG EN GESPANNEN BESLOOT HAUCK het hotelterrein te verlaten en langs de kustweg te joggen. Hij moest iets doen. Hij werd gek van het wachten, het staren naar het gps-systeem, terwijl zijn gedachten afdwaalden naar onafwendbare conclusies.

De gps was een tijdje terug stil blijven staan: 18,50° N, 68,53° W. Een of ander zandrifje midden in de Caribische Zee. Dertig kilometer verderop. Zo'n beetje de minst openbare plek waar ze naartoe had kunnen gaan. Hij had haar gezegd dat ze hem moest bellen. Dat was twee uur geleden.

Voor zijn werk had Hauck talloze malen samen met een partner politietoezicht gehouden of gesurveilleerd. Angstig in auto's gewacht terwijl partners hun leven op het spel zetten. Het was altijd prettiger om zelf degene te zijn die actie ondernam. Toch had hij zich nog nooit zo hulpeloos of verantwoordelijk gevoeld als nu. Hij rende over de lange, ongelijkmatig geasfalteerde weg die rond het eiland liep. Hij moest iets doen.

Bewegen.

Zijn sterke benen verhoogden het tempo. Er doemde een grote heuvel voor hem op met groene vegetatie. Hij stak steil op uit de zee. Hauck rende de heuvel op, zijn hartslag versnelde en er vormde zich langzaam een zweetplek op de achterkant van zijn T-shirt. De zon brandde op zijn hoofd. Het briesje dat er was woei alleen op het strand.

Af en toe stopte hij en keek op het scherm van de gps die hij aan zijn riem had vastgemaakt. Nog steeds dezelfde positie. Nog steeds geen woord. Het was nu ruim twee uur geleden. Hij had geprobeerd haar te bellen, maar had haar voicemail gekregen. Misschien was er geen ontvangst waar ze was. Wat moest hij doen, in een boot stappen en achter haar aan gaan? Hij had haar zijn woord gegeven.

Dus rende hij. De zeegezichten waren prachtig: uitzicht op wijd open stukken groenblauw water, een paar met gras bedekte heuveltjes die zich zeer steil verhieven op het strand, af en toe een witte boot als een stip op zee, de wazige contouren van een ver eiland aan de horizon.

Maar Hauck zag het allemaal niet. Hij was kwaad op zichzelf dat hij haar had laten gaan. Dat hij had toegegeven. De spieren in zijn bovenbenen brandden naarmate hij hoger op de heuvel kwam. Hij trok zijn T-shirt uit en knoopte het om zijn middel terwijl het zweet van zijn lichaam gleed. Kom op, Karen. Bel... Bel! Hij kreeg het benauwd.

Nog honderd meter...

Uiteindelijk bereikte hij de top van de heuvel. Hauck bleef staan, boog vooror en voelde zich kwaad, hulpeloos en verantwoordelijk.

Hij schreeuwde tegen niemand in het bijzonder: 'Verdomme!'

Hij gooide water uit zijn flesje over zich heen. Het leek erop dat hij op het hoogste punt was. Hij keek terug in de richting van waaruit hij was gekomen en zag het vakantieoord, klein, ver weg, zo op het eerste oog kilometers verwijderd.

Iets op zee trok zijn aandacht.

Even voor de kust van de andere kant van het eiland. Hauck hield zijn hand boven zijn ogen tegen de zon.

Het was een groot zwart schip. Een zeilschip. Ergens had hij het idee dat hij het eerder had gezien. Reusachtig – wel zo lang als een voetbalveld, ultramodern, met drie glinsterende, metalen masten die de zon weerspiegelden. Het fascineerde hem.

Hij pakte zijn verrekijker uit zijn heuptasje, tuurde over het water en stelde scherp.

Spectaculair. Strak en glimmend zwart. Er stond een naam op de achtersteven. Hij concentreerde zich erop.

The Black Bear.

De boot vervulde Hauck van ontzag, maar ook met een gevoel van onrust. Ergens in zijn herinnering wist hij dat hij hem ergens eerder had gezien.

Hij pakte zijn mobiele telefoon en maakte een foto.

Hij had hem inderdaad eerder gezien en probeerde zich te herinneren waar.

Maar hij kon hem niet plaatsen.

87

'LUISTER, CHARLES. DIT IS BELANGRIJK.' Karen raakte zijn arm aan. 'Wij zijn niet de enigen die weten dat je nog leeft.'

Hij trok zijn wenkbrauwen op. 'Wij?'

Ze knikte. 'Ja, "wij".' Karen vertelde hem over Hauck. 'Hij is een rechercheur uit Greenwich. Hij probeerde de hit-and-run van Raymond op te lossen die op dezelfde dag plaatsvond. De jongen had jouw naam en telefoonnummer in zijn zak. Hauck heeft zich een beetje om me bekommerd toen we nog niet zeker wisten dat je was omgekomen. En ineens gebeurden er allemaal vreemde dingen.'

'Wat voor vreemde dingen?'

'Er waren plotseling mensen die naar je op zoek waren, Charles. Of tenminste, naar al dat geld. Ik zei toch dat ze het over miljoenen hadden? Ze kwamen bij ons thuis. Daarna bedreigden ze Samantha. Op school. Ik wist niet tot wie ik me anders moest wenden, Charles.'

Hij keek bezorgd. 'Wélke mensen, Karen?'

'Dat weet ik niet. We zijn er niet achter gekomen. Misschien van de politie, of Saul. Maar het maakt ook niet meer uit. Wat wel uitmaakt, is dat die rechercheur, Hauck, erachter is gekomen. Luister, Charles. Ze zijn ook op zoek naar jou. Niet alleen naar het geld. Naar jou! Ze traceren je via je bankrekeningen hier. Die man heette Dietz... Ken je hem?'

'Dietz?' Charles schudde zijn hoofd.

'Hij was betrokken bij de hit-and-run van Raymond. Hij was een getuige in Greenwich. Maar het vreemde was dat hij ook bij het ongeluk van Jonathan Lauer was! De hit-and-runs waren in scène gezet, Charles. Dat waren geen ongelukken. Maar dat weet je, hè? Je weet wat ze probeerden te beschermen. En ik denk dat ze nu hier zijn, Charles. Ze proberen je te vinden. Op een of andere manier weten ze het, Charles. Je bent in gevaar.'

Charles duwde zijn pet omhoog en masseerde zijn voorhoofd, alsof hij in gedachten terugging naar een reeks gebeurtenissen. De conclusie die hij trok alarmeerde hem. 'Ze weten van de vergoedingen,' zei hij, terwijl hij haar mistroostig aankeek.

'Welke vergoedingen, Charles?'

'Veel geld, Karen. Geld dat ik heb verdíénd,' zei hij. 'Ik heb het niet gestolen. Eén en een kwart procent, van een paar miljard dollar. Acht jaar lang. Ik heb het altijd in het buitenland bewaard. Het was voor ons eiland,' zei hij. 'Weet je nog? We hebben het over zestig miljoen dollar, Karen.'

Karens ogen werden groot.

'Ik heb nooit om geld gegeven, Charlie. Ik heb nooit om dat stomme eiland van je gegeven. Het zou nooit werkelijk worden. Het was gewoon een onnozele droom van ons.' Ze keek hem aan. 'Waar ik wel om gaf, was om jou, Charlie. Ik gaf om ons, om ons gezin. Die mensen zijn je op het spoor. Ze kunnen je traceren, net zoals ik je heb opgespoord. Wat ga je doen, Charlie? Blijf je de rest van je leven voor hen op de vlucht?'

Hij liet zijn hoofd hangen en streek verontrust met zijn hand over zijn schedel. Er verscheen een weemoedige glimlach in zijn grijze ogen. 'Weet je, ik ben een keer terug geweest, Karen. Op de dag van Sams diploma-uitreiking. Ik had de datum op internet opgezocht op de pagina van de school.'

'Je was erbij?'

Hij knikte liefdevol. 'In zekere zin wel. Ik ben ernaartoe gereden en zag jullie na de uitreiking vanaf de overkant van de straat naar buiten lopen. Je had een korte gele jurk aan. Sam had een bloem achter haar oor. Ik zag mijn ouders daar. Alex... Wat is hij groot geworden...'

'Je was er!' Karen voelde dat een pijnscheut naar haar hart schoot. 'O, Charlie. Hoe lang kun je hier nog mee doorgaan?'

'Dat weet ik niet. Dat weet ik niet...' zei hij. Daarna vervolgde hij: 'Vertel eens,' – zijn ogen lichtten op – 'hoe gaat het met zijn lacrosse?'

'Zijn lacrosse?' Er stonden nu tranen van verwarring in haar ogen. 'Ik weet het niet, Charlie. Hij is reserveaanvaller en zit meestal op de bank. Maar Sam heeft een goed jaar gehad. Ze scoorde het winnende punt tegen de Greenwich Academy. Ze –' Ineens hield ze zich in. 'O, Charlie. Waarom doen we dit? Wil je weten hoe het was? Het was moeilijk, Charlie. Het was verdomd moeilijk. Weet je hoe ze zich zouden voelen als ze je hier nu konden zien? Ze zouden er kapot van zijn, Charlie. Sam, Alex – het zou hun dood worden.'

'Karen...'

Een vreemde kracht moedigde haar aan, en ze boog zich naar hem toe. Charlie nam haar bang en verward in zijn armen. Het voelde raar om zijn armen om zich heen te voelen. Zo bekend, maar toch zo ongemakkelijk. Als een geest. 'Het is een hel geweest, Charlie. Eerst dat je er niet meer was, daarna... Je hebt me zo veel verdriet gedaan.' Ze trok zich los, en haar ogen stonden zowel verdrietig als beschuldigend. 'Ik kan je niet vergeven, Charlie. Ik weet niet of ik het ooit zal kunnen. We hadden verdomme een leven samen, Charles!'

'Ik weet dat het moeilijk is geweest, Karen.' Hij knikte en slikte. 'Ik weet wat ik heb gedaan.'

Karen slikte haar tranen weg en veegde haar ogen droog met de muis van haar hand. 'Nee,' zei ze. 'Nee, dat weet je niet. Je hebt geen enkel idee wat je hebt gedaan.'

Hij keek haar aan. Voor de eerste keer nam hij haar echt op. Haar gezicht. Haar figuur. Hoe ze eruitzag in haar jurk. Er verscheen een vage glimlach in zijn ogen. 'Je ziet er nog steeds goed uit, Karen.'

'Ja, en jij draagt ineens geen bril meer?'

'Een laserbehandeling.' Hij haalde zijn schouders op. 'Het hoorde erbij.'

Ze glimlachte. 'Dus je had eindelijk de moed gevonden?'

'Bingo.'

Karens glimlach verbreedde, een straaltje zonlicht reflecteerde helder op haar sproeten.

'Ik wil dat je gelukkig bent, Karen. Ik wil dat je verder gaat met je leven. Leer weer van iemand te houden. Je verdient het om geluk in je leven te hebben.'

'Ja, nou, je hebt een prachtig moment gekozen om ineens zo bezorgd om me te zijn, Charlie.'

Hij glimlachte berouwvol.

'Luister, Charlie. Het hoeft niet zo te zijn. Je kunt jezelf aangeven. Die rechercheur, Hauck, is bij me, Charlie.'

Charles keek bezorgd.

'Je kunt hem vertrouwen, Charlie. Echt waar. Hij is een vriend van me geworden en hij is hier niet om je te arresteren. Je kunt hem uitleggen wat je hebt gedaan. Je hebt niemand vermoord. Je hebt zakelijk onderpand vervalst, Charlie. Je hebt gelogen. Je kunt het geld teruggeven. Een boete betalen. Zelfs als je tijd in de gevangenis moet doorbrengen, kun je je leven weer oppakken. De kinderen verdienen hun vader, Charlie. Zelfs als het niet meer hetzelfde wordt, zullen ze je vergeven. Echt waar. Je kunt het, Charlie.'

'Nee.' Hij schudde zwak zijn hoofd. 'Dat kan ik niet.'

'Ja, dat kun je wel. Ik ken je, Charlie.'

'Ik kan het niet doen, Karen. Ik zal twintig jaar moeten zitten. Ik kan het niet. Bovendien zou ik nooit veilig zijn. En jij ook niet. Dit is beter, ook al lijkt het anders.' Hij keek haar aan en glimlachte. 'En wees nou eerlijk, Karen, geen van ons tweeën zou dit graag aan de kinderen uitleggen.'

'Ze zouden hun vader willen, Charlie.' Ze ademde diep in. 'Wat wil je dan? De rest van je leven op de vlucht zijn?'

'Nee.' Hij schudde zijn hoofd. Daarna leek er iets van begrip in zijn ogen te staan. 'Luister, er zijn wat dingen, Karen. Je zei dat die mensen naar me op zoek zijn. Als er iets met me gebeurt, heb ik nog een aantal kluisjes, op verschillende plekken. Op Saint Kitts. In Panama. Tortola...'

'Ik wil je geld niet, Charles. Wat ik wil, is dat je −'

'Ssst...' Hij pakte haar hand vast en hield haar tegen. Hij kneep erin. 'Je hebt de Mustang toch nog?'

'Natuurlijk, Charlie. Dat had je gevraagd. In je testament.'

'Goed zo. Er zijn dingen die je zou willen weten. Belangrijke dingen, Karen. Als er iets met me zou gebeuren. De waarheid. De waarheid is altijd recht in mijn hart geweest. Begrijp dat, Karen. Beloof me dat je zult kijken. Het zal veel dingen verklaren.'

'Waar heb je het in vredesnaam over, Charlie? Je moet met me meegaan. Je kunt tegen die mensen getuigen. Desnoods word je in verzekerde bewaring gesteld. Ze zullen je vinden, Charlie. Je kunt niet blijven vluchten.'

'Dat ben ik ook niet van plan, Karen.'

'Hoe bedoel je?'

Hij blikte op zijn horloge. 'Het is tijd om terug te gaan. Ik zal nadenken over wat je hebt gezegd, maar ik beloof niets.' Hij stond op, keek in de richting van het water en zwaaide. Op de *Sea Angel* zwaaide Neville terug. Karen hoorde dat hij de motor startte. Iets verder weg was een groter vaartuig de bocht om komen varen. 'Dat is van mij.' Charlie wees. 'Het is het afgelopen jaar zo'n beetje mijn thuis geweest. Kijk er eens goed naar op de terugweg. Je krijgt vast een kick van de naam.'

Karens hart begon uit bezorgdheid sneller te kloppen, terwijl ze de sloep dichterbij zag komen. Ze wist zeker dat er iets was wat ze nog niet had gezegd.

'Beloof het me van de auto.'

'Wat moet ik beloven, Charlie?'

'Je moet instappen.' Hij pakte haar bij de schouders vast en drukte zacht een hand op haar wang. 'Ik heb je altijd prachtig gevonden, Karen. Het allermooiste wat er op aarde bestaat, op de kleur van de ogen van mijn kindje na.'

'Charlie, ik kan je hier niet zomaar achterlaten.'

Hij keek omhoog naar de hemel. 'Je moet wel, Karen.'

Neville manoeuvreerde de *Sea Angel* tot vlak bij de kust. Charles pakte Karen bij de arm vast en leidde haar naar het warme water van de baai. Ze liep verder, waadde door de branding en reikte naar de boeg. Met een grijns trok Neville haar aan boord. Ze draaide zich naar Charlie om. De kleine boot voer langzaam weg. Ze keek naar hem zoals hij daar op het strand stond. Een golf van verdriet overspoelde haar. Het voelde alsof ze daar iets achterliet, een deel van zichzelf. Hij zag er zo eenzaam uit. Ze wist zeker dat ze hem voor de laatste keer zag.

'Charlie!' riep ze boven het geluid van de motor uit.

'Ik zal erover nadenken.' Hij zwaaide. 'Erewoord. Als ik van gedachten verander, stuur ik Neville morgen naar je toe.' Hij deed een stap in het ondiepe water en zwaaide weer. 'De Mustang, Karen...'

Daarna zette hij zijn Ray Ban-zonnebril weer op.

Karen hield zich aan de reling vast terwijl de twee motoren van de *Sea Angel* snelheid maakten. Neville keerde de boot, en Karen rende naar de voorsteven terwijl de boot weg spurtte en het beeld van Charlie op het strand steeds kleiner werd. Hij zwaaide nog een laatste keer naar haar. Karen gaf zich uiteindelijk over aan de opwelling om te huilen. 'Ik heb je wel degelijk gemist,' zei ze zacht. 'Ik heb je zo gemist, Charlie.'

Terwijl de *Sea Angel* van de baai wegvoer, passeerde hij op korte afstand Charlies boot – een groot schip, zoals hij altijd had gewild – die de baai in voer. Toen ze dichterbij kwamen, kon Karen de naam lezen. Hij stond in sierlijke goudkleurige letters op de houten scheepsromp geschreven.

Emberglow.

Het maakte haar bijna aan het lachen, terwijl warme, liefdevolle tranen in haar ogen opwelden. Ze pakte haar mobiele telefoon en maakte een foto, hoewel ze eigenlijk niet wist wat ze ermee moest of aan wie ze hem ooit kon laten zien.

Intussen had Karen niet in de gaten dat hoog in de lucht boven haar een klein vliegtuig rondcirkelde.

88

PAS LAAT IN DE MIDDAG was Karen terug in het hotel. Hauck was tegen die tijd al weer in zijn kamer. Hij zat in een rieten stoel met zijn voeten op het bed werk door te nemen om zichzelf af te leiden. Zijn ergste angsten waren verdwenen. Karen had gebeld zodra ze op open water was om hem te laten weten dat alles goed was. Ze klonk vaag, zelfs een beetje afstandelijk, maar ze zou ze er meer over zeggen als ze terug was in het hotel.

Er werd op de deur geklopt.

'Hij is open,' zei hij.

Karen stapte de kamer in. Ze zag er een beetje moe en verward uit. Haar haren zaten slordig. Ze zette de tas die ze bij zich had op de tafel bij de deur.

Hij vroeg: 'En, hoe ging het?'

Ze probeerde te glimlachen. 'Hoe het ging?' Het was overduidelijk wat hij werkelijk vroeg: is er iets veranderd?

'Hier,' zei ze terwijl ze het pistool dat hij haar had gegeven op de tafel bij het bed legde. 'Hij heeft die mensen niet vermoord, Ty. Hij pleegde fraude met die tankers om zijn verliezen te verhullen, en hij gaf toe dat hij na de bomaanslag naar Greenwich is gegaan, zoals jij zei – met het identiteitsbewijs van die man. Om Raymond te ontmoeten, Ty, niet om hem te vermoorden. Om te proberen hem er voor eens en altijd van te overtuigen dat zijn vader moest ophouden.'

Hauck knikte.

Ze ging tegenover hem op de rand van het bed zitten. 'Ik geloof hem, Ty. Hij zei dat hij alles zag gebeuren en besefte dat hij niet meer terug kon. Die mensen hadden hem bedreigd. Ik had je die kerstkaart laten zien. Het briefje over wat ze met onze hond hadden gedaan. Hij dacht dat hij ons redde, Ty, hoe bizar het ook klinkt. Maar alles wat hij zei – het klopte.'

'Wat klopt is dat hij tot aan zijn nek in de problemen zit, Karen.'

'Dat weet hij ook. Ik heb geprobeerd om hem over te halen mee te komen. Ik heb hem zelfs over jou verteld. Ik zei tegen hem dat hij niemand had vermoord, dat hij alleen maar fraude had gepleegd, dat hij dat geld kon teruggeven, een boete betalen, een tijdje zitten, wat er ook van hem gevraagd zou worden. Een getuigenis afleggen...'

'En toen?'

'En toen zei hij dat hij erover zou nadenken. Maar ik weet het niet. Hij is bang. Bang om te zien wat hij heeft gedaan. Om zijn gezin onder ogen te komen. Ik denk dat het gewoon gemakkelijker is om te vluchten. Toen de boot wegvoer zwaaide hij nog. Ik heb het gevoel dat dát zijn antwoord was. Ik denk niet dat ik hem ooit nog zal zien.'

Hauck trok zijn benen van het bed en gooide zijn papieren op tafel. 'Wil je dat hij terugkomt, Karen?'

'Of ik hem terug wil?' Ze keek hem aan en schudde met doffe ogen haar hoofd. 'Niet op die manier, Ty. Tussen hem en mij is het over. Ik zou nooit terug kunnen. En hij ook niet. Maar ik besefte daar iets. Toen ik hem zag en hoorde...'

'En dat is?'

'Mijn kinderen. Ze hebben recht op de waarheid. Ze verdienen hun vader, wat hij ook heeft uitgevreten, zolang hij leeft.'

Hauck knikte. Dat begreep hij. Hij had Jessie. Wat hij ook had uitgevreten. Hij ademde diep in.

Karen keek hem met een gekwelde blik aan. 'Begrijp je hoe moeilijk het voor me was om dat te doen, Ty?'

Iets zorgde dat hij zich inhield. 'Ja, ik weet het.'

'Om hem te zien.' Haar ogen vulden zich met tranen. 'Om mijn man weer voor me te zien. Om hem te horen praten. Na wat hij heeft gedaan...'

'Ik weet hoe het was, Karen.'

'Hoe? Hoe was dat dan, Ty?'

'Wat wil je van me, Karen?'

'Ik wil dat je me vasthoudt, verdomme! Ik wil dat je tegen me zegt dat ik juist heb gehandeld. Snap je dat dan niet?' Ze liet haar hand op zijn been vallen. 'En ik besefte ook nog iets anders toen ik daar was.'

'Wat dan?'

Ze stond op en ging op zijn schoot zitten. 'Ik besefte dat ik van je hou, Ty. Niet iets wat erop lijkt.' Ze glimlachte en slikte een traan weg. 'De hele mikmak.'

'Mikmak?'

'Ja.' Karen knikte en liet haar hoofd tegen zijn borst rusten. 'Mikmak.'

Hij sloeg zijn armen om haar heen en drukte haar gezicht tegen zijn

schouder. Hij besefte dat ze huilde. Ze kon er niets aan doen. Hij hield
haar vast en was zich bewust van haar warme lichaam en het gelukkige gevoel in zijn hart terwijl het hare regelmatig tegen zijn lichaam klopte. Hij
voelde de vochtigheid van een paar warme tranen in zijn nek.

'Echt waar,' fluisterde ze, terwijl ze zich tegen hem aan nestelde. 'Hoe
onmogelijk het ook lijkt.'

Hij haalde zijn schouders op en bracht haar gezicht voorzichtig naar
zijn borst. 'Niet echt onmogelijk.'

'Jawel, absoluut onmogelijk. Dacht je soms dat ik je gedachten niet kon
lezen, meneertje? Als een open boek.' Daarna trok ze zich los. 'Maar ik
kan hem niet gewoon weer laten verdwijnen. Ik wil hem mee naar huis
nemen, naar de kinderen. Wat hij ook heeft gedaan. Hun vader leeft nog.'

Hauck veegde met zijn duim een traan van haar wang. 'We vinden wel
een manier,' zei hij. 'We vinden er wel een.'

Ze kuste hem licht op de lippen en liet haar voorhoofd tegen het zijne
rusten. 'Dank je, Ty.'

'Niet echt onmogelijk voor mij,' zei hij weer. 'Natuurlijk, voor de kinderen misschien...'

'O, man!' Karen schudde haar hoofd en streek een haarlok uit zijn gezicht. 'Wat heb ik veel uit te leggen als ze terugkomen!'

Die nacht bleven ze samen in zijn kamer. Zonder te vrijen. Ze lagen daar
gewoon, zijn arm rond haar middel, haar lichaam dicht tegen het zijne, de
schaduw van haar echtgenoot die onheilspellend rondwaarde, als een front
dat via de zee naderde, over hun kalmte.

Rond enen stond Hauck op. Karen lag opgekruld op het bed en was in
diepe slaap. Hij sloeg het dekbed open, trok zijn korte broek aan en liep
naar het raam dat uitzicht bood op de door het maanlicht verlichte zee.
Er knaagde iets aan hem.

The Black Bear.

De boot die hij had gezien. Het was in zijn slaap. Zijn dromen. Een
duistere aanwezigheid. En in zijn droom was tot hem doorgedrongen waar
hij hem eerder had gezien.

In het kantoor van Dietz. Een foto die daar hing.

Dietz' armen om de schouders van een paar maten, een zeilvis die tussen hen in bungelde.

Dietz was op die boot geweest.

89

CHARLES FRIEDMAN ZAT ALLEEN OP de *Emberglow*, die nu vlak bij Cavin's Cay voor anker lag. Het was een rustige nacht. Zijn voeten rustten op het dolboord, en hij had al een halve fles Pyrat xo Reserve-rum op die hem moest helpen om tot een beslissing te komen.

Hij zou gewoon moeten wegvaren. Vanavond. Wat Karen hem had verteld, over mensen die hem op de hielen zaten, baarde hem zorgen. Hij had een huis gekocht op Bocas del Toro in Panama. Niemand wist ervan. Niemand zou hem daar vinden. Van daaruit kon hij eventueel misschien de Grote Oceaan oversteken...

De manier waarop ze hem had aangekeken. Wat wil je dan, Charles? De rest van je leven op de vlucht zijn?

Hij zou hen er nu niet bij moeten betrekken.

Toch rees er een nieuwe opwinding bij hem op. De opwinding van wie hij was, wie hij was geweest. Door het zien van Karen was het gevoel ontwaakt. Niet voor haar – dat deel was voorbij. Hij zou nooit haar vertrouwen herwinnen. En dat verdiende hij ook niet, wist hij.

Maar voor de kinderen. Alex en Sam.

Haar woorden klonken in zijn hoofd: ze zullen je vergeven, Charles...

Zouden ze dat doen?

Hij dacht terug aan het moment waarop hij ze zag toen ze na de diploma-uitreiking naar buiten kwamen. Hoe moeilijk het was geweest om gewoon te kijken, met pijn in het hart, en daarna verder te rijden. Hoe diep die beelden in zijn herinnering brandden, en het verlangen in zijn bloed. Het zou fijn zijn om zijn leven terug te claimen. Was het een fantasie? Was het alleen maar ijdele hoop? Om het terug te grijpen, wat het ook zou kosten? Wie hij was. Van die mensen.

Waarom zouden zij winnen?

Wat had hij gedaan? Hij had niemand vermoord. Hij kon het uitleggen. Een tijdje in de bak zitten. Zijn schuld terugbetalen. Zijn leven terug stelen.

Nu hij had gezien wat hij had verloren, besefte Charles hoeveel spijt hij had dat hij dat had achtergelaten.

Neville was aan land. Op een zeeliedenfeestje. De volgende ochtend zouden ze naar Barbados varen. Daar zou hij van boord gaan en naar Panama vliegen. Nu hij haar had gezien, had hij er ineens moeite mee.

Een jaar geleden had hij voor dezelfde keuze gestaan. Hij had gezien dat de jongen werd overreden. Vlak voor zijn ogen. Vol afschuw had hij de zwarte SUV zien wegscheuren. Iets binnen in hem zei hem toen dat hij nooit meer terug kon gaan. Dat die wereld voor hem was gesloten. Dat het graf al was gedolven. Waarom maakte hij daar dan geen gebruik van? Heel even had hij overwogen om een taxi te bellen. De chauffeur opdracht te geven om naar de Post Road te rijden. Naar zijn stad – Old Greenwich. Dan via Soundview naar Shore – in de richting van de zee. Naar huis... Karen zou daar zijn. Ze zou bezorgd zijn, in paniek, na de bomaanslag. Omdat hij niet had gebeld. Hij zou zeggen dat hij helemaal in de war was geweest. Alles aan haar opbiechten. Dolphin. Falcon. Niemand zou hoeven weten waar hij was geweest. Daar hoorde hij thuis.

In plaats daarvan was hij op de vlucht geslagen.

De vraag bleef bij hem opkomen: waarom zouden zij winnen?

Het beeld van Sam en Alex brandde in Charles' gedachten met het antwoord: ze hoefden niet te winnen. Hij dacht aan de blijdschap die hij in de aanwezigheid van Karen had gevoeld, haar te horen praten, het geluid van zijn eigen stem.

Ze hoefden niet te winnen. Charles zette de fles rum neer. Het antwoord was hem ineens duidelijk.

Hij rende naar beneden. In zijn hut vond hij zijn mobiele telefoon en hij liet via de voicemail gedetailleerde instructies voor Neville achter. De woorden bleven in zijn hoofd weerklinken: ze hoefden niet te winnen. Hij liep naar het kleine, uittrekbare blad dat hij als bureau gebruikte en zette zijn laptop aan. Hij zocht Karens e-mailadres op en typte snel de woorden die uit zijn hart kwamen.

Hij las zijn bericht na. Ja. Hij voelde zich opgebeurd. Voor het eerst in een jaar tijd voelde hij zich weer levend in zijn eigen lichaam. Ze hoefden niet te winnen. Hij dacht eraan dat hij haar weer zou zien. Zijn kinderen weer in zijn armen zou sluiten. Hij kon zijn leven terugclaimen.

Hij klikte op VERZENDEN.

Er klonk een geluid uit de buurt van het dek, alsof er een boot aanlegde. Neville, terug van zijn feest. Charles riep de naam van de kapitein. Opgewonden liep hij naar het bovendek. Zijn hart ging als een razende tekeer. Hij rende onder de brug door. 'De plannen zijn gewijzigd –'

Maar hij stond tegenover twee mannen. De een was lang en slungelig. Hij was gekleed in een poloshirt en korte broek en had een pistool in de hand. De ander was een stuk kleiner, dik, en met een snorretje.

Beiden keken erg tevreden, alsof een lange zoektocht ten einde was en ze naar de prijs keken waarop ze zo lang hadden gewacht. De man met de snor grijnsde.

'Hallo, Charlie.'

90

'TY, WAKKER WORDEN! KIJK!' Karen stond aan zijn bed en schudde hem wakker. Hauck ging rechtop zitten. Hij had het grootste gedeelte van de nacht niet meer kunnen slapen omdat hij zich zorgen maakte over die boot.

'Een bericht van Charlie,' zei Karen opgewonden. 'Hij wil dat we komen.'

Hauck keek naar de wekker en zag dat het al tegen achten was. Hij sliep nooit zo lang. 'Waarheen?'

Karen, die gekleed was in een hotelbadjas en duidelijk net onder de douche vandaan kwam, hield haar BlackBerry voor zijn gezicht terwijl hij de slaap uit zijn ogen wreef.

Karen. Ik heb nagedacht over wat je zei. Ik heb je niet alles verteld wat ik weet. Neville is om tien uur in de haven en zal je naar me toe brengen. Neem mee wie je wilt. Misschien is het tijd. C.

Ze pakte Haucks hand vast en kneep er triomfantelijk in. 'Hij gaat met ons mee, Ty.'

Ze kleedden zich snel aan en zagen elkaar weer in de ontbijtruimte beneden. Daar vertelde Hauck aan Karen – bang om haar opwinding te ondermijnen – dat hij Charles zou moeten arresteren. Tijdens het scheren had hij besloten dat dát de enige manier was. Charles zou uit eigen beweging met hen mee moeten gaan naar de Verenigde Staten. Daar aangekomen zou Hauck hem in hechtenis nemen. Hier zou Charles in voorarrest moeten blijven, in afwachting van zijn uitlevering. Ze zouden een arrestatiebevel moeten tonen, wat betekende dat hij alles met de mensen thuis moest doornemen, waaronder zijn niet beperkte eigen aandeel en wat hij allemaal had gedaan. Het zou dagen, weken in beslag nemen. De uitlevering kon worden aangevochten. Charles zou koudwatervrees kunnen krijgen. En Dietz en de zijnen waren al in de buurt.

Even voor tienen liepen hij en Karen naar de haven. Neville stond aan het roer van de *Sea Angel* die net binnenvoer.

Karen zwaaide naar hem vanaf de kade.

'Hallo, mevrouw.' De kapitein zwaaide terug terwijl de boot dichterbij kwam. Een dokwerker van het hotel pakte het touw aan. Hij hielp Karen aan boord te stappen. Hauck volgde op eigen kracht.

'Brengt u ons naar meneer Friedman?'

'Naar meneer Hanson, mevrouw. Dat vroeg hij mij,' antwoordde Neville plichtsgetrouw.

'Gaan we naar dezelfde plek?'

'Nee, mevrouw. Deze keer niet. De boot is op zee. Het is niet ver.'

Hauck ging achterin zitten en Karen nam tegenover hem plaats, terwijl de dokwerker Neville het touw toe gooide. Hauck voelde in zijn jaszak naar de Beretta die hij had meegenomen. Hier kon van alles gebeuren.

Ze voeren in westelijke richting, nooit verder dan ongeveer vijfhonderd meter van de kust, en passeerden kleine eilandjes. De lucht was blauw, maar het was wel winderig. De boot ging op en neer, en de twee motoren creëerden veel kielzog.

Geen van beiden zei veel tijdens de tocht. Een nieuw gevoel van ongemak had bezit van hen genomen. Charles kon Hauck informatie geven over de moordenaar van AJ en vertellen waarom hij hier destijds voor had gekozen. Karen was ook stil en dacht misschien wel na over hoe ze dit alles aan haar kinderen moest uitleggen.

Ongeveer vier eilandjes ten oosten van Saint Hubert verminderde Neville vaart. Hauck keek op de kaart. Het was een eilandje dat Gavin's Cay heette. Aan de noordzijde van het eiland was een stadje: Amysville. Zelf bevonden ze zich voor de kust van het nauwelijks bewoonde deel aan de zuidkant. Ze voeren door een bocht.

Neville wees. 'Daar is hij!'

In een geïsoleerde baai lag een groot wit schip voor anker.

Hauck zocht steun bij de reling en liep naar de boeg. Karen volgde. De boot was een meter of achttien lang. Voor acht personen, schatte Hauck. Aan de achtersteven wapperde een Panamese vlag.

Neville vertraagde de motoren tot onder tien knopen. Hij draaide deskundig zijwaarts om een rif heen. Het was duidelijk dat hij de route kende. Daarna pakte hij zijn walkietalkie. '*Sea Angel* komt eraan, meneer Hanson.'

Geen antwoord.

Charlies boot lag op nog ongeveer vierhonderd meter afstand. Voor anker. Hauck zag niemand op het dek. Neville pakte de walkietalkie weer op. De verbinding was slecht.

'Wat is er aan de hand?' riep Hauck naar hem.

De kapitein blikte op zijn horloge en haalde zijn schouders op. 'Er is niemand.'

'Wat is er, Ty?' vroeg Karen ineens bezorgd.

Hij schudde zijn hoofd. 'Geen idee.'

Langzaam naderden ze het dobberende vaartuig vanaf bakboord. Een ankertouw hing vanaf de boeg in het water. Geen teken van leven op het dek. Niets.

'Wanneer hebt u hem voor het laatst gesproken?' vroeg Hauck aan Neville.

'Niet.' De kapitein haalde zijn schouders op. 'Hij heeft gisteravond een bericht achtergelaten op de voicemail van mijn mobiele telefoon. Hij zei dat ik u om tien uur moest oppikken en hiernaartoe moest brengen.' Hij bracht de *Sea Angel* tot een meter of vijf van het schip.

Nog steeds niemand te zien.

Hauck klom zo hoog mogelijk op de reling en tuurde naar het schip.

Neville bracht de *Sea Angel* nog dichterbij en riep: 'Meneer Hanson?'

Alleen stilte. Zorgelijke stilte.

Karen legde een hand op Haucks schouder. 'Dit zint me niet, Ty.'

'Mij ook niet.' Hauck haalde de Beretta uit zijn jaszak. Hij graaide naar de reling van de grotere boot terwijl de *Sea Angel* dwars kwam te liggen. Hij zei tegen Karen: 'Blijf waar je bent.'

Hij sprong aan boord.

'Hallo?' Het hoofddek van Charlies boot was totaal verlaten, maar verkeerde in wanordelijke staat. De kussens van de zitplekken waren omhooggetrokken, laden waren opengetrokken. Hauck zag een lege rumfles op het dek. Hij bukte en veegde over een kleine vlek op een van de omhooggetrokken kussens en was niet blij met wat hij zag.

Bloed.

Hij draaide zich om naar Karen, die nog steeds op de *Sea Angel* zat. Haar gezicht stond bezorgd. 'Blijf aan boord.'

Hauck haalde de veiligheidspal van zijn pistool en ging de hut beneden in. Het eerste wat hij zag was een grote kombuis. Er was hier iemand geweest. De gootsteen lag vol met mokken en pannen. Kastjes stonden open en waren duidelijk doorzocht, overal lagen kruiden op de grond. Verderop, in de richting van de achtersteven, zag Hauck drie passagiershutten. In de eerste twee waren de bedden overhoopgehaald, laden opengetrokken, leeg. In de grootste van de twee leek het wel alsof er een orkaan had

gewoed. De matras lag scheef, lakens waren gescheurd, laden waren doorzocht, overal lagen kleren.

Hauck knielde. Zijn blik viel op dezelfde rode sporen op de vloer.

Hij liep terug naar het dek. 'Het is veilig,' riep hij naar Karen. Neville
hielp haar aan boord. 'Er is niemand.'

'Hoe bedoel je, er is niemand? Waar is Charles verdomme, Ty?' zei Karen nu geagiteerd.

'De zodiac is er nog,' zei Neville terwijl hij naar de gele rubberboot wees,
de boot die Karen een dag eerder had gezien. Dat betekende dat Charlie
niet aan land was gegaan.

'Wie wist dat hij hier was?' vroeg Hauck aan Neville.

'Niemand. Meneer Hanson was erg op zichzelf. We zijn pas gistermid-
dag van locatie veranderd.'

Karens gezicht stond gespannen. 'Het zint me niet, Ty. Hij wilde echt
dat we kwamen.'

Hauck tuurde over de baai, naar het eiland dat op zo'n twee- à driehonderd meter afstand lag. Charles kon overal zijn. Dood. Ontvoerd. Op een
andere boot. Hij wilde Karen niet vertellen over het bloed, want dat com-
pliceerde de zaken.

'Waar is het dichtstbijzijnde politiebureau?' vroeg hij aan Neville.

'In Amysville,' antwoordde de kapitein. 'Ongeveer tien kilometer hier
vandaan. In noordelijke richting.'

Hauck knikte ernstig. 'Roep het op via de radio.'

'O, Charlie...' Karen schudde haar hoofd en zuchtte verontrust.

Hauck liep naar de boeg, bestudeerde de omhooggetrokken kussens
daar en keek naar de druppels bloed. Die leken direct naar de rand te leiden. Hij leunde over de reling. Het ankertouw verdween vanaf daar onder water. Hauck liet zijn hand langs de kabel glijden. 'Neville, wacht
even!'

De kapitein draaide zich om van de brug, met de radio in zijn hand.

'Weet je waar de ankerschakelaar zit?' vroeg Hauck.

'Natuurlijk.'

'Haal het anker voor me op, als je wilt.'

Karen ademde zenuwachtig in. 'Wat?'

Ook Neville keek hem vragend aan, maar zette toen de schakelaar bij
het roer om. Meteen spoelde het ankertouw terug. Hauck boog zich zo
ver mogelijk naar voren en hield zich vast aan de reling.

'Blijf daar,' zei hij tegen Karen.

'Ty, wat denk jij dat er aan de hand is?' vroeg ze, terwijl haar stem steeds angstiger begon te klinken.

'Blijf gewoon daar!' De ankermotor snorde. De strak gevlochten kabel spoelde terug. Uiteindelijk brak er iets door het wateroppervlak. Een soort van lijn. Een vislijn. Zeewier eromheen.

'Ty...?'

Een zware angst trok door Haucks lichaam terwijl hij ernaar keek.

De lijn was om een hand gewikkeld.

'Neville, stop!' riep hij, terwijl hij zijn eigen hand hief. Hauck draaide zich naar Karen om. Zijn ernstige blik was alleszeggend.

'O, jezus. Ty, nee...'

Ze rende naar de reling om te kijken. Volledig in paniek. Hauck pakte haar vast, drukte haar gezicht stevig tegen zijn borst en probeerde haar de nare aanblik te besparen.

'Nee...'

Hij hield haar vast terwijl ze huiverde en los probeerde te komen. Hij gebaarde naar Neville dat hij het ankertouw nog een stukje hoger moest trekken.

De kabel kwam nog iets hoger. De hand die uit het water stak, zat stevig om de kabel vast. Langzaam kwam de rest van het lichaam tevoorschijn.

Haucks moed zonk hem in de schoenen.

Hij had Charles nooit gezien, behalve op Karens foto's. Waar hij nu naar staarde was een opgezwollen, spookachtige versie van hem. Hij drukte Karens gezicht stevig tegen zijn borst.

'Is hij het?' vroeg ze, haar ogen afgewend, niet in staat om te kijken.

Charles' opgeblazen bleke gezicht kwam boven het water uit en staarde hem met wijd open ogen aan.

Hauck hief zijn hand op en gebaarde naar Neville om te stoppen.

'Is hij het?' vroeg Karen weer, terwijl ze tegen de tranen vocht.

'Ja, het is hem.' Hij knikte.

Hij drukte haar gezicht nog dichter tegen zijn borst en hield haar vast terwijl ze over haar hele lichaam trilde. 'Het is hem.'

91

EEN MOTORSLOEP MET AGENTEN IN witte uniformen uit Amysville arriveerde een uur later met een lokale rechercheur aan boord.

Samen trokken ze hem uit het water.

Karen en Hauck keken toe terwijl Charles' lichaam op het dek werd gehesen en werd ontdaan van het olieachtige zeewier en de rommel die aan hem kleefde en de lijnen waarmee hij aan het ankertouw was vastgemaakt.

Hauck identificeerde zich als politierechercheur uit de Verenigde Staten en sprak met de lokale functionaris, die Wilson heette, terwijl Karen erbij stond met haar gezicht in haar handen. Hauck stelde haar voor als Hansons ex-vrouw en zei dat ze na een jaar weer in contact waren gekomen en dat ze hem kwamen bezoeken. Ze zeiden allebei dat ze niemand kenden die hem zoiets zou willen aandoen. Overvallers misschien, gezien de boot. Dat leek het gemakkelijkste, zonder alles uit de doeken te hoeven doen. Wat er verder ook zou gebeuren, Hauck wist dat het belangrijk was dat hij het onderzoek vanuit de Verenigde Staten zou leiden. Als ze nu open kaart zouden spelen met de lokale autoriteiten, zou dat van de baan zijn. Ze gaven hun naam en adres in de Verenigde Staten op en legden een korte verklaring af. Ze vertelden de rechercheur waar Hanson zijn geld mee verdiende: investeringen. Hauck wist dat Charles' nieuwe naam weinig zou opleveren als ze hem natrokken.

De rechercheur bedankte hen hartelijk, maar leek hun verhaal sceptisch op te nemen.

Twee van zijn mannen legden Charles in een gele lijkzak. Karen vroeg of ze even een moment alleen met hem mocht zijn. Dat stonden ze toe.

Ze knielde naast hem neer en had het gevoel dat ze al zo vaak afscheid van hem had genomen, zo veel tranen had laten vloeien. Maar terwijl ze nu in de vreemde kalmte van zijn gezicht keek, zijn opgezette, blauwige huid, en zich de angst en de berustende glimlach herinnerde die hij de dag ervoor op het strand had laten zien, kwamen de tranen weer opnieuw. Deze keer zonder te oordelen. Ze stroomden in rivieren over haar wangen.

O, Charlie... Karen veegde een stukje zeewier uit zijn haar.

Ineens herinnerde ze zich zo veel dingen. De avond dat ze elkaar voor het eerst hadden ontmoet, op een kunsttentoonstelling, Charlie gekleed in een smoking met een vuurrode stropdas. De hoornen bril die hij altijd droeg. Wat had hij ook al weer gezegd waardoor ze zo van hem gecharmeerd was? 'Waar heb jij het aan te danken om hier tussen al die saaie mensen te zitten?' Hun bruiloft in de Pierre. De dag dat hij Harbor opende, die eerste handel – Halliburton, wist ze nog – toen alles nog zo vol hoop en belofte was. Zoals hij langs de zijlijn bij Alex' lacrossewedstrijden rende, elk punt van zowel de tegenstander als Alex' team intens mee beleefde en zijn naam riep: 'Zet hem op, Alex!' terwijl hij uitbundig in zijn handen klapte.

De ochtend dat hij naar boven had geroepen dat hij met de trein naar de stad zou gaan, terwijl ze in de badkamer stond

Karen streek met haar vingers over zijn gezicht. 'Hoe kon je dit laten gebeuren, Charlie? Wat moet ik nu in vredesnaam met je doen?'

Hoezeer ze ook haar best deed, ze kon hem niet vergeven. Maar hij was nog steeds de man met wie ze bijna twintig jaar lief en leed had gedeeld. Die onderdeel was geweest van alle belangrijke momenten in haar leven. Nog steeds de vader van haar kinderen.

En ze had gisteren in zijn berouwvolle ogen een beeld gezien van wat hij zo wanhopig miste.

Sam. Alex. Haar.

Wat moet ik nu in vredesnaam met je doen, Charlie?

'Karen...' Hauck was achter haar komen staan en legde zijn handen zacht op haar schouders. 'Het is tijd om ze hun werk te laten doen.'

Ze knikte. Vervolgens legde ze haar vingers op Charlies oogleden en sloot die voor de laatste keer. Dat was beter. Dat was het gezicht dat ze met zich mee wilde nemen. Ze kwam overeind en leunde lichtjes tegen Hauck aan.

Een van de agenten liep naar Charles toe en ritste de lijkzak dicht.

En dat was alles. Hij was er niet meer.

'Ze laten ons gaan,' zei Hauck in haar oor. 'Ik heb hun mijn contactgegevens gegeven. Als de waarheid aan het licht komt, en dat zal zeker gebeuren, zullen ze opnieuw met ons willen praten.'

Karen knikte. 'Wist je dat hij terug is geweest naar de Verenigde Staten?' Ze keek hem aan. 'Voor Samantha's diploma-uitreiking. Hij zat in een auto aan de overkant van de straat. Ik wil dat hij mee naar huis gaat, Ty. Ik wil hem weer bij ons hebben. Ik wil dat de kinderen weten wat er is gebeurd. Hij was hun vader.'

'We kunnen vragen of ze het lichaam terugsturen zodra de patholoog-anatoom het heeft onderzocht.'

Karen snufte. 'Oké.'

Ze klommen weer aan boord van de *Sea Angel* en keken toe terwijl Charles in de politiesloep werd getild.

'Die mensen hebben hem gevonden, Ty...' Karen vocht tegen de opkomende woede in haar bloed. 'Hij zou met ons mee terug zijn gegaan. Dat weet ik zeker. Daarom belde hij.'

'Zíj hebben hem niet gevonden, Karen.' Hij zag het verontrustende beeld van de grote zwarte schoener die hij had gezien weer levendig voor zich. 'Wíj hebben hem gevonden. We hebben hen rechtstreeks naar hem toe geleid.' Hij keek naar Charles' overhoop gehaalde boot. 'En de grote vraag is: wat zochten ze in vredesnaam?'

92

MISSCHIEN WAS HET WEL ZO, gaf Karen eindelijk toe terwijl ze de daaropvolgende dagen steeds weer dat gruwelijke beeld van Charles voor zich zag.

Misschien waren ze inderdaad in de val gelokt. Misschien hadden ze hen inderdaad wel naar hem toe geleid.

Wie?

Hauck vertelde haar over het zwarte zeilschip dat hij de dag ervoor had gezien en dat hij ook aan Dietz' muur had zien hangen. Karen herinnerde zich zelfs dat er een vliegtuig hoog boven het eiland cirkelde toen zij en Charles afscheid namen, hoewel ze het op dat moment niet had opgemerkt.

Toch hield ze zich nu niet met die dingen bezig.

Dat ze Charlie zo gezien had – zijn arme, opgezwollen lichaam, wat hij ook gedaan had, hoeveel verdriet hij ook had veroorzaakt, dat was wat haar nu bezighield. Ze hadden de helft van hun leven samen doorgebracht. Ze hadden vrijwel elk gelukkig moment in elkaars leven meegemaakt. Terwijl Karen terugdacht aan die tijd, was het zelfs moeilijk om haar leven van dat van hem te scheiden, zo sterk waren ze met elkaar verbonden. Weer kwamen de tranen; ze kwamen met gemengde, moeilijk te bevatten emoties. Hij was opnieuw gestorven. Toen ze hem een jaar geleden verloor en zo veel ingehouden woede voor hem voelde, had ze zich niet kunnen voorstellen dat het zo gruwelijk kon zijn. Wie of waarom – dat was aan Ty om te achterhalen.

De volgende dag vlogen ze naar huis. Hauck wilde terug zijn in de Verenigde Staten voordat het onderzoek zou uitwijzen dat Steven Hanson geen verleden had. Voordat ze alles uit de doeken zouden moeten doen.

En Karen... Ze wilde zo snel mogelijk uit die nachtmerrie weg. Eenmaal thuis liet Hauck haar achter bij haar vriendin Paula. Ze kon nu beslist niet alleen zijn. Het was belangrijk dat ze eindelijk haar hart bij iemand kon luchten.

'Ik weet niet eens hoe ik moet beginnen,' zei Karen. Paula pakte haar hand vast. 'Je moet zweren, Paula, dat dit tussen ons blijft. Alleen tussen ons. Je mag het aan niemand vertellen. Zelfs niet aan Rick.'

'Natuurlijk zweer ik dat, Karen,' zei Paula.

Karen slikte. Ze schudde haar hoofd en ademde uit alsof de lucht al weken binnen in haar had gezeten. En dat was ook zo. Met een verwarde glimlach keek ze haar vriendin aan. 'Herinner je je die documentaire nog, Paula?'

Diezelfde middag ging Hauck naar Greenwich. Naar het bureau. Hij zei zijn eenheid even gedag en liep meteen door naar het kantoortje van hoofdcommissaris Fitzpatrick op de vierde verdieping.

'Ty!' Fitzpatrick stond op, alsof hij verrukt was. 'Iedereen vroeg zich al af wanneer we je weer zouden zien. Er staan een paar bijzondere zaken op je te wachten als je er klaar voor bent om terug te komen. Waar heb je gezeten?'

'Ga zitten, Carl.'

De hoofdcommissaris nam langzaam weer plaats op zijn stoel. 'Die toon voorspelt weinig goeds, jongen.'

'Dat klopt.' Voordat hij zijn verhaal uit de doeken deed, keek Hauck zijn baas recht in de ogen. 'Herinner je je die hit-and-run die ik onderzocht?'

Fitzpatrick ademde diep in. 'Ja, die herinner ik me.'

'Nou, ik kan er nog iets meer informatie aan toevoegen.'

Hauck vertelde hem alles. Vanaf het begin.

Karen. Charles' telefoonnummer in de jaszak van het slachtoffer. Zijn trip naar Pensacola. Het vinden van de buitenlandse rekeningen die allemaal naar Charles leiden. Beheerst vertelde hij Fitzpatrick over zijn escapade in Dietz' huis. De ogen van de hoofdcommissaris werden groot. Daarna zijn handgemeen met Hodges...

'Je neemt me verdomme in de maling, inspecteur.' De hoofdcommissaris schoof zijn stoel naar achteren en stond op. 'Wat voor bewijs had je? Wat daar is gebeurd, was volledig illegaal, en dan heb ik het verdomme nog niet eens over het feit dat je niet meteen hebt gemeld dat je iemand hebt neergeschoten!'

'Ik ken de regels, Carl.'

'Dat betwijfel ik, Ty.' De hoofdcommissaris staarde hem aan. 'Volgens mij ken je die niet.'

'Er is nog meer.'

Hauck vervolgde zijn verhaal en vertelde hem over de tweede hit-and-run in New Jersey. Dat Dietz ook daar getuige van was geweest.

'Het waren aanslagen, Carl. Om mensen het zwijgen op te leggen. Om hun investeringsverliezen te verhullen. Ik weet dat het verkeerd is wat ik heb gedaan. Ik besef dat ik mogelijk word gedagvaard. Maar de ongelukken waren opzet. Moorden, Carl.'

De hoofdcommissaris bedekte zijn gezicht met zijn handen en drukte op zijn ogen. 'Het goede nieuws is dat je misschien genoeg hebt ontdekt om de zaak te heropenen. Het slechte nieuws is dat het misschien onderdeel vormt van een zaak tegen jóú. Je weet beter, Ty. Waarom ben je daar in vredesnaam niet gestopt?'

'Ik ben nog niet helemaal klaar, Carl.'

Fitzpatrick knipperde met zijn ogen. 'O, Jezus, Maria...'

Hauck vertelde het laatste deel van het verhaal. Zijn trip naar Saint Hubert. Met Karen. Dat ze Charles hadden gevonden.

'Hoe?'

'Doet niet ter zake.' Hauck haalde zijn schouders op. 'We vonden hem.' Hij vertelde zijn baas over de vondst van Charles' lichaam op de boot. En daarna over het feit dat hij de onderzoekers daar een beetje had misleid.

'Jezus, Ty. Je hebt echt je best gedaan om echt álle regels uit het handboek te overtreden.'

'Nee.' Hauck glimlachte en schudde zijn hoofd. Eindelijk had hij alles verteld. 'Dat ging helemaal vanzelf, Carl.'

'Je penning en je pistool, Ty.'

Voordat hij vertrok liep Hauck naar een computer op de tweede verdieping. Leden van zijn eenheid kwamen opgetogen naar hem toe. 'Bent u weer terug, inspecteur?'

'Niet helemaal,' zei hij berustend. 'Nog niet helemaal.'

Hij deed een zoektocht via Google – iets wat hem al dagen dwarszat. *The Black Bear.*

De zoektocht leverde diverse treffers op. Een stuk of tien betroffen sites over wilde dieren. Een herberg in Vermont.

Pas op de derde pagina vond Hauck eindelijk de eerste echte treffer.

Op de website van Perini Navi, een Italiaanse botenbouwer.

The Black Bear. Luxe zeiljacht. De 88 meter lange klipper is het grootste zeiljacht ter wereld dat in privé-eigendom is en waarbij gebruik is gemaakt van het geavanceerde DynaRig-voortstuwingsconcept. Twee Duetz 1800 HP-motoren. Max. snelheid 19,5 knopen. Strak zwart, ultramodern design met drie masten van koolstofvezel à 58 meter, totale oppervlakte onder zeil

2400 m². Het schip heeft zes luxe passagiershutten, compleet met satellietverbinding via Bloomberg.com, grote plasmatelevisieschermen, een fitnessruimte, een plasmascherm van 128 cm in de hoofdsuite, Bang & Olufsen-geluidsinstallatie. Een extra Pascoeboot, 80 centimeter lang, met dubbele motor. Voor twaalf gasten, met een bemanning van zestien.

Indrukwekkend, dacht Hauck terwijl hij verder las. Op een andere pagina, in een internettijdschrift voor bootenthousiastelingen, vond hij wat hij zocht.

Hauck duwde zijn stoel naar achteren. Lange tijd bleef hij naar de naam staren. Het drong geheel tot hem door. Hij was zelfs een keer in het huis geweest. En wat voor huis.

De eigenaar van *The Black Bear* was de Russische financier Gregory Khodoshevski.

93

WE HEBBEN HEN NAAR HEM toe geleid, Karen.

De hele eerste dag dat ze terug was, nadat ze Paula het verhaal had verteld en haar had laten zweren het geheim te houden, pijnigde Karen haar hersens hoe dat toch mogelijk was.

Wíé hadden ze naar hem toe geleid?

Ze had niemand verteld waar ze naartoe gingen. Ze had de reservering zelf gemaakt. In een poging haar gedachten van Charles af te wenden, nam ze alles vanaf het begin door.

De documentaire. De ontzetting toen ze zijn gezicht op de televisie zag. Daarna het briefje van zijn kantoor dat haar was toegezonden – zonder afzender. Dat weer naar het paspoort en het geld had geleid.

Vervolgens de mannen van Archer, de griezel die Sam in haar auto had overvallen. De gruwelijke dingen die Karen in Charles' bureaulade had gevonden – de kerstkaart en het briefje over Sasha. Haar gedachten flitsten toch weer terug naar hem. Op het strand. Daarna de boot.

Wat probeerden ze daar te vinden, Charles?

Wie? Charlie, wie? Vertel het me. Voor wie was je op de vlucht? Waarom zaten ze nu nog achter je aan? Ze wist dat Ty naar het bureau was gegaan om open kaart te spelen. Ze zouden de hit-and-runs moeten heropenen. Nu zouden ze te weten kunnen komen wie zijn investeerders waren.

Vertel het me, Charlie. Hoe wisten ze dat je nog leefde? Ze moesten hebben gezien dat hij de vergoedingen van zijn rekening had gehaald, had hij gezegd. Het spoor van de banken hebben gevolgd. Wat wilden ze na een jaar nog van hem? Wat dachten ze dat hij had? Al dat geld?

Karen liet haar gedachten de vrije loop, terwijl ze uit het raam van het kantoor staarde. Ze had een aantal e-mails van de kinderen beantwoord. Die hadden haar opgewonden, het gevoel gegeven dat dingen normaal waren. Ze hadden een geweldige tijd.

De garagedeuren stonden open. Ze zag Charlies Mustang achterin staan.

Ineens herinnerde ze zich weer wat Charlie had gezegd. De waarheid is altijd recht in mijn hart geweest, Karen.

Er is je inderdaad iets overkomen, Charlie.

Waarom kon je het me niet vertellen? Waarom moest je het geheim-houden, Charlie, zoals al dat andere? Wat had hij ook al weer gezegd toen ze aandrong? Je begrijpt het niet, ik wil niet dat je het weet, Karen.

Wat wil je niet dat ik weet, Charles?

Net toen ze haar bericht aan de kinderen wilde afronden, gingen haar gedachten terug naar hun ontmoeting.

Deze keer leek haar hele lichaam te schudden.

De waarheid... is altijd recht in mijn hart geweest.

Karen stond op. Het zweet brak haar uit. Ze keek uit het raam.

Naar Charlies auto.

Heb je de Mustang nog, Karen?

Ze dacht dat hij zomaar wat zei.

O, hemel!

Karen rende het kantoor uit, Tobey waggelde achter haar aan. Via de voordeur stormde ze naar de open garage.

Daar, op de achterbumper van de Mustang, zat hij. Waar hij altijd had gezeten. De bumpersticker. Ze had hem gezien, was erlangs gelopen; elke dag, het hele jaar lang. De woorden die erop waren geschreven: LIEFDE VAN MIJN LEVEN. Geschreven op een vuurrood hart!

Karens hele lichaam leek te schokken. 'O, Charlie,' kreunde ze hardop. 'Als je het op een of andere manier niet zo hebt bedoeld, denk dan alsje-blieft niet dat ik het grootste schaap ter wereld ben.'

Karen knielde bij de achterbumper. Nieuwsgierig duwde Tobey zijn snuit tegen haar arm. Karen duwde hem weg. 'Even wachten, lieverd.' Ze ging op haar rug liggen en graaide achter de chromen bumper.

Niets. Wat verwachtte ze? Alleen een hoop stof en vuil, haar hand zat on-der de zwarte vegen. Ze deed net alsof ze zich geen volslagen idioot voelde.

Het zal veel dingen verklaren, Karen.

Karen graaide nog een keer. Dit keer verder. 'Ik doe mijn best, Charlie,' zei ze. 'Ik doe mijn best.'

Ze graaide blind in de rondte achter de 'binnenkant' van het hart.

Haar vingers vonden iets. Iets kleins. Vastgemaakt aan de binnenkant van de bumper.

Karens hart begon wild te kloppen. Ze schoof nog verder onder de au-to en trok het voorwerp los.

Wat het ook was, het kwam in elk geval los.

Het was een pakketje, stevig verpakt in bubbeltjesplastic.

Ongelovig staarde Karen naar Tobey. 'O, mijn god.'

94

KAREN NAM HET PAKKETJE MEE naar de keuken. Met een mes sneed ze de tape los en voorzichtig vouwde ze de beschermende verpakking open. Ze hield hem in haar hand.

Het was een mobiele telefoon.

Ze had hem nog nooit eerder gezien. Toen ze terugdacht, herinnerde ze zich dat Charles een BlackBerry gebruikte. Die was nooit gevonden. Karen staarde naar het toestel – bijna bang om het in haar handen te houden.

Wat probeer je me te vertellen, Charles?

Uiteindelijk zette ze het toestel aan. Tot haar verbazing lichtte het LCD-schermpje na al die tijd meteen op.

Voer uw wachtwoord in.

Verdorie. Teleurgesteld legde Karen de telefoon op het aanrecht. In gedachten ging ze na wat Charlies wachtwoord zou kunnen zijn. Diverse mogelijkheden, te beginnen met de voor de hand liggende. Ze toetste hun trouwdatum in: 0716. De dag dat Harbor werd geopend. Zijn e-mailadres.

Niets.

Voer uw wachtwoord in.

Shit. Daarna toetste ze 0123 in, zijn verjaardag. Weer niets. Daarna 0821, die van haar. Verkeerd, voor de derde keer. Dus probeerde Karen beide verjaardagen van de kinderen: 0330. Daarna 1112. Helaas. Het begon haar te irriteren. Zelfs als haar gedachtegang juist was, waren er wel honderd mogelijkheden. Een getal van drie cijfers – laat de nul weg voor de maand. Of een vijfcijferig getal – voeg het jaartal toe.

Shit.

Karen ging zitten. Ze pakte een notitieblokje van het aanrecht. Eén ervan moest het zijn. Ze zou ze allemaal uitproberen.

En ineens wist ze het. Wat had Charlie die dag nog meer gezegd? Iets van: 'Je bent nog steeds prachtig, Karen.'

Iets van: 'De kleur van de ogen van mijn kindje.' Charlies kindje.

In een opwelling toetste Karen het woord in – de kleur van zijn 'kindje'. *Emberglow.*

Tot haar schrik verdween de tekst 'voer uw wachtwoord in' uit beeld.

95

SAUL LENNICK ZAT IN DE bibliotheek van zijn huis aan Deerfield Road, op het terrein van de Greenwich Country Club.

Uit de geluidsinstallatie galmde *Turandot* van Puccini. Opera bracht hem in de juiste stemming, terwijl hij de notulen van de meest recente bestuursvergadering van de Met doornam. Vanuit zijn leren stoel keek Lennick uit over de uitgestrekte achtertuin, hoge bomen, een pergola die naar een prachtig tuinhuisje bij de vijver leidde, allemaal verlicht als een kleurrijk toneel.

Zijn mobiele telefoon trilde.

Lennick klapte hem open. Hij had op dit telefoontje gewacht.

'Ik ben terug,' zei Dietz. 'Je kunt rustig ademhalen. Het is afgehandeld.'

Lennick sloot zijn ogen en knikte. 'Hoe?'

'Maak je daar maar geen zorgen over. Je oude vriend Charlie had naar het schijnt een voorliefde voor 's avonds laat zwemmen.'

Lennick was opgelucht toen hij het nieuws hoorde. Meteen voelde het alsof er een zware last van zijn vermoeide schouders werd getild. Het was niet gemakkelijk geweest. Hij was altijd met Charles bevriend geweest. Saul kende hem al twintig jaar. Ze hadden veel hoogte- en dieptepunten gedeeld. Toen hij het nieuws over de bomaanslag hoorde, had hij zich bedroefd gevoeld. Nu voelde hij helemaal niets. Charles was lang geleden verworden tot een geldelijke verplichting die moest worden afgeschreven.

Lennick voelde niets – behalve een beangstigend, nieuw gevoel van waar hij toe in staat was.

'Heb je iets kunnen vinden?'

'Nada. De schurk heeft het meegenomen in zijn graf, wat het ook was. En je weet dat ik zeer overtuigend kan zijn. De boot is van onder tot boven onderzocht. We hebben zelfs het motorblok eruit getrokken. Niets.'

'Oké.' Lennick zuchtte. 'Misschien had hij ook wel helemaal niets. Afijn, het was nodig.' Misschien was het gewoon een angst. Wil om te overleven, reflecteerde Lennick. Het was echt verbazingwekkend waartoe een mens in staat was als hij werd bedreigd.

'Maar er zou nog een probleem kunnen zijn,' zei Dietz, die zijn gedachten onderbrak.

'Wat dan?' De rechercheur, herinnerde Lennick zich. Nu hij terug was.

'Charles heeft zijn vrouw gesproken. Voordat we hem te grazen konden nemen. Ze heeft hem samen met die agent gevonden.'

'Ja,' beaamde Lennick droevig. 'Dat is inderdaad een probleem.'

'Ze hebben elkaar een paar uur op het eiland gesproken. Ik had daar iets willen doen, maar het wemelde van de lokale agenten. Hij weet van beide ongelukken. En van Hodges. En wie weet wat die Charles van jou tegen haar heeft gezegd?'

'Nee, daar kunnen we het niet bij laten,' concludeerde Lennick. Het was iets wat hij al veel te lang had laten sudderen. 'Waar zijn ze nu?'

Dietz zei: 'Weer terug.'

'Hmm...' Lennick had aan Yale gestudeerd. In zijn tijd was hij een van de jongste partners bij Goldman Sachs geweest. Nu kende hij de machtigste mensen ter wereld. Hij kon iedereen bellen, en ze zouden zijn telefoontjes aannemen. Zelfs de minister van Financiën stond tussen zijn favoriete telefoonnummers. Hij had vier lieve kleinkinderen...

Maar toch, als het op zaken aankwam, kon je niet voorzichtig of slim genoeg zijn.

'Laten we doen wat we moeten doen,' zei Lennick.

96

'IK BEN GESCHORST,' ZEI HAUCK in de Arcadia, terwijl hij zijn vingers aan zijn koffiemok warmde.

Karen had hem een uur eerder gebeld. Ze had gezegd dat ze hem iets belangrijks wilde laten zien. Hij had voorgesteld om in de stad af te spreken.

'En je baan?' vroeg ze.

'Geen idee.' Hauck ademde gelaten uit. 'De titel "agent van het jaar" kan ik in elk geval vergeten. Ik heb hun alles verteld,' zei hij met een glimlach. 'De hele rambam. Er komt een beoordeling. En ik heb mijn zaak beslist niet geholpen door te verzuimen te berichten wat er in New Jersey was gebeurd. Maar we hebben de hit-and-runs... Ik weet zeker dat Pappy Raymond zal getuigen dat het Dietz was die hem dwong om de tankers met rust te laten. Daar moeten we het mee doen – totdat er iets anders boven tafel komt.'

'Wat erg voor je,' zei Karen. Ze legde haar hand op die van hem. Haar ronde ogen glinsterden. En glimlachten. 'Maar volgens mij kan ik je helpen, inspecteur.'

'Wat bedoel je?' Zijn hartslag versnelde terwijl hij haar aankeek.

Ze grijnsde. 'Er is iets anders boven tafel gekomen.'

Karen graaide in haar tas. 'Een cadeautje. Van Charlie. Hij heeft het voor me achtergelaten. Hij zei er iets over toen hij met me terugliep naar de boot op het eiland, over dingen die ik zou willen weten als hem iets overkwam. Over dat de waarheid ergens in zijn hart zat. Ik dacht dat hij maar wat kletste en was het al bijna vergeten, totdat ik het zag.'

'Wat zag?'

'Het hart.' Karen straalde triomfantelijk. 'Charlies Mustang, Ty. Zijn kindje.'

Ze stak de telefoon naar hem uit. Niet-begrijpend keek hij haar aan.

'Hij zat vastgeplakt onder de achterbumper van zijn auto. Daarom wilde hij ook niet dat ik hem verkocht. Hij had hem daar al die tijd verstopt en het was de bedoeling dat ik hem zou vinden.'

'Maar waarom dan, Karen?'

Ze haalde haar schouders op. 'Dat wist ik ook niet. Dus heb ik alle telefoonnummers nagekeken die hij had gebeld en de nummers van de mensen die hem hadden gebeld. Maar daar kwam ik niet verder mee. Misschien vind jij nog nummers die je kunt natrekken. Toen dacht ik: een mobiele telefoon – foto's. Misschien staan er wel foto's in, weet je wel, die voor iemand compromitterend kunnen zijn. Hij moest toch een reden hebben gehad om het toestel daar te verstoppen. Dus ging ik via Media naar Camera. Karen klapte de telefoon open. 'Maar ook daar vond ik niets.'

Hauck pakte het toestel aan. 'Ik kan iemand in het laboratorium vragen het te onderzoeken.'

'Niet nodig, inspecteur. Ik heb het gevonden! Het was een geluidsopname. Ik wist niet eens dat die dingen dat konden, maar het was er, naast Camera.' Karen pakte de telefoon terug en zocht naar Voice Recording. 'Hier. Hier heb je "iets anders", Ty. Een cadeautje van Charlie. Recht uit het graf.'

Hauck keek haar aan. 'Je lijkt er niet echt blij mee, Karen.'

'Luister zelf maar.' Ze drukte op een knopje.

Er klonk een blikkerige stem. 'Denk je soms dat ik het leuk vind om hier te moeten zijn?'

Hauck keek naar Karen, en Karen zei: 'Dat is Charles.'

'Denk je soms dat ik blij ben met de kritieke toestand waarin ik me bevind? Ik zit er midden in, maar ik kan het niet laten voortduren.'

'Nee,' antwoordde een tweede stem. Hauck wist zeker dat hij deze ergens eerder had gehoord. 'We zitten er allebéí midden in, Charles.'

Karen keek hem aan, de schok was verdwenen en vervangen door een verdedigende houding. 'Dat is Saul Lennick.'

Hauck knipperde met zijn ogen.

De opname ging verder. 'Dat is het hele probleem, Charles. Jij denkt dat je de enige bent wiens leven je met je eigen geklungel verwoest. Ik zit net zo erg in de nesten als jij. Je wist welke belangen er speelden, je wist wie die mensen waren. Als je aan de grote tafel wilt spelen, Charles, moet je fiches inzetten.'

'Ik heb een kerstkaart teruggekregen, Saul. Van wie kan die anders zijn? De gezichten van mijn kinderen waren er uitgeknipt.'

'En ik heb kleinkinderen, Charles. Denk je soms dat jij de enige bent wiens leven op het spel staat?' Stilte. 'Ik heb je gezegd wat je moest doen. Ik heb je verteld hoe je dit moest afhandelen. Ik heb gezegd dat je die havenarbeider de mond moest snoeren. Wat nu?'

'Het is te laat,' antwoordde Charles met een zucht. 'De bank, ze vermoeden al –'

'Ik regel het wel met die bank, Charles! Maar jij... jij moet je eigen rotzooi opruimen. Zo niet, dan verzeker ik je dat er andere manieren zijn, Charles.'

'Wat voor andere manieren?'

'Hij heeft een zoon, zo is me verteld, die hier woont.'

Een stilte.

'Dat noemen ze het hefboomeffect, Charles. Een concept dat je heel goed leek te snappen toen je ons in je ondergang meesleurde.'

'Het is maar een ouwe vent, Saul.'

'Hij stapt naar de krant, Charles. Wil je dat ze hun neus in een of ander verhaal over nationale veiligheid steken en ontdekken wat ze onvermijdelijk te weten zullen komen? Ik zal ervoor zorgen dat de oude man niet praat. Ik ken jongens die in dat soort dingen gespecialiseerd zijn. Jij ruimt je eigen balans op, Charles. We hebben nog een maand. Een maand, Charles, geen geklungel meer. Begrepen, Charles? Je bent niet de enige met een touw om zijn hals.'

Een zacht antwoord. 'Begrepen, Saul.'

Hauck staarde Karen aan.

'Het was Saul,' zei ze terwijl ze tegen de tranen vocht. 'Dietz, Hodges – ze werkten voor hem.'

Hij bedekte haar hand. 'Wat erg, Karen.'

Haar gezicht stond somber en droevig. 'Charlie hield van hem, Ty. Saul was bij alle belangrijke momenten in ons leven. Hij was als een oudere broer voor hem.' Ze klemde haar kaken op elkaar. 'Hij heeft verdomme op Charlies herdenkingsdienst gesproken. En híj heeft hem dit aangedaan... Het was Saul, Ty. Verdorie, ik ben zelfs naar hem toe gegaan toen die mensen van Archer me lastigvielen. Toen Sam werd overvallen. Ik word er misselijk van.'

Hauck kneep in haar hand.

'Ik ben naar hem toe geweest, Ty... voordat we vertrokken. Ik heb hem niet precies verteld waar we naartoe gingen, maar misschien heeft hij het toch kunnen achterhalen.' Haar gezicht was nu lijkbleek. 'Misschien zijn we gevolgd, geen idee.'

'Je hebt niets verkeerds gedaan, Karen.'

'Jij was degene die zei dat wij hen naar hem toe hebben geleid.' Ze pakte de telefoon op. 'Deze zochten ze toen ze zijn boot overhoophaalden.

Charles kan hun hebben verteld dat hij bewijs had. Vóór de bomaanslag. Ter bescherming van zichzelf. Vervolgens hebben ze op een of andere manier ontdekt dat hij nog leefde.'

Ze ademde uit. Haar ademhaling was vervuld van een gevoel van verraad en woede. 'Wat gaan we nu doen?'

'Jij gaat naar huis,' zei Hauck. Hij keek haar recht aan. 'Ik wil dat je wat kleren pakt en wacht totdat ik er ben. Als die mensen ons naar Charles zijn gevolgd, weten ze ook dat je hem daar hebt ontmoet.'

'Oké, en jij?'

Hij wees naar de mobiele telefoon. 'Ik ga naar huis om daar een kopie van te maken. Daarna bel ik Fitzpatrick. Morgen heb ik dan een arrestatiebevel voor hen. Voordat dit nog verder uit de hand loopt.'

'Ze hebben Charles vermoord,' zei Karen en ze balde haar vuisten. Ze gaf de telefoon aan Hauck. 'Zorg ervoor dat het de moeite waard is, Ty. Charlie wilde dat ik hem vond. Laat hen niet winnen.'

'Ik beloof je dat dat niet zal gebeuren.'

97

KAREN REED NAAR HUIS.

Haar vingers trilden op het stuur. Ze had nog nooit zo'n leeg of onzeker gevoel in haar maag gehad. Was ze nu in gevaar? Hoe had Saul haar dit kunnen aandoen? Haar en Charles?

Iemand die ze ruim tien jaar lang als familie had beschouwd. Iemand bij wie ze zelf hulp had gezocht. Ze moest er bijna van kokhalzen. Hij had tegen haar gelogen. Hij had haar gebruikt om Charlie te vinden, zoals hij haar man had gebruikt. En Karen wist dat ze het zelf teweeg had gebracht. Ze voelde zich ineens medeplichtig aan alles wat er was gebeurd.

Zelfs aan Charlies dood.

Haar gedachten flitsten naar Saul. Op de herdenkingsdienst had hij nog zo liefdevol over Charles gesproken. Wat moet hij het amusant gevonden hebben, dacht Karen witheet van woede, dat het lot zo gunstig had ingegrepen door een potentiële geldelijke verplichting uit de weg te ruimen.

En al die tijd was Charlie nog gewoon in leven geweest.

Had Charlie het geweten? Had hij ooit beseft wie er achter hem aanzat? Hij dacht dat het zijn investeerders waren, die op vergelding uit waren. *Dit zijn slechte mensen, Karen...* Maar Dietz en Hodges werkten voor Saul. Al die tijd was het gewoon zijn angstige oude partner geweest, die probeerde zijn eigen hachje te redden.

O, Charlie, je hebt het altijd verkeerd begrepen, hè?

Ze draaide Shore op, richting het water. Even overwoog ze om rechtstreeks naar Paula te rijden, maar toen herinnerde ze zich wat Ty had gezegd. Ze reed Sea Wall in en zag niemand in de straat. Ze parkeerde de Lexus op de oprit van het huis.

Het huis was in duisternis gehuld.

Karen haastte zich via de deur naast de garage naar binnen en knipte het licht aan zodra ze in de keuken stond.

Meteen voelde er iets niet goed.

'Tobey!' riep ze. Ze legde de post recht die ze op het kookeiland had neergelegd. Een paar rekeningen en catalogi. Het voelde altijd een beetje anders als Alex en Sam niet thuis waren. Sinds Charlie er niet meer was. Thuiskomen in een donker huis.

Ze riep weer: 'Tobey? Hé, jongen.' Gewoonlijk krabde hij aan de deur. Geen reactie.

Karen pakte een fles water uit de koelkast en liep met de post door het huis.

Opeens hoorde ze hem, ergens ver weg. Hij kefte.

Het kantoor boven? Karen bleef staan en dacht terug. Had ze hem niet in de keuken achtergelaten toen ze wegging?

Ze liep door het huis en volgde het geluid van de hond. Vlak bij de voordeur knipte ze het licht aan.

Een ijzige schok liep over haar ruggengraat.

Saul Lennick zat met zijn gezicht naar haar toe in een stoel in de woonkamer, met zijn benen over elkaar.

'Hallo, Karen.'

98

HAAR HART SCHOOT NAAR HAAR keel. Verstijfd keek ze hem aan terwijl de post op de grond viel. 'Wat doe jij hier verdorie, Saul?'

'Kom, ga even zitten.' Hij gebaarde en klopte op de kussens van de bank naast zich.

'Wat doe je hier?' vroeg Karen opnieuw, terwijl er een rilling van angst over haar huid trok.

Iets in haar schreeuwde dat ze onmiddellijk moest vluchten. Ze was vlak bij de deur. Maak dat je wegkomt, Karen. Nu. Terwijl ze haar adem inhield, vloog haar blik naar de voordeur.

'Ga zitten, Karen,' zei Saul opnieuw. 'Waag het niet om weg te gaan. Helaas behoort dat niet tot de mogelijkheden.'

Een figuur stapte uit de schaduwen in de gang naar haar kantoor, waar Tobey luid zat te blaffen.

Karen bevroor. 'Wat wil je, Saul?'

'We moeten wat dingen doornemen, jij en ik. Ja toch, lieverd?'

'Ik heb geen idee waar je het over hebt, Saul.'

'Laten we niet doen alsof, oké? We weten allebei dat je Charles hebt gezien. En nu weten we ook allebei dat hij dood is. Eindelijk dood, Karen. Kom op...' Hij klopte op de bank alsof hij een nichtje of neefje overhaalde erbij te komen zitten. 'Ga tegenover me zitten, lieverd.'

'Noem me geen "lieverd", Saul.' Karen keek hem dreigend aan. 'Ik weet wat je hebt gedaan.'

'Wat ik heb gedaan?' Lennick vouwde zijn handen. De vaderlijke warmte in zijn ogen doofde. 'Wat ik je vraag, is geen verzoek, Karen.' De man in de gang liep naar haar toe. Hij was lang en droeg een poloshirt. Zijn haar droeg hij in een kleine paardenstaart. Ergens was ze ervan overtuigd dat ze hem eerder had gezien.

'Ik zei: "Kom hier".'

Haar hart begon te bonken. Langzaam liep Karen in zijn richting. Haar gedachten flitsten naar Ty. Hoe kon ze hem waarschuwen? Wat zouden ze met haar gaan doen? Ze liet zich op de bank zakken op de plek die Lennick had aangegeven.

Hij glimlachte. 'Karen, probeer je eens voor te stellen wat het getal "miljard" daadwerkelijk betekent. In tijd uitgedrukt zou een miljoen seconden ongeveer elfenhalve dag zijn. En een miljard, Karen, dat is ruim eenendertig jaar! Een biljoen...' Lennicks ogen lichtten op. 'Nou, dat is bijna niet voor te stellen – eenendertigduizend jaar.'

Karen keek hem zenuwachtig aan. 'Waarom vertel je me dit, Saul?'

'Waarom? Heb je enig idee hoeveel geld er in deposito staat op buitenlandse rekeningen op de Cayman- en Virgineilanden? Ongeveer één komma zes biljoen dollar. Het is lastig voor te stellen hoeveel dat precies is – meer dan een derde van alle depositogelden in de Verenigde Staten. Het is bijna net zoveel als het bruto nationaal product van Groot-Brittannië of Frankrijk, Karen. De *turquoise economy* wordt ze ook wel genoemd. Dus zeg eens, Karen. Kan een zo grote, gewichtige som zo verkeerd zijn?'

'Wat probeer je tegenover mij te rechtvaardigen, Saul?'

'Rechtvaardigen.' Hij droeg een bruine trui van kasjmier met v-hals met daaronder een wit overhemd. Hij boog zich naar voren en liet zijn ellebogen op zijn knieën rusten. 'Ik hoef helemaal niets te rechtvaardigen tegenover jou. Of tegenover Charles. Ik heb tien Charlesen. Ieder met net zulke grote bedragen aan geïnvesteerd geld. Heb je enig idee wie we vertegenwoordigen? Je zou hen kunnen googelen, Karen, als je zou willen. En je zou op de meest prominente, invloedrijkste mensen ter wereld stuiten. Namen die je zou kennen. Belangrijke families, Karen. Magnaten, anderen...'

'Criminelen, Saul!'

'Criminelen?' Hij lachte. 'We wassen geen geld wit, Karen. We investeren het. Als het bij ons komt, of het nu uit een verkoop van een schilderij van een oude meester komt of uit een beheerd fonds in Liechtenstein, het is gewoon geld, Karen. Net zoals dat van jou en mij. Over geld vel je geen oordeel, Karen. Zelfs Charlie zou dat tegen je hebben gezegd. Je hoeft het alleen te vermeerderen, te investeren.'

'Je hebt Charles laten vermoorden, Saul! Hij hield van je!'

Saul glimlachte, alsof hij geamuseerd was. 'Charlie had me nódig, Karen. Net zoals ik hém nodig had om wat hij voor me deed.'

'Je bent een vuile rat, Saul!' Er trilden tranen in Karens ogen. 'Hoe kan het toch dat dit uit jouw mond komt? Hoe had ik me zo in je kunnen vergissen?'

'Wat wil je dat ik toegeef, Karen? Dat ik dingen heb gedaan? Ik moest wel, Karen. En Charles ook. Denk je echt dat hij zo'n heilige was? Hij lichtte banken op, vervalste zijn rekeningen –'

'Je hebt die jongen laten vermoorden, Saul. In Greenwich.'

'Heb ík die jongen laten vermoorden? Heb ík met die tankers gerotzooid?' Lennicks gezicht verstrakte. 'Hij heeft ruim een miljard dollar van hun geld verspeeld, Karen! Hij zwendelde met zijn eigen bankleningen. Leningen die ik had geregeld. Heb ík hem vermoord? Wat voor keuze hadden we, Karen? Denk je dat die mensen je een schouderklopje geven en zeggen: "Jammer, volgende keer beter?" We zijn allemaal in gevaar, Karen. Iedereen die dit spelletje speelt. Niet alleen Charles.'

Karen keek hem kwaad aan. 'En wie was Archer, Saul? Wie was die man achter in Samantha's auto? Had jij hen gestuurd? Klootzak, je hebt me gebruikt. Je hebt mijn kinderen gebruikt, Saul. Je hebt Sam gebruikt. Om mijn man, jouw vriend op te sporen. Om hem te vermoorden, Saul.'

Saul knikte enigszins schuldbewust, maar zijn ogen waren kil en dof. 'Ja, ik heb je gebruikt, Karen. Toen we ontdekten dat Charles op een of andere manier nog in leven was. Toen we beseften dat alle vergoedingen die op zijn buitenlandse rekeningen stonden, waren opgenomen nádat hij zogenaamd was gestorven. Wie had het anders kunnen zijn? Toen vond ik op zijn bureau dat briefje van een notitieblok met de getallen van die kluis erop. Ik moest weten wat erin zat, Karen. Via het natrekken van zijn rekeningen kwamen we niet verder. Dus probeerden we je een beetje bang te maken, meer niet. Om je tot actie aan te zetten, in de hoop, hoe klein ook, dat Charles misschien contact met je zou opnemen. Ik had geen andere keuze, Karen. Je kunt me het niet kwalijk nemen.'

'Dus je hebt op me geaasd?' Karen gaapte hem met wijd open ogen aan. Waarom, Saul. Waarom? Je was als een broer voor me. Je hebt tijdens de herdenkingsdienst een grafrede voor hem gehouden –'

'Hij had ruim een miljard dollar van hun geld verloren, Karen!'

'Nee.' Ze staarde hem aan, de man die altijd zo belangrijk had geleken, alles altijd zo goed onder controle leek te hebben. Ineens voelde ze zich sterker dan hij, wie er ook achter haar stond. Wat hij ook zou doen. 'Het was je helemaal niet om dat geld te doen hè, Saul?'

Zijn gezichtsuitdrukking werd minder hard. Hij probeerde het niet eens te verhullen. 'Nee.'

'Je was niet op zoek naar al dat verdwenen geld; het was niet de reden waarom je mensen zijn boot overhoophaalden.' Karen glimlachte. 'Heb je het gevonden, Saul?'

'We hebben gevonden wat we nodig hadden, Karen.'

'Nee.' Karen schudde boos haar hoofd. 'Dat denk ik niet. Hij heeft je verslagen, Saul, al besef je dat misschien niet. Maar het is wel zo. Je hebt die jongen laten vermoorden. Om je eigen belangen te beschermen. Om stil te houden wat zijn vader had ontdekt. Want jij zat achter dit alles toch, Saul? De grote, belangrijke man die alle touwtjes in handen had. Maar toen je besefte dat Charlies rekeningen waren leeggehaald, begreep je ineens dat hij nog leefde. Dat hij nog ergens rondliep. Hè, Saul? Je vriend. Je partner. Die de waarheid over jou wist, toch?' Karen grinnikte. 'Wat ben je toch een zielig geval, Saul. Je hebt hem niet voor het geld vermoord. Dat zou nog van enige waardigheid hebben getuigd. Je hebt hem vermoord uit lafheid, Saul – uit angst. Omdat hij belastend materiaal over je had en je hem niet kon vertrouwen. Omdat hij op een dag misschien zou getuigen. En dat was als een tikkende bom voor je. Je zou nooit weten wanneer. Op een dag, als hij moe zou zijn van het vluchten... Hoe noemen ze dat in zakelijke kringen, Saul? Een opgeschorte geldelijke verplichting?'

'Een miljard dollar, Karen! Ik heb hem alle kans gegeven. Ik heb mijn leven voor hem op het spel gezet – het leven van mijn eigen kleinkinderen! Nee... Ik moest actie ondernemen, Karen. Ik kon hem niet meer vertrouwen. Niet na wat hij had gedaan. Op een dag, als hij moe werd, moe van het vluchten, zou hij zichzelf kunnen aangeven en een deal sluiten.' Saul trok zijn grijze wenkbrauwen op. 'Je raakt eraan gewend, Karen. Invloed. Macht. Het spijt me oprecht als je het niet leuk vindt wat je ziet als je me aankijkt.'

'Wat ik zie?' Ze staarde hem aan, haar ogen glinsterden met boze tranen. 'Wat ik zie is niet iemand die sterk is, Saul. Ik zie iemand die oud is – en bang. En zielig. Maar weet je wat? Hij heeft gewonnen. Charles heeft gewonnen, Saul. Je wist dat hij iets tegen je had. Daarom ben je nu hier, toch? Om te weten te komen wat ik weet. Nou, hier komt-ie, Saul, godvergeten laffe klootzak: hij heeft een opname, van jouw stem, Saul. Jouw duidelijke, samenzweerderige stem waarmee je vertelde wat je met die jongen zou doen. Hoe zei je het ook al weer? Dat je mensen kende die dit soort dingen afhandelen? En op dit moment – en ik hoop dat je het net zo amusant vindt als ik, Saul – is de opname in handen van de politie. Ze gaan een arrestatiebevel tegen je uitvaardigen. Dus wat jij en je kruiperige maatjes ook met mij van plan waren, het heeft geen zin meer. Zelfs jij kunt dat beseffen, Saul, niet dat je daar ook maar een uurtje minder om slaapt. Het is te laat. Ze weten het. Ze weten dat jij het bent, Saul. Ze weten het al.'

Karen staarde hem met een felle blik aan. Eén seconde leek Saul een beetje zwak, onzeker over wat hij nu moest doen. Zijn arrogantie smolt weg. Ze wachtte tot zijn kalme gezicht zou vertrekken.

Maar dat gebeurde niet.

In plaats daarvan haalde hij zijn schouders op en krulde hij zijn lippen tot een glimlach. 'Heb je het over je recherchevriendje, Karen? Hauck?'

Karen bleef hem kwaad aankijken, maar in haar maag begon een worm van angst te kronkelen.

'Want als dat het geval is, moet ik je helaas meedelen dat we met hem al hebben afgerekend, Karen. Een goede agent, dat wel – volhardend. Hij leek bovendien oprecht om je te geven.' Saul stond op, blikte op zijn horloge en zuchtte.

'Helaas denk ik niet dat hij op dit moment nog in leven is.'

99

HAUCK REED VAN HET KOFFIEHUIS in Old Greenwich naar huis, een rit van ongeveer vijf minuten over de Post Road. Hij was van plan de opname te kopiëren en er diezelfde avond nog mee naar Carl Fitzpatrick te gaan, die vlakbij woonde, in Riverside. Karen had precies gevonden wat hij nodig had: bewijs dat niet besmet was. Fitzpatrick zou alles weer moeten heropenen.

In Stamford verliet hij de Post Road en draaide snel Elm in. Hij reed onder de snelweg en de spoorlijn van de Metro-North door naar Cove, in de richting van het water, naar Euclid, waar hij woonde. Bij Robert en Jacqueline, de meubelstoffeerders die tegenover hem woonden, brandde licht. Hauck draaide linksaf zijn oprit op.

Hij trok het dashboardkastje open, pakte de Beretta die hij aan Karen had gegeven en stak hem in zijn jaszak. Daarna sloeg hij het portier van de Bronco dicht en stormde de trap op, terwijl hij onderweg even stopte om de post te pakken.

Toen hij zijn sleutels pakte, flitsten zijn gedachten naar Karen en hij moest even glimlachen. Na wat Charles haar voor zijn dood had verteld, had ze alles met elkaar in verband gebracht en zo de telefoon gevonden. Ze zou het niet slecht doen als agente – hij lachte – als de makelaardij toch niets zou worden. In feite...

Er stapte een man uit het duister naar voren. Hij richtte iets op zijn borst.

Voordat hij vuurde, staarde Hauck hem aan. Hij herkende hem meteen en direct flitsten zijn gedachten terug naar Karen. Hij besefte dat hij een vreselijke fout had gemaakt.

Bij het eerste schot viel hij neer. Een schroeiende, brandende pijn trok door zijn onderbuik en hij kromp ineen. Tijdens zijn val reikte hij tevergeefs naar zijn pistool.

De tweede kogel raakte hem in zijn bovenbeen. Hulpeloos viel hij achterover in het trapgat.

Hij hoorde geen enkel geluid.

Wanhopig graaide hij naar de reling, maar hij miste en rolde helemaal tot onder aan de trap. Hij eindigde in zithouding in de vestibule en was helemaal versuft. In zijn hoofd hing een dichte nevel. Er drong een beeld doorheen, vergezeld van een verlammend gevoel van angst.

Karen.

Zijn aanvaller stormde de trap af.

Hauck probeerde op te staan, maar alles voelde rubberachtig. Hij draaide zich om naar het huis van Richard en Jacqueline en knipperde met zijn ogen naar de brandende lichten. Hij wist dat er iets vreselijks stond te gebeuren en probeerde te schreeuwen. Luid. Hij opende zijn mond, maar er gleed alleen een koperachtige smaak over zijn tong. Hij probeerde te denken, maar zijn hersens waren helemaal in de war. Leeg.

Dus zo voelt het...

Hij zag een beeld van zijn dochter voor zich, niet Norah maar Jessie, wat hem vreemd voorkwam. Hij besefte dat hij haar niet had gebeld sinds hij terug was. Even dacht hij dat ze dit weekend zou langskomen. Klopte dat?

Hij hoorde voetstappen de trap af komen.

Hij stak zijn hand in zijn jaszak. Instinctief graaide hij daar naar iets. Charlies telefoon – die mocht hij niet te pakken krijgen! Of was het de Beretta? Zijn hersens waren totaal verdoofd.

Zwaar ademend keek hij weer naar de overkant van de straat, naar Richard en Jacqueline.

De voetstappen stopten. Glazig keek Hauck op. Er stond een man over hem heen gebogen.

'Hé, klootzak. Ken je me nog?'

Hodges.

'Ja...' Hauck knikte. 'Ik ken je nog.'

De man knielde bij hem neer. 'Dat ziet er beroerd uit, inspecteur. Helemaal bont en blauw.'

Hauck voelde in zijn jaszak en legde zijn vingers om het metalen object.

'Weet je waar ik de afgelopen twee weken mee heb rondgelopen?' vroeg Hodges. Hij hield twee vingers voor Haucks gezicht. Hauck zag in een waas dat hij een donkere, platte vorm vasthield. Een kogel. Hodges trok Haucks mond open, duwde de loop van zijn pistool erin en trok de haan naar achteren. Het pistool was metaalachtig en warm en rook naar cordiet.

'Ik was van plan hem terug te geven.'

Hauck keek in zijn lachende ogen. 'Je mag hem houden.'

In zijn jaszak haalde hij de trekker over. Er weerklonk een scherpe knal, gevolgd door een brandende geur. De kogel raakte Hodges onder zijn kin, zijn gezicht stond nog steeds lachend. Zijn hoofd sloeg naar achteren en er spatte bloed uit zijn mond. Zijn lichaam rukte zich los van Hauck, alsof hij werd getrokken, en zijn ogen rolden weg.

Hauck trok zijn benen onder de dode man vandaan. Hodges' pistool was op zijn borst gevallen. Hij was van plan om even te blijven zitten. Pijn schoot door zijn hele lichaam. Maar dat was niet wat hem zo'n zorgen baarde.

Er wurmde zich angst door de pijn heen.

Karen.

Met uiterste krachtsinspanning duwde Hauck zichzelf overeind. Aan zijn handpalm plakte een glibberige laag bloed, afkomstig uit zijn zij.

Hij pakte Hodges' pistool, strompelde naar de Bronco, trok het portier open en reikte naar de radio. Hij zocht verbinding met het bureau in Greenwich. De dienstdoende agent nam op, maar Hauck herkende de stem niet.

'Met inspecteur Hauck,' zei hij. Hij verbeet zijn pijn. 'Er is geschoten in mijn huis, 713 Euclid Avenue in Stamford. Stuur een team.'

Een stilte. 'Jezus, inspecteur Hauck...?'

'Met wie spreek ik?' vroeg Hauck, terwijl hij huiverde. Hij stak de sleutel in het contact, sloot het portier, reed de oprit af, ramde een geparkeerde auto en reed weg.

'Met brigadier Dicenzio, inspecteur.'

'Brigadier, luister. U hebt gehoord wat ik net zei, maar dit is nog belangrijker. Stuur onmiddellijk een paar teams naar Surfside Road 73 in Old Greenwich, wie het dichtstbij is. Ik wil dat het huis wordt gecontroleerd en bewaakt. Begrepen, brigadier? Ik wil dat de vrouw die daar woont, Karen Friedman, in veiligheid is. Mogelijk een gevaarlijke situatie. Hoort u mij, brigadier Dicenzio?'

'Ik hoor u luid en duidelijk, inspecteur.'

'Ik rij er nu heen.'

100

EEN VLIJMSCHERPE ANGST SNEED DOOR Karen heen terwijl het bloed uit haar gezicht wegtrok. Vol ongeloof schudde ze haar hoofd. 'Nee, je bluft, Saul.' Ty kon niet dood zijn. Hij was net nog bij haar. Hij zou naar het politiebureau gaan en haar daarna komen ophalen.

'Ik vrees van niet, Karen. Een oude vriend heeft hem thuis opgewacht. Hij had iets wat wij interessant zouden vinden. Ja toch, lieverd?'

'Nee!' Ze sprong overeind. Haar bloed stolde van ontkenning en woede. 'Nee!' Ze wilde naar Lennick uithalen, maar de man met de paardenstaart die nu achter haar stond, pakte haar bij de armen vast en hield haar tegen.

Ze probeerde zich los te wurmen. 'Loop verdomme naar de hel, Saul!'

'Later misschien.' Hij haalde zijn schouders op. 'Maar eerst, Karen, ga ik gewoon naar huis om te eten. En jij...' Hij streek de kreukels uit zijn sweater en trok zijn kraag recht. De blik op zijn gezicht was bijna droevig te noemen. 'Je weet dat ik dit helemaal niet leuk vind, Karen. Ik ben altijd erg op je gesteld geweest. Maar we kunnen je onmogelijk laten gaan.'

Op dat moment sloegen de openslaande deuren naar de achtertuin open en stapte er een andere man naar binnen – kleiner, met donker haar en een grijzende snor.

Karen herkende hem meteen aan de hand van de beschrijvingen. Dietz.

'De kust is veilig,' zei hij. Karen zag dat zijn schoenen onder het vuil en zand zaten.

Lennick knikte. 'Mooi.'

Er borrelde angst in Karen op. 'Wat ga je met me doen, Saul?'

'Een nachtelijk zwempartijtje misschien. Overstelpt door verdriet en wanhoop omdat je je man levend terugvond – en daarna weer dood. Dat is veel voor een mens, Karen.'

Karen schudde haar hoofd. 'Je komt er niet mee weg, Saul. Hauck is al bij zijn baas geweest. Hij heeft hem alles verteld. Over de hit-and-runs, Dietz en Hodges. Ze zullen weten wie dit heeft gedaan. Ze gaan je oppakken, Saul.'

'Míj oppakken?' Lennick liep naar de deur terwijl Karen zich verzette tegen de man die haar armen vasthield. 'Breek je mooie koppie daar nu maar niet over, lieverd. Onze vriend Hodges krijgt het vanavond ook zwaar te verduren. En meneer Dietz hier...' – Lennick knikte samenzweerderig – 'Ach, laat ik hem zijn situatie zelf maar uitleggen.'

Ze probeerde zich los te wurmen uit de greep van haar aanvaller. Er brandden tranen van haat in haar ogen. 'Hoe ben je ooit zo'n reptiel geworden, Saul? Hoe kun je hierna mijn kinderen nog in de ogen kijken?'

'Sam en Alex.' Hij streek zijn dunne haar naar achteren. 'Wees gerust, ze zullen goed verzorgd achterblijven, Karen. Die kinderen zullen veel geld tegemoet kunnen zien. Je wijlen echtgenoot was een heel rijk man. Wist je dat niet?'

'Loop naar de hel, Saul! Klootzak!' Karen kronkelde terwijl hij de voordeur dichtsloeg.

Hij ging weg. Karen begon te snikken. Hauck. Charles. Sam en Alex nooit meer zien. Het idee dat Saul om haar zou 'rouwen'. Ze was woedend dat de kinderen het nooit zouden weten. Ze dacht aan Ty en voelde een scherpe pijn. Zíj had hem hierbij betrokken. Ze dacht aan zijn dochter, die het nooit zou weten.

Toen draaide ze zich om naar Dietz. Hete tranen en slijm gleden over haar gezicht.

'Je hoeft dit niet te doen,' smeekte ze.

'O, begin nou niet zo,' sneerde de man met de snor. 'Ze zeggen dat het voelt alsof je in slaap valt. Geef je er gewoon aan over. Het is net zoiets als seks, toch? Wil je het ruig of wil je het ontspannen?' Hij gniffelde naar zijn partner. 'We zijn geen barbaren, hè Cates?'

'Barbaren? Nee,' zei de man die haar in bedwang hield. Hij duwde met zijn knie tegen de achterkant van haar benen, en Karen gilde terwijl ze even door haar knieën zakte. 'Kom...'

Dietz pakte een rol tape die op de tafel lag. Hij scheurde er een stuk af en plakte het stevig over Karens mond. Ze kon nauwelijks meer ademhalen. Daarna scheurde hij een langer stuk af en bond het stevig om haar polsen. 'Kom, schatje...' Hij pakte haar bij de armen vast. 'Jammer van je vriendje. Ik bedoel, na zijn inbraak in mijn huis had ik graag persóónlijk met hem afgerekend.'

Ze sleepten haar door de openslaande deuren de veranda aan de achterzijde op. Karen hoorde Tobey wild blaffen in de ruimte waarin hij was opgesloten. Ze verzette zich tegen hen, tegen haar wil gedwongen in het donker, terwijl Tobeys hulpeloze geblaf haar niet alleen vervulde van bezorgdheid, maar ook van een steeds sterker wordend gevoel van verdriet. Waarom winnen zij, verdomme?

Ze trokken haar van de veranda de achtertuin in. Er liep een pad achter haar huis, achter een houten hek, dat leidde naar de Townroad en naar Teddy's Beach, dat alleen toegankelijk was voor lokale bewoners.

Teddy's Beach. Ineens schoot er een nieuwe angst door Karens lichaam. Het strand was klein en verlaten. Het had een stenen aanlegsteiger en zou helemaal verlaten zijn, op een paar tieners na die daar 's avonds misschien heen gingen om een kampvuur te maken of wiet te roken. Bovendien was het volledig afgeschermd van de andere huizen.

Dat had Dietz dus bedoeld toen hij zei: 'De kust is veilig.'

Verdomme, nee. Ze schopte met de punt van haar schoen tegen Dietz' schenen. Ziedend draaide hij zich om en sloeg haar met de achterkant van zijn ruige hand in het gezicht. Het bloed gutste uit Karens neus. Ze stikte er bijna in.

Dreigend keek Dietz haar aan. 'Ik zei: "Gedraag je!"'

Hij gooide haar als een zak meel over zijn schouder, trok haar schoenen uit en duwde de loop van een pistool in haar neus. 'Luister, kreng. Ik heb je de keuze gegeven. Wil je het ruig of ontspannen? Beslis maar. Ik vind beide manieren prima. Ik adviseer je om je te ontspannen en te genieten. Het is over voor je het in de gaten hebt. Geloof me, je komt er veel beter vanaf dan je vriendje.'

Hij droeg haar over het overgroeide pad. Doorns en struiken bekrasten haar benen. Haar enige hoop was dat iemand hen zou zien. Ze schreeuwde en vocht tegen de tape, maar ze kon nauwelijks geluid maken. Alsjeblieft, laat er iemand zijn, smeekte ze in stilte. Alsjeblieft...

Maar wat zou ze daarmee winnen? Waarschijnlijk een kogel in haar hoofd.

Ze naderden de Townroad. De weg was helemaal donker en verlaten. Geen mens te zien. Een zilte bries drong haar neusgaten binnen. Ze zag de lichtjes van huizen in de verte, aan de overkant van de baai.

Dietz zette haar neer en trok aan haar armen. 'Lopen.'

Nee... Karen huilde. Met alle kracht die ze in zich had probeerde ze haar vastgebonden polsen los te krijgen, maar tevergeefs. Tranen rolden over haar wangen. Ze dacht aan Ty, en de tranen werden nog talrijker en onbeheersbaarder, verstikten haar, waardoor ze geen adem meer kon halen. O, liever, je kunt niet dood zijn. Alsjeblieft, Ty, hoor me alsjeblieft... Haar hart brak bij de gedachte dat zij hem dit had aangedaan.

Ze sleepten haar door het zand, en ze schudde haar hoofd heen en weer en schreeuwde van binnen: nee!

Cates, de schurk met de paardenstaart, trok haar in het water.

Karen gaf hem een knietje. Hij brulde en draaide zich woedend om: 'Verdomme!' Hij schopte haar in haar maag. Uiteindelijk duwde hij haar met haar gezicht in het ondiepe water. Karen was volledig uitgeput en kon zich niet langer verzetten. Cates drukte haar gezicht in het warme schuim.

'Het schijnt dat de golfstroom dit jaar erg lekker is,' gniffelde Cates. 'Zo vreselijk kan het niet zijn.'

101

HAUCK SCHEURDE MET ZIJN ZWAAILICHT aan over Route 1 en enkele minuten later stond hij voor het huis aan Sea Wall.

Twee lokale agenten waren al ter plekke.

Hauck zag Karens witte Lexus voor de garage staan. Hij pakte zijn pistool en stapte uit de Bronco, waarbij hij zijn rechterbeen probeerde te ontzien. Twee agenten in uniform, beide met een zaklantaarn, liepen de voordeur uit. Hij herkende er een: Torres. Hauck liep naar hen toe met zijn hand op zijn pijnlijke zij.

'Iemand binnen?'

Torres haalde zijn schouders op. 'Er zat een hond in een van de kamers opgesloten, inspecteur. Verder niemand.'

Dat was niet geloofwaardig. Karens auto stond er. Als ze hem hadden opgewacht, hadden ze haar onvermijdelijk ook opgewacht. 'En mevrouw Friedman? Hebben jullie boven gekeken?'

'We hebben het hele huis doorzocht, inspecteur. O'Hearn en Pallacio zijn nog binnen.' De ogen van de agent vielen op Haucks zij. 'Jezus, meneer...'

Hauck liep langs hen heen het huis binnen, terwijl de agent naar het spoor van bloed staarde.

Hij riep: 'Karen?' Geen antwoord. Haucks hart begon wild te bonzen. Hij hoorde geblaf. Agent Pallacio liep met getrokken pistool de trap af.

'Rothond.' Hij schudde zijn hoofd. 'Hij schoot als een Formule 1-wagen langs me heen.' Hij leek verbaasd om Hauck te zien. 'Inspecteur!'

'Is er iemand?' vroeg Hauck.

'Niemand, meneer. Behalve Bobby daar.' Hij wees naar de hond, die intussen buiten stond.

'Hebben jullie in de kelder gekeken?'

De agent knikte. 'Overal, meneer.'

Shit. Karens auto stond er. Misschien was ze naar haar vriendin gegaan... Hij pijnigde zijn hersenen. Hoe heette ze ook al weer? Paula. Hauck blik viel op een rol tape die op de grond lag. De openslaande deuren naar de veranda stonden op een kier. Tobey blafte daarbuiten als een gek.

Het zat hem totaal niet lekker wat hij voelde.

Hij liep naar buiten en keek in de tuin. Het was een heldere, onbewolkte nacht. Hij rook de nabijgelegen baai. De hond stond op de veranda en blafte aanhoudend. Hij was duidelijk overstuur.

'Waar is ze in vredesnaam, Tobey?' Hauck ademde diep in. Elke keer dat hij dat deed, trok er een pijnscheut door zijn lichaam.

Trekkebenend liep hij de achtertuin in. Er was een klein zwembad en er stonden een paar ligstoelen. Zijn intuïtie zei hem dat Karen in gevaar was. Ze had met Charles gesproken. Ze wist het. Hij had haar nooit alleen moeten laten. De mannen hadden er weinig aan om alleen hém het zwijgen op te leggen.

Zijn blik viel op iets wat verderop in het gras lag.

Schoenen. Van Karen. De schoenen die ze eerder die avond had gedragen. De zenuwen gierden door zijn lichaam en zijn hart ging nog sneller kloppen.

'Karen?' riep hij.

Waarom zouden ze hier buiten zijn?

Hij keek verder om zich heen. Er lag tuingereedschap op de grond, een plastic gieter. Achter in de tuin zag hij een houten hek, dat niet op slot zat. Het bood toegang tot een smal, overgroeid pad. Hij liep door het hek en besefte ineens waar hij was.

Het pad leidde naar het einde van de Townroad vlak bij Surfside.

Naar Teddy's Beach.

Hij hoorde een stem achter zich. 'Inspecteur, hebt u hulp nodig?'

Hij verstevigde de greep op zijn pistool, dwong de pijn uit zijn gedachten en volgde het pad. Af en toe duwde hij een paar takken opzij. Na dertig of veertig meter achter andere huizen langs te hebben geslingerd, zag hij de Townroad voor zich.

Hij legde zijn handen om zijn mond. 'Karen!'

Geen antwoord.

Iets op de grond ving Haucks blik. Hij knielde en verging van de pijn die door zijn bovenbeen trok.

Een stukje stof. Oranje.

Zijn hart bleef stilstaan. Karen had een oranje truitje gedragen!

Een rilling van angst trok over zijn ruggengraat. Hij keek naar het strand. O, jezus! Hij deed zijn best om te rennen.

102

HAAR HOOFD WAS ONDER WATER gedrukt, haar adem barstte uit haar longen, ze haalde met haar armen naar hem uit, maar Cates' sterke handen klemden zich stevig om haar nek.

Karen had gevochten met alles wat ze in zich had. Ze worstelde, probeerde in zijn arm te bijten en hapte naar kostbare lucht. Een keer trok ze hem zelfs over zich heen, wat Dietz erg grappig vond omdat Cates helemaal doorweekt was, en hij sloeg met zijn vuist in haar gezicht in dreigende woede. 'Jezus, Cates. Wat een mens!' hoorde ze Dietz schetteren.

Karen spuugde water uit en probeerde te gillen. Hij duwde haar weer onder.

Nu kwam er een einde aan. Cates had eindelijk de tape van haar mond getrokken, en ze slikte water in, terwijl ze met de laatste kracht die ze in zich had kuchend naar adem hapte. Maar hij legde zijn hand over haar mond en dwong haar weer onder water voordat ze kon gillen.

En wie zou haar überhaupt horen? Wie zou haar op tijd horen? Haar gedachten schoten naar Ty. O, alsjeblieft... alsjeblieft... Het water stroomde naar binnen. Kokhalzend kronkelde ze nog een laatste keer, weg van zijn greep. Het was gebeurd. Ze kon er niet langer tegen vechten. In wanhoop probeerde ze tevergeefs naar het been van de klootzak te graaien.

Ze hoorde hem schreeuwen: 'Hoe is de temperatuur, kreng?'

Wanhopig vocht ze tegen de neiging om haar mond open te doen, om zich er gewoon aan over te geven, zich over te geven aan het donkere getij. Ze dacht aan Sam en Alex.

Nee, Karen, nee...

Niet aan hen denken, alsjeblieft... Het zou betekenen dat dit het einde was. Niet opgeven.

Maar toen ontspande de ontkenning zich langzaam. Haar gedachten dwaalden te midden van haar laatste vergeefse stuiptrekkingen af naar een beeld dat haar zelfs in haar grootste angst verraste: palmen die zwaaiden in de bries, iemand met een honkbalpetje op die op het witte strand naar haar toeliep.

Zwaaide.

Karen liep naar hem toe. O, god...

Net op dat moment leek de hand die haar in het donkere water drukte haar los te laten.

Hauck strompelde over de duingrassen, zijn been brandde van de pijn.

Van dertig meter afstand zag hij dat de man haar hoofd onder water duwde. Iemand anders – hij wist zeker dat het Dietz was – stond een paar meter verderop op het strand geamuseerd toe te kijken.

'Karen!'

Hij deed een stap naar voren en hield zijn pistool met twee handen vast in de schiethouding, net toen de man die over Karen knielde opkeek.

Het eerste schot trof de man in de schouder, waardoor hij totaal overrompeld achteruitdeinsde. De daaropvolgende twee schoten troffen hem recht in zijn shirt, dat vuurrood werd. De man viel in het water en bewoog niet.

Karen rolde op haar rug.

'Karen!'

Hauck deed een stap in haar richting en richtte tegelijkertijd zijn pistool op Dietz, die door het zand klauterde en zijn wapen trok. De heldere maan had de man in het water verlicht, maar verder was het donker. Dietz was als een bewegende schaduw. Hauck vuurde, maar het schot miste hem.

Het volgende raakte hem in de knie terwijl hij naar de pier probeerde te rennen. Dietz kwam snel weer overeind en hinkte als een veulen met een gebroken been.

Hauck rende moeizaam naar Karen toe.

Langzaam rolde ze terug op haar buik in de ondiepe branding, terwijl ze kokhalsde en water ophoestte. Ze steunde op haar ellebogen en knieën. Verstijfd van angst staarde ze naar Cates die met zijn gezicht naar boven in het water naast haar dreef. Walgend deinsde ze achteruit. Daarna draaide ze zich om naar Hauck, haar ogen vol tranen en ongeloof.

Maar Dietz stond intussen achter haar en zette haar midden in Haucks gezichtsveld. Hij had zijn pistool op Hauck gericht en gebruikte Karen als schild.

'Laat haar gaan,' zei Hauck. Hij bleef op hen aflopen. 'Laat haar gaan, Dietz. Er is geen uitweg meer.' Hij richtte zijn pistool op Dietz' borst. 'Je kunt je vast voorstellen dat ik dit graag zou doen.'

'Ik hoop voor je dat je goed bent,' zei Dietz gniffelend. 'Als je mist, inspecteur, is de volgende kogel voor haar.'

'Ik ben goed.' Hauck knikte.

Hauck deed nog een stap in zijn richting, al was het eerder strompelen te noemen. Op dat moment besefte hij dat zijn knieën zwak werden en dat zijn kracht afnam. Hij had veel bloed verloren.

'Je hoeft hier niet te sterven, Dietz,' zei hij. 'We weten allemaal dat Lennick achter de hit-and-runs zat. Je kunt iemand verlinken, Dietz. Waarom zou je voor hem sterven? Je kunt een deal sluiten.'

'Waarom?' Dietz haalde zijn schouders op. 'Het zal mijn aard wel zijn, inspecteur.'

Terwijl hij Karen als schild gebruikte, vuurde hij.

Een heldere flits schoot rakelings over Haucks schouder. Hij voelde hem branden. Zijn gewonde been wankelde terwijl hij achteruit strompelde. Hij huiverde en zijn arm ging naar beneden, waardoor hij onbeschut was.

Dietz zag zijn kans schoon en stapte naar voren, klaar om weer te vuren.

'Nee...!' gilde Karen en ze deed een uitval naar voren om hem tegen te houden. 'Nee!'

Dietz richtte zijn pistool nu op haar.

Hauck brulde: 'Dietz!'

Hij vuurde. De kogel raakte Dietz recht in zijn voorhoofd. De arm van de moordenaar schokte, terwijl zijn eigen pistool in de lucht afging. Hij viel log terug in het zand en landde als een sneeuwengel, met armen en benen gespreid. Een stroompje bloed gutste uit het gat in zijn voorhoofd in de klotsende branding.

Karen draaide zich om, haar gezicht was nat en glom. Heel even bleef Hauck staan, hij ademde zwaar, met twee handen om zijn pistool gevouwen.

'Je bent niet weggegaan,' zei ze hoofdschuddend.

'Nooit,' zei hij met een glimlach die het uiterste van hem vergde. Daarna zakte hij door zijn knieën.

'Ty!'

Karen duwde zichzelf overeind en rende naar hem toe. Donker bloed droop van zijn zij in zijn hand. Er klonk geschreeuw achter hen. Zaklampen zwiepten over het strand.

Uitgeput omhelsde Karen hem. Ze sloeg haar armen om hem heen en een snik van vreugde en opluchting kronkelde door haar tranen van angst en uitputting. Ze begon te huilen.

'Het is voorbij, Ty. Het is voorbij,' zei ze, terwijl ze het bloed van zijn gezicht veegde en de tranen over haar wangen stroomden.

'Nee,' zei hij. 'Het is nog niet voorbij.' Hij leunde naar haar toe en slikte zijn pijn weg tegen haar schouder. 'Nog één bezoekje.'

103

HET TELEFOONTJE KWAM OP HET moment dat Saul Lennick net een late maaltijd in de keuken van zijn huis aan Deerfield Road wilde nuttigen.

Ida, de huishoudster, had een gehaktschotel met champignons in de oven gezet voordat ze vertrok. Lennick schonk zichzelf een glas Conseillante in. Mimi telefoneerde boven over de donateurs voor het Rode Kruis Bal van dit seizoen.

In de weerspiegeling van het raam dat uitzicht bood op Mimi's tuin zag hij zijn gezicht. Het was kantje boord geweest. Als het een paar dagen later was geweest, wist hij niet wat er zou zijn gebeurd. Maar hij had alles netjes opgeruimd. Het was allemaal goed afgelopen.

Charles was dood, en met hem de angst dat hem iets ten laste zou worden gelegd. De zware verliezen en het speculeren met de leningen zouden aan Charles worden toegeschreven. De arme idioot was gewoon uit angst gevlucht. De agent was dood. Hodges, nog zo'n los eindje, zou diezelfde avond hetzelfde lot ondergaan. En wat maakte het uit wat die ouwe vent in Pensacola nu nog rondbazuinde? Zodra hij het telefoontje kreeg zouden Dietz en Cates rijke mannen zijn en het land uit vluchten. Uit het zicht van iedereen.

Ja, Lennick had dingen gedaan waarvan hij nooit had geweten dat hij daartoe in staat was. Dingen die zijn kleinkinderen nooit zouden weten. Het hoorde bij zijn carrière. Er waren nu eenmaal altijd wisselwerkingen, verliezen. Soms moest je dingen doen om je kapitaal te beschermen. Ja toch? Bijna was het allemaal misgegaan. Maar nu was hij veilig, zijn reputatie onberispelijk, zijn netwerk intact. Morgenvroeg moest er weer geld worden verdiend. Zo pakte je het aan – je sloeg gewoon de bladzijde om.

Je vergat je verliezen van de dag ervoor.

Toen zijn telefoon piepte, klapte Lennick zijn mobieltje open. Bij het zien van het nummer van de beller had hij tegelijkertijd een gevoel van opluchting en verdriet. Snel spoelde hij een hap eten weg met een slok wijn.

'Is het gebeurd?'

Toen hij de stem aan de andere kant van de lijn hoorde, bleef zijn hart stilstaan.

Het bleef niet alleen stilstaan, het werd verbrijzeld. Lennicks ogen werden groot toen hij de zwaailichten buiten zag.

'Ja, Saul. Het is gebeurd,' zei Karen, die met Dietz' telefoon belde. 'Nu is het echt gebeurd.'

Drie blauw-witte politiewagens uit Greenwich stonden op het voorhof van Lennicks statige herenhuis dat grensde aan het uitgestrekte bosgebied van de Greenwich Country Club.

Karen leunde gehuld in een deken tegen een van de wagens aan; haar kleren waren nog steeds nat. Met een tevreden gevoel gaf ze Dietz' telefoon terug aan Hauck. 'Dank je, Ty.'

Carl Fitzpatrick was zelf naar binnen gegaan, aangezien Hauck door een arts werd onderzocht. De hoofdcommissaris en twee politieagenten in uniform trokken Lennick geboeid het huis uit.

De vrouw van de bankier, die slechts gekleed was in een nachthemd, rende in paniek achter hem aan. 'Waarom doen ze dit, Saul? Wat is er aan de hand? Waar hebben ze het over – moord?'

'Bel Tom!' schreeuwde Lennick over zijn schouder naar haar, terwijl ze hem naar een van de gereedstaande wagens leidden. Zijn ogen ontmoetten die van Hauck en wierpen hem een minachtende, dreigende blik toe. 'Morgen ben ik weer thuis,' verzekerde hij zijn vrouw bijna spottend.

Hij keek naar Karen. Ondanks de deken huiverde ze, maar ze wendde haar blik niet af. Haar ogen verrieden een woordeloze, tevreden glimlach.

Alsof ze zei: hij heeft gewonnen, Saul. Met een knikje. Hij heeft gewonnen.

Ze duwden Lennick in een van de auto's. Karen liep naar Hauck. Uitgeput liet ze haar hoofd tegen zijn verzwakte arm rusten.

Het is voorbij.

Het geluid klonk achter hen. Een scherp gerinkel van versplinterd glas.

Het duurde even voordat het tot haar doordrong. Tegen die tijd schreeuwde Hauck dat iemand aan het schieten was en had hij Karen met zijn lichaam bedekt om haar te beschermen.

'Ty, wat gebeurt er?'

Iedereen ging op de grond liggen of dook weg achter auto's. Politiewapens kwamen tevoorschijn, radio's kraakten. Mensen schreeuwden: 'Iedereen liggen. Ga liggen!'

Het stopte allemaal net zo snel als het was begonnen.

Het schot was uit de bomen gekomen. Vanaf het terrein van de club. Geen startende motor, geen voetstappen.

Met getrokken pistolen zochten de agenten in het duister naar de schutter.

Er werd geschreeuwd. 'Is er iemand gewond?'

Niemand reageerde.

Freddy Muñoz stond op en pakte de radio om het terrein te laten afzetten, maar er waren tientallen manieren om hier weg te komen. Via Hill. Deerfield. North Street.

Talloze mogelijkheden.

Hauck liet Karen los en stond op. Zijn blik werd getrokken naar de wachtende politiewagen. Zijn maag draaide zich om. 'O, jezus, o god...'

De achterruit aan passagierszijde was veranderd in een spinnenweb van gebroken glas. In het midden zat een klein gat.

Saul Lennick lag er onderuitgezakt tegenaan, alsof hij een dutje deed.

Er was een donkere plek aan de zijkant van zijn hoofd, die steeds groter werd. Zijn witte haar werd langzaam rood.

104

ONWETTIGE HUISZOEKING. INBRAAK. ONGEAUTORISEERD GEBRUIK van een dienstwapen. Het niet melden van een ernstig misdrijf.

Dat waren nog maar een paar van de overtredingen waarmee Hauck in zijn bed in het Greenwich Hospital zou worden geconfronteerd. En dan had hij het nog niet eens over het misleiden van een moordonderzoek op de Virgineilanden, maar momenteel viel dat hier nog buiten de jurisdictie.

Terwijl hij op een netwerk van katheters en monitoren was aangesloten en van operaties aan zijn onderbuik en been herstelde, drong tot hem door dat de kans op een verdere carrière bij de politie uiterst klein was.

De volgende ochtend kwam Carl Fitzpatrick op bezoek. Hij bracht een bosje narcissen mee en legde dat op de vensterbank naast de bloemen die door de vakbond van de lokale politie waren gestuurd. Enigszins verbouwereerd haalde hij zijn schouders naar Hauck op, alsof hij wilde zeggen: de vrouw wilde dat ik het meenam, Ty.

Hauck knikte en zei met een stalen gezicht: 'Ik hou meer van paars en rood, Carl.'

'Volgende keer dan.' Fitzpatrick grijnsde en ging zitten.

Hij informeerde naar Haucks verwondingen. De kogel in zijn zij had gelukkig vitale delen gemist. Die wond zou volledig genezen. Maar zijn been – eigenlijk zijn rechterheup – was er slecht aan toe door al dat rennen en hinken toen hij achter Dietz en Lennick aan ging.

'De dokter zegt dat ik American football voortaan kan vergeten.' Hauck glimlachte.

Zijn baas knikte alsof het slecht nieuws was. 'Nou ja, een Bobby Orr zou je toch nooit zijn geworden.' Er viel even een stilte en toen schoof Fitzpatrick naar voren. 'Weet je, ik zou graag willen zeggen: "Goed gedaan, Ty." Ik bedoel, het was een schitterende arrestatie.' Hij schudde ernstig zijn hoofd. 'Had je niet naar mij toe kunnen komen, Ty? We hadden het volgens het boekje kunnen doen.'

Hauck verschoof. 'Ik liet me volgens mij een beetje meeslepen.'

'Ja.' De hoofdcommissaris grijnsde, alsof hij het grapje waardeerde. 'Zo zou je het kunnen noemen, je laten meeslepen.' Fitzpatrick stond op. 'Ik moet gaan.'

Hauck stak zijn arm naar hem uit. 'Zeg eens eerlijk, Carl. Hoe groot is de kans dat ik mag terugkomen?'

'Eerlijk?'

'Ja.' Hauck zuchtte. 'Eerlijk.'

De hoofdcommissaris ademde lang uit. 'Geen idee...' Hij slikte. 'Er zal een beoordeling komen. Men zal van mij verwachten dat ik je schors.'

Hauck ademde diep in. 'Ik begrijp het.'

Fitzpatrick haalde zijn schouders op. 'Ik weet niet, Ty... Waar zat je zelf aan te denken? Een week, of zo?' Hij glimlachte breed. 'Het was een pracht van een arrestatie, inspecteur. Natuurlijk sta ik niet helemaal achter de manier waarop je het hebt aangepakt, maar schitterend was ze wel. Schitterend genoeg om je terug te willen. Dus rust lekker uit. Pas goed op jezelf, Ty. Ik mag het eigenlijk niet zeggen, maar ik ben trots op je.'

'Dank je, Carl.'

Fitzpatrick kneep Hauck even in zijn onderarm en liep naar de deur.

'Hé, Carl...'

De commissaris draaide zich om. 'Ja?'

'Als ik het wel volgens het boekje had gedaan... Als ik bij je was gekomen en had gezegd dat ik de hit-and-run van Raymond wilde heropenen, voordat ik iets had, zeg eens eerlijk: had je daar dan toestemming voor gegeven?'

'Toestemming?' De hoofdcommissaris kneep zijn ogen samen terwijl hij nadacht. 'Om de zaak te heropenen? Op welke gronden, inspecteur?' Hij lachte terwijl hij de kamer verliet. 'Geen sprake van.'

Hauck dommelde een beetje. Hij voelde zich in ere hersteld. Rond lunchtijd werd er aan de deur geklopt. Jessie kwam binnen.

Samen met Beth.

'Hoi, lieverd...' Hauck grijnsde breed. Toen hij zijn armen wilde spreiden, huiverde hij.

'O, papa...' Met tranen van bezorgdheid rende Jessie naar hem toe en drukte haar gezicht tegen zijn borst. 'Papa, komt het weer helemaal goed met je?'

'Alles komt goed, schat. Dat beloof ik je. Het komt goed. Ik word weer net zo sterk als vroeger.'

Ze knikte en Hauck trok haar tegen zich aan. Hij keek naar Beth.

Ze stak haar korte bruine haarlok achter haar oor en leunde met een glimlach tegen de deur. Hij wist zeker dat ze op het punt stond iets te zeggen als: 'Mooi werk, inspecteur', of: 'Je hebt jezelf deze keer echt overtroffen, Ty.'

Maar dat deed ze niet.

In plaats daarvan liep ze naar hem toe en ging bij het bed staan. Haar ogen waren vochtig en intens, en ze had er zichtbaar moeite mee om überhaupt iets te zeggen. Toen ze dat uiteindelijk deed, ging het gepaard met een strakke glimlach en een tedere kneep in zijn hand.

'Oké,' zei ze. 'Jíj mag Thanksgiving hebben, Ty.'

Hij keek haar aan en glimlachte.

Voor de eerste keer in jaren had hij het gevoel dat hij iets in haar vochtige ogen zag. Iets waar hij heel lang op had gewacht. Iets wat onvindbaar was geweest en hem vele jaren had ontdoken. En nu, met de natte wangen van zijn dochter tegen zich aangedrukt, was het eindelijk gevonden.

Vergiffenis.

Hij knipoogde naar haar en hield Jessie stevig vast. 'Dat is fijn om te horen, Beth.'

Die avond was Hauck een beetje suf van alle medicatie. Hij had een wedstrijd van de Yankees opstaan, maar kon hem niet volgen. Zachtjes werd er aan de deur geklopt.

Karen stapte naar binnen.

Ze droeg haar grijze Texas Langhorns T-shirt en om haar schouders lag een spijkerjasje. Haar haren waren opgestoken. Hauck zag een snee naast haar lip waar Dietz haar had geslagen. Ze had een vaasje met een kleine roos bij zich, liep naar hem toe en zette het naast zijn bed.

'Mijn hart.' Ze wees ernaar.

Hij glimlachte.

'Wat ben je mooi,' zei hij tegen haar.

'Tuurlijk. Ik zie eruit alsof ik door een bus ben overreden.'

'Nee. Alles is mooi. Volgens mij begint de morfine te werken.'

Karen glimlachte. 'Ik was hier gisteravond ook, toen je werd geopereerd. De artsen hebben met me gesproken. Je bent een geluksvogel, Ty. Hoe gaat het met je been?'

'Het is nooit soepel geweest, maar nu is het helemaal aan gort.' Hij grinnikte. 'De hele –'

'Zeg het maar niet.' Karen hield hem tegen. 'Alsjeblieft.'

Hauck knikte. Even viel hij stil en toen haalde hij zijn schouders op. 'Trouwens, wat is een mikmak in vredesnaam?'

Karens ogen glinsterden. 'Geen idee.' Ze kneep met haar beide handen in zijn hand en staarde diep in zijn halfgesloten ogen. 'Dank je, Ty. Ik ben je zoveel verschuldigd. Ik ben je álles verschuldigd. Ik zou willen dat ik wist wat ik in hemelsnaam moest zeggen.'

'Niets...'

Karen drukte haar vingers in zijn handpalm en schudde haar hoofd. 'Ik weet niet of ik op dezelfde manier verder kan gaan.'

Hij knikte.

'Charlies dood...' zei ze. 'Dat zal tijd kosten. En de kinderen... Ze komen terug.' Ze keek hem aan zoals hij daar lag, gekoppeld aan slangen en piepende monitorschermen. Haar ogen vulden zich met tranen.

'Dat begrijp ik.'

Ze legde haar hoofd op zijn borst en voelde zijn ademhaling.

'Aan de andere kant' – ze slikte een paar tranen weg – 'zouden we het natuurlijk wel kunnen proberen.'

Hauck lachte. Het was meer een huivering, terwijl er pijn door zijn buik schoot.

'Ja.' Hij hield haar vast en streelde haar haren, haar ronde wang. Hij voelde dat ze niet meer trilde en merkte dat hij zich ook op zijn gemak begon te voelen.

'We kunnen het proberen.'

105

Twee weken later

HAUCK REED MET ZIJN BRONCO in de richting van de grote stenen poort. Hij deed zijn raampje naar beneden en leunde naar voren om op de intercomknop te drukken. Een stem antwoordde: 'Ja?'

'Inspecteur Hauck,' zei Hauck in de speaker.

'Rijdt u maar door naar het huis,' antwoordde de stem. De hekken zwaaiden langzaam open. 'Meneer Khodoshevski verwacht u.'

Hauck reed over de lange, verharde oprijlaan. Zelfs bij de minste druk op het gaspedaal voelde hij nog steeds pijn aan zijn rechterbeen. Hij was met fysiotherapie begonnen, maar had nog weken te gaan. De artsen zeiden dat hij misschien nooit meer soepel zou kunnen lopen.

Het landgoed was reusachtig. Hij reed langs een grote vijver. Er was een weide die met hekken was omsloten – voor paarden misschien. Boven aan de heuvel stond een gigantisch herenhuis van rode baksteen met een indrukwekkend plein ervoor en een sierlijke fontein in het midden. Uit de beeldhouwwerken stroomde water in een marmeren bassin.

Miljardairs die het versjteerden voor miljonairs, herinnerde Hauck zich. Zelfs naar de maatstaven van Greenwich had hij nog nooit zoiets gezien.

Hij stapte uit de auto en pakte zijn wandelstok. Die hielp. Daarna klom hij de trappen naar de indrukwekkende entree op.

Hij drukte op de bel. Er weerklonk een luid klokkenspel. Het verbaasde hem niet. Een jonge, aantrekkelijke vrouw deed open. Een Oost-Europees type, misschien een au pair.

'Meneer Khodoshevski vroeg me u naar de hobbykamer te begeleiden,' zei ze met een glimlach. 'Volgt u mij.'

Een jongetje van een jaar of vijf à zes scheurde langs hem in een gemotoriseerde speelgoedwagen. 'Biep, biep!'

'Michael, nee!' riep de au pair. Vervolgens glimlachte ze verontschuldigend. 'Sorry.'

'Ik ben van de politie.' Hauck knipoogde. 'Zeg tegen hem dat hij zich wel aan de maximumsnelheid moet houden.'

Door een reeks vorstelijke ruimten werd hij naar een woonkamer aan de zijkant van het huis geleid met een muur van gebogen ramen die uitzicht boden op het landgoed. Er stond een grote leren bank, met daarboven een bekend, modern schilderij waarvan Hauck wist dat het immens waardevol moest zijn, hoewel hij zelf niet weg was van al het blauw dat de schilder had gebruikt. Tegen de wand stond een reusachtig televisiemeubel met een indrukwekkende stereo-installatie en een onmisbaar flatscreen van zestig inch.

Er stond een oude westernfilm op.

'Inspecteur.'

Hauck zag een paar benen op een voetenbankje. Een groot lichaam met een flink behaarde borst stond op uit een stoel. Het was gekleed in een ruimzittende korte broek en een oversized geel T-shirt met de tekst: GELD IS DE ULTIEME WRAAK.

'Ik ben Gregory Khodoshevski.' De man schudde Hauck krachtig de hand. 'Gaat u alstublieft zitten.'

Hauck stond tegen een fauteuil aan geleund om zijn been te ontlasten en steunde op zijn wandelstok. 'Bedankt.'

'Ik zie dat het niet zo goed met u gaat?'

'Een kleine ingreep,' loog Hauck. 'Slechte heup.'

De Rus knikte. 'Ik heb diverse operaties aan mijn knie ondergaan. Skiën.' Hij grijnsde. 'Wat ik ervan geleerd heb is dat het niet de bedoeling is dat de mens tussen bomen door skiet.' Hij reikte naar de afstandsbediening en zette het volume zachter. 'Houdt u van westerns, inspecteur?'

'Zeker. Iedereen toch?'

'Ik in elk geval wel. Dit is mijn favoriete: *The Good, the Bad and the Ugly*. Maar ik weet nog steeds niet met wie ik me identificeer. Mijn vrouw houdt natuurlijk vol dat het "the ugly" is.'

Hauck grijnsde. 'Als ik het me goed herinner, was dat een van de filmthema's. Ze hadden allemaal hun motieven.'

'Ja.' De Rus glimlachte. 'Volgens mij hebt u gelijk – ze hadden allemaal motieven. Maar waar heb ik dit bezoekje aan te danken, inspecteur Hauck?'

'Ik ben met een zaak bezig. Er is een naam bovengekomen en ik was benieuwd of die u misschien iets zegt: Charles Friedman.'

'Charles Friedman?' De Rus haalde zijn schouders op. 'Het spijt me. Nee, inspecteur. Had dat wel gemoeten?'

Hij was goed, dacht Hauck. Een natuurtalent. Hauck keek hem indringend aan. 'Dat had ik gehoopt.'

'Hoewel, nu ik erover nadenk,' – Khodoshevski's gezicht klaarde op – 'ik herinner me toch iemand die Friedman heet. Hij organiseerde een jaartje of twee geleden een benefietavond in de stad. In het Bruce Museum, geloof ik. Ik heb een donatie gedaan. Hij had een aantrekkelijke vrouw, herinner ik me nog. Het kan zijn dat hij Charles heette. Wat heeft hij gedaan?'

'Hij is dood,' zei Hauck. 'Hij was betrokken bij een zaak die ik onderzocht, een hit-and-run.'

'Een hit-and-run.' Khodoshevski trok een gezicht. 'Wat triest. Het verkeer is hier een ramp, inspecteur. Daar bent u vast wel van op de hoogte. Soms durf ik in de stad niet eens alleen de straat over te steken.'

'Vooral niet als iemand niet wil dat u de overkant bereikt,' zei Hauck, terwijl hij de Rus recht in zijn staalachtige ogen keek.

'Ja, dan helemaal natuurlijk. Is er een reden waarom u deze man met mij in verband brengt?'

'Ja.' Hauck knikte. 'Saul Lennick.'

'Lennick!' De Rus ademde diep in. 'Ja, Lennick heb ik gekend. Vreselijk. Dat zoiets kon gebeuren. In zijn eigen huis nog wel. Hier in de stad. Het is vast een grote uitdaging voor u, inspecteur.'

'Meneer Friedman is een paar weken geleden zelf vermoord. Op de Britse Virgineilanden... We hebben ontdekt dat hij en meneer Lennick financiële partners waren.'

Khodoshevski's ogen werden groot, alsof hij verbaasd was. 'Partners? Het is toch krankzinnig wat hier allemaal gebeurt. Maar ik heb de man nooit meer gezien. Het spijt me dat u hier helemaal naartoe bent gekomen om dat te horen. Ik zou willen dat ik u beter van dienst had kunnen zijn.'

Hauck pakte zijn wandelstok. 'Het is niet helemaal voor niets geweest. Een huis als dit krijg ik niet vaak te zien.'

'Ik geef u graag een rondleiding.'

Hauck duwde zichzelf overeind en huiverde. 'Een andere keer misschien.'

'Sterkte met uw been. En met uitzoeken wie die gruwelijke daad op zijn geweten heeft.'

'Bedankt.' Hauck deed een stap richting de deur. 'Weet u, misschien mag ik u nog even iets laten zien voordat ik ga. Misschien frist het uw geheugen op. Een week geleden was ik zelf in het Caribisch gebied.' Hauck pakte zijn mobiele telefoon. 'Ik zag iets interessants – op het water. Voor het eiland. Ik heb er zelfs een foto van gemaakt. Grappig, slechts enkele kilometers van de plek waar Charles Friedman is vermoord.'

Hij gaf de mobiele telefoon aan Khodoshevski, die nieuwsgierig naar het beeld op het schermpje keek. De foto die Hauck tijdens het joggen had genomen. Khodoshevski's schoener. *The Black Bear.*

'Hmm.' De Rus schudde zijn hoofd en keek Hauck aan. 'Vreemd dat levens elkaar zo kunnen kruisen hè, inspecteur?'

'Niet meer,' zei Hauck, terwijl hij hem aankeek.

'Ja, u hebt gelijk.' Hij gaf de telefoon terug. 'Niet meer.'

'Ik vind de uitgang zelf wel,' zei Hauck en hij stak de telefoon weer in zijn jaszak. 'Nog één advies, meneer Khodoshevski, als u het niet erg vindt. U hebt een voorliefde voor westerns, dus u zult het vast begrijpen.'

'En dat is?' De Rus keek hem onschuldig aan.

Hauck haalde zijn schouders op. 'Kent u de uitdrukking "get out of dodge" die in westerns veel wordt gebruikt? Dat betekent zoveel als "blijf uit de problemen".'

'Ik heb er wel eens van gehoord. De sheriff zegt dat altijd tegen de schurken. Maar ze doen het nooit.'

'Nee, ze doen het nooit.' Hauck deed nog een stap in de richting van de deur. 'Daar zijn het westerns voor. Maar deze ene keer, weet u, zouden ze dat wel moeten doen, meneer Khodoshevski.' Hauck keek hem indringend aan. 'Zou ú dat moeten doen. Als u begrijpt wat ik bedoel.'

'Ik denk van wel.' De Rus glimlachte.

'O, en trouwens' – Hauck draaide zich om en hield zijn wandelstok schuin naar de deur – 'dat is een verdomd mooie boot, meneer Khodoshevski, als u begrijpt wat ik bedoel!'

Epiloog

'VLEES WORDT STOF EN AS. Onze as keert terug naar de aarde. Waar het leven in de cyclus van onze Almachtige Heer weer ontwaakt.'

Het was een warme zomerdag, de lucht was hemelsblauw. Karen keek naar Charlies kist in het open graf. Ze had hem thuisgebracht, zoals ze had beloofd. Hij verdiende het. Er brandde een traan in haar ooghoek.

Hij verdiende het, en meer.

Karen hield de handen van Samantha en Alex stevig vast. Dit was zo moeilijk voor hen, moeilijker dan voor wie ook. Ze begrepen het niet. Hoe had hij zulke geheimen voor hen kunnen hebben? Hoe had hij zomaar kunnen weglopen, wat hij ook had gedaan, wie hij ook was?

'We waren een gezin,' zei Samantha verward tegen Karen. Er lag zelfs iets van beschuldiging in haar trillende stem.

'Ja, we waren een gezin,' zei Karen.

Ze had het hem vergeven. Ze was zelfs op een bepaalde manier weer van hem gaan houden.

We waren een gezin. Misschien zouden zij op een dag ook weer van hem houden.

De rabbijn zei een laatste gebed. Karen hield hun handen nog steviger vast. Ze zag haar leven weer aan zich voorbijtrekken. De dag dat ze elkaar leerden kennen. De dag waarop ze verliefd werden. De dag waarop ze tegen zichzelf had gezegd dat hij de ware was.

Charlie, de kapitein – aan het roer van de boot in het Caribisch gebied. Die op het laatst naar haar zwaaide vanaf hun privébaai.

Haar bloed stroomde warm door haar aderen bij de gedachte aan achttien jaar lief en leed.

'Het is ons gebruik om de overledene nu de laatste eer te bewijzen door een handjevol aarde te gooien, om onszelf eraan te herinneren dat al het leven vergankelijk is en ondergeschikt aan God.'

Haar vader stapte naar voren. Hij nam de schop van de rabbijn over en gooide een beetje aarde over de kist. Haar moeder ook. Daarna Charlies moeder Margery, terwijl zijn broer haar arm ondersteunde. Daarna Rick en Paula.

Vervolgens Samantha, die het op een snelle, gekrenkte manier deed en haar gezicht afwendde. Ze gaf de schop aan Alex, die lange tijd bij het graf bleef staan en zich uiteindelijk naar Karen omdraaide en zijn jonge hoofdje schudde. 'Ik kan het niet, mama... Nee.'

'Lieverd.' Karen kneep nog harder in zijn hand. 'Je kunt het.' Wie kon het hem kwalijk nemen? 'Hij is je vader, lieverd. Wat hij ook heeft gedaan.'

Uiteindelijk pakte hij de schop op en schepte de aarde erin, terwijl hij zijn tranen wegslikte.

Daarna was Karen aan de beurt. Ze pakte de schop met aarde op. Ze had al afscheid van hem genomen. Wat viel er nog te zeggen?

Ik heb echt van je gehouden, Charlie. En ik weet dat jij ook van mij hield.

En toen gooide ze de aarde erin.

Het was voorbij. Hun leven samen. Ik heb zojuist mijn man begraven, zei Karen tegen zichzelf. Eindelijk. Onherroepelijk. Ze had het recht om dat te zeggen.

Iedereen kwam naar haar toe en omhelsde haar, en met z'n drieën bleven ze even wachten, terwijl de rest de heuvel af liep. Karen stak haar hand door Alex' arm en klemde de andere om Samantha's schouders. Ze trok haar dochter dicht tegen zich aan. 'Op een dag zul je hem vergeven. Ik weet dat het moeilijk is. Hij is teruggekomen, Sam. Hij keek naar ons toen we na je diploma-uitreiking naar buiten kwamen. Je zult hem vergeven. Daar draait het in het leven om.'

Terwijl ze de heuvel af liepen, zag ze hem onder een bladerrijke iep staan, een beetje aan de zijkant. Hij droeg een marineblauw sportjack en zag er goed uit. Zijn wandelstok had hij nog steeds bij zich.

Hun blikken ontmoetten elkaar.

Karens ogen vulden zich met een warm gevoel dat ze in jaren niet meer had gevoeld.

'Kom,' zei ze tegen de kinderen. 'Ik wil jullie aan iemand voorstellen.'

Terwijl ze hem naderden, keek Alex haar verward aan. 'We kennen inspecteur Hauck al, mam.'

'Dat weet ik, lieverd,' zei Karen. Ze zette haar zonnebril af en glimlachte naar hem. 'Ik wil dat jullie hem opnieuw ontmoeten. Hij heet Ty.'

Dankwoord

ELK BOEK IS EEN SPIEGEL die de buitenwereld reflecteert, en ik wil de volgende mensen graag bedanken omdat ze die buitenwereld nog veel duidelijker tot leven hebben gebracht via de creatie van *Valse lading*.

Mark Schwarzman, Roy en Robin Grossman en Gregory Kopchinski, voor hun hulp bij hedgefondsen en de beweging van geldstromen over continenten – allemaal legitiem natuurlijk.

Kirk Dauksavage, Rick McNees en Pete Carroll van Riverglass, ontwerpers van geavanceerde beveiligingssoftware die veel ingewikkelder is dan hier voorgesteld, voor hun hulp bij informatie over manieren waarop internet van mijnen is voorzien ten bate van de nationale veiligheid. Zoals een van de personages zei: 'Ik voel me er veiliger bij.'

Vito Collucci jr., voormalig politie-inspecteur in Stamford, Connecticut, die nu werkt als kabelnieuwsconsultant en auteur, voor zijn hulp bij onderzoeks- en politiezaken.

Liz en Fred Scoponich, voor wie jullie zijn en ook voor jullie informatie over klassieke Mustangs.

Simon Lipskar van Writers House voor zijn steun, en mijn team bij William Morrow: Lisa Gallagher, Lynn Grady, Debbie Stier, Pam Jaffee, Michael Barrs, Gabe Robinson, en vooral David Highfill, die me net genoeg lof toedicht dat ik geloof dat ik af en toe weet wat ik doe en me genoeg richting geeft om mijn slechtste eigenschappen buiten beschouwing te laten. En ook Amanda Ridout en Julia Wisdom van HarperCollins in Londen.

Maureen Sugden, alweer, voor haar ijver en vastberadenheid in haar gevecht tegen cursieve drukletters.

Dank aan mijn vrouw, Lynn, die altijd aan mijn zijde staat en me steeds weer aanmoedigt om mijn uiterste best te doen.

Maar vooral dank aan Kristen, Matt en Nick, op wie ik nu nog veel trotser ben, om wie jullie als volwassenen in de wereld zijn geworden, dan op al jullie dansvoorstellingen, toelatingen tot universiteiten en squashwedstrijden uit hun jeugd. Jullie reflectie staat op elke bladzijde.